读客® 知识小说文库

读小说，学知识

侯大利刑侦笔记

一部集侦查学、痕迹学、社会学、尸体解剖学、犯罪心理学之大成的教科书式破案小说

小桥老树 著
《侯卫东官场笔记》作者

上海文艺出版社

图书在版编目（CIP）数据

侯大利刑侦笔记 / 小桥老树著 . -- 上海 : 上海文艺出版社 , 2020.4
（读客知识小说文库）
ISBN 978-7-5321-7327-3

Ⅰ . ①侯… Ⅱ . ①小… Ⅲ . ①长篇小说－中国－当代
Ⅳ . ① I247.5

中国版本图书馆 CIP 数据核字 (2019) 第 170000 号

责任编辑：毛静彦
特邀编辑：刘兆兰　　简天舒
封面设计：吴　琪
插画设计：刘小梅

侯大利刑侦笔记
小桥老树　著
上海文艺出版社出版、发行
地址：上海绍兴路7号
电子信箱：cslcm@publicl.sta.net.cn
网址：www.slcm.com
新華書店经销　三河市龙大印装有限公司印刷
开本 680毫米×990毫米　1/16　19印张　字数 268千字
2020年4月第1版　2020年4月第1次印刷
ISBN 978-7-5321-7327-3/I.5824
定价：45.00元

目 录

第一章
失踪的女高中生

失踪的女高中生

2001年，秋天。山南省江州市。

清晨，刑警支队长朱林和两名侦查员来到山南国龙集团江州公司，进入集团太子侯大利房间。朱林站在床前，打量仍然在酣睡的纨绔子弟，对站在一旁的夏晓宇说道："叫醒他。"

夏晓宇是国龙集团江州负责人，和朱林算是熟人，在不同饭局喝过酒。酒局上，朱林总是沉默寡言，显得很普通。办案时，这个黑脸瘦刑警顿时由病猫变成老虎，目光逼人。

夏晓宇小心翼翼地解释道："朱支队，大利昨天放学以后就和省城来的朋友喝酒，十点多才回家。他醉得不省人事，回家后还输了水，输完水就睡大觉。医生和家里阿姨都可以证明，门外有监控，随时调得出来。"

朱林面无表情，又道："叫醒他。"

侯大利被推醒，睁着醉眼仰望床前黑脸汉子。

富二代喝得昏天黑地，完全没有半点高中生模样。朱林强忍厌恶，道："你，坐起来。从昨天放学到现在，做过的事情全部说一遍。"

夏晓宇提醒道："大利，说，必须说。"

侯大利在省城读书时结交了一帮爱招惹是非的纨绔子弟朋友，多次因为这帮朋友而被警察问话。眼下虽然不知道发生了什么事情，但是他看到夏晓宇表情严肃，明白肯定出了大事。他接过浓茶，喝了一口，按照黑脸警察的要求讲了从昨天放学到现在做过的事。他能够确定自己没有打架斗殴，揣测或许是一帮喝花酒的哥们儿在半夜惹出祸事。他暗自庆幸昨夜喝得太醉，回来得早，不会受到牵连。

朱林听得很认真，细心寻找眼前纨绔子弟讲述中的破绽，观察其脸上细微表情和身体语言。当纨绔子弟讲完之后，他不动声色地道："你把从昨天到现在做过的事情倒着说一遍。"

"你谁呀？"侯大利宿醉未醒，头痛得紧，不耐烦起来。

夏晓宇知道事态严重，按住侯大利肩膀，递了一个眼色，道："大利，别耍脾气，让你说，你就说。这是刑警支队朱叔叔。"

夏晓宇与侯家关系很深，是江州唯一能够管住侯大利的人。得到夏哥暗示，侯大利勉勉强强将昨天经历倒叙一遍。

侯大利倒叙之时没有停顿，眼睛平视前方，脸部肌肉平顺，显然说的是亲身经历。若是编造昨天经历，倒叙之时必然会有破绽。朱林基本上相信了侯大利，将询问重点转向了与侯大利青梅竹马的杨帆。

侯大利最初以为是省城哥们儿惹了祸，随着询问开展，越听越不对味，一颗心渐渐悬了起来，道："为什么要问杨帆？杨帆是好学生，从不惹事。"

"杨帆失踪了！"朱林冷冷道。

杨帆，江州一中高一女生，自从昨天下午失踪，到今天清晨仍然没有踪影。侯大利与杨帆关系密切，自然成为重点调查对象。国龙集团是山南巨型企业，侯大利的父亲侯国龙是山南省鼎鼎大名的企业家，与省市大人物关系密切。鉴于此，支队长朱林亲自出马，带着重案大队两名资深侦查员调查侯大利。

得知杨帆失踪，侯大利就如被突然踩了尾巴的猫，瞬间蹦得老高，随即如炮弹一样，径直往外冲。朱林身边侦查员反应很快，上前将他拦住。侯大利试图硬冲，两名侦查员只能将其摁住。

侯大利与两位侦查员对抗了七八分钟，体力消耗殆尽，情绪慢慢从高峰下落。

夏晓宇蹲在侯大利身边，道："杨帆昨夜一直没有回家，自行车出现在世安桥时，应该失踪了。你在这个关键时刻一定要冷静，全面配合警方。你提供的材料越多越详细，警方找到杨帆的可能性就越大。"

"快点问，问完我要到世安桥。"一滴汗水流进侯大利眼里，弄得他很疼。

夏晓宇道："真冷静了？"

侯大利点了点头。

两名侦查员这才松开侯大利。

朱林道："在学校是否有人追求杨帆？哪几个？"

侯大利道："三班蒋小勇、我们班的李武林、五班陈雷，还有二班王忠诚。我就知道这几个。"

警方侦查询问结束以后，夏晓宇护送侯大利前往世安桥。

"杨帆昨天约好要给我补习功课……"坐在车上，侯大利怔怔地看着前方，突然喃喃说道。

"你说什么？"侯大利声音很轻，夏晓宇没有听清楚，问了一句。

侯大利摇了摇头，神情恍惚，思绪回到昨天。

事发前一天，正值江州一中百年校庆。

校庆最后一项活动是文艺会演，杨帆是这场表演的绝对主角，开场舞以及最后的压轴舞都由她主导。

侯大利觉得学校文艺会演老掉牙，实在无聊，不停打哈欠。若非杨帆有两个节目，他压根不会坐在大礼堂。正在走神时，他收到省城朋友短信：哥们儿，在江州待傻了吧？我、大屁股和烂人带了两个艺校小美女，下午到江州，你懂的。

看完短信，侯大利不禁产生了几分旖旎想象。

演出终于开始。最初舞台没有光线，漆黑一片，随后一束光射向舞台，高一一班女生杨帆犹如一只漂亮的孔雀，冲破黑暗，出现在舞台中央。礼堂鸦雀无声，没有人再讲话。舞台上的曼妙身姿极具表现力，如黑洞一般将所有人的注意力牢牢吸进去。

杨帆在舞台上光芒四射，让侯大利的所有邪念灰飞烟灭。

舞蹈结束，礼堂有几秒钟很安静，随即响起热烈掌声。杨帆谢幕三次，掌声才渐渐停歇。文艺会演很成功。演出结束后，一个校友找到老校长，希望能将杨帆招到歌舞团，马上进部队。

侯大利是第一次在现场观看杨帆演出，她在舞台上的形象将他震得昏头昏脑。演出结束后，他在停车场等杨帆。十分钟后，杨帆出现。杨帆在舞台上的形象非常惊艳，光彩夺目，此刻俏生生地坐在身旁，肌肤如雪，眉目灵动，清纯如出水芙蓉。

侯大利看得呆住，嘴巴似乎不会说话，过了半晌，才讷讷地道："跳得真好。"

"你才知道吗？我一直都跳得很好。"

杨帆走得急，额头、脖子上都还有些小汗珠，晶莹剔透，在午后阳光下闪闪发亮。她左顾右看，担心地道："这里安全吗？我们说好的，在上课期间不单独见面。"

"放心吧，关了车窗，外面看不进来，绝对安全。"侯大利这才收回目光，递过来一个精致小盒子。

"什么？"

"江州大饭店特供蛋糕，不对外销售，专供高端客人。"

"纨绔！"

"啊？不是念'wan kua'吗？"

"你还真是'wan kua'。"杨帆直接给了他一个白眼。

侯大利看杨帆只是捧着盒子不吃，问道："吃啊，真的很好吃。"

杨帆盯着蛋糕，吞了吞口水，道："想吃，怕胖！"

"没事，尝一勺。"

"嗯，只吃一勺应该没问题。"杨帆用勺子浅浅地挖了一勺，送进嘴里，细细品尝。她只吃了一口，便放下勺子，道："不能再吃了，真要长胖。”

“蛋糕都不能吃，人生还有什么意义？杨叔要求太严，严到苛刻。”

“每个人都有自己的人生规划。我以后读了重点大学，还得参加大学歌舞团，必须要有好身材。对了，你急急忙忙找我有什么事情？”

“省城有几个哥们儿到江州来看我，我下午要陪他们。今天放学后，我不能送你回家了。”侯大利每天都要送杨帆经过世安桥，然后在世安桥分手，各回各家。

“你别和社会青年交往，学生还是要以学习为主。期末考试若在倒数十名之内，我就不理你。”

“天哪！一班是尖子班，个个聪明绝顶，考倒数第十一名是不可能完成的任务。”

“我不管，这是我对你的要求。”

侯大利想岔开话题，指着蛋糕道：“再尝一口，就一口！”

“你别想用美食来转移话题，”杨帆从手提袋里拿出英语课本，道，“现在还有时间，我们一起复习第一课。三年时间一晃就过了，你基础差，得抓紧每一天。”

半小时不到，侯大利居然将第一篇课文前面部分背了下来。

“还不错嘛。既然能学懂，那么每天中午我都可以给你补课。”

“每天中午，此话当真？”

“当真！”

“那就说定了，我明天还来。”

“就怕你三天打鱼，两天晒网！”

“那不能，这是咱俩的约定嘛！”

中午时间本来就短，两人聚在一起，时间流逝得更是快如闪电，几乎转眼间就到了必须分开的时刻。杨帆合上英语课本，慢慢取出一个手工制作的信封，递给侯大利。

“情书吗？”

“想得美。等会儿再看。”

“天天见面还要写情书？”

“写信是很郑重的事情，你不要油腔滑调。”

杨帆下车，站在车窗外，挥了挥手，转身离开。侯大利目光粘在她的背影上，舍不得眨眼。等到杨帆身影在拐角消失，他坐在车上拿起情书。信纸纯白色，左下角画有几株竹子，颇为素雅。杨帆从小习练书法，字如其人，娟秀又灵动。

大利哥：

我一直想写这封信，每次提笔，满肚子话却又不知从何写起，真是“剪不断，理还乱”。但斟酌良久，还是觉得应该给你写这封信。

今年有三个没有想到。第一个没有想到的是你居然回江州读书。小时候，我们两家门对门，天天就在一起，正像李白所说的“郎骑竹马来，绕床弄青梅”。

那时候我把你当成亲哥哥，受了委屈就来找你，有什么好吃的、好玩的也来找你。你还帮我打过架，至少有三次吧。后来，你们全家搬离世安厂。很长一段时间，我都觉得你还住在对面，会随时推开我们家房门，坐在我对面吃饭。事实上，你离开以后，就完完全全从我的生活中消失了。

第二个没有想到的是我们居然又成为同班同学。这几年，厂区里流传了许多侯叔和你的故事。很多人都说你变成了富二代，已经坏掉了，成为省城阳州的纨绔子弟，吃喝嫖赌，样样都做。每次听到这种说法，我都很气愤，还和好多人争论过。当然，我还恨你不争气，变成坏蛋！这次你回到江州，我发现传闻都不是真的，你还是那个大利哥，没有变坏，只不过成绩差得一塌糊涂。现在还是高一，有足够的时间来提高成绩。我真心希望你摆脱沾染上的纨绔气息，埋头读书，考上重点大学，这样才是我心目中的大利哥。

第三个没有想到的是大利哥那天说“喜欢我”。对不起，我给了你脸色，请不要生气。从初中到现在，我收到过不少情书。每次收到这些情书时，我真的很生气，把情书撕得粉碎，扔进垃圾桶。但是，大利哥那天说这话时，我虽然给了你脸色，其实并没有真正生气。我们是高中生，学习才是我们当前最应该做的事情。如果你只是想逗我玩，请收回“喜欢我”三个字，因为那是对我的不尊重。如果你是真心想说这三个字，那请把它放在内心深处，等到高中毕业以后，请你郑重地重新审视这三个字的含义，到时再决定是否说出来。那时候，我会认真考虑的。

写这封信前，我觉得有很多很多话，可是下笔的时候，又不知道说些什么，写着写着就开始劝你要好好学习，唉，我是不是变成了啰唆老太婆？千言万语，我是希望你成长为真正的男子汉，但这句话可能也太正式了，也可能会给你太大压力。但你不用担心，我会一直站在你身边，看着你成为真正的男子汉！

今天就写到这儿吧，希望你能理解我。

住在对门的小帆

这是侯大利这辈子收到的第一封正式书信，虽然杨帆拒绝了自己，可是从信中可以读到杨帆对自己委婉的情意，少女心思甜蜜如醇酒，让他深深沉醉其中。

世安桥下河水汹涌。天空满是黑云，已经压到远处的巴岳山。

侯大利下了车，来到河边。

朱林和两个侦查员已经站在世安桥上。在前往事发地时，他接到好几个电话，目前已基本确定侯大利没有作案时间。

其他小组的调查没有任何进展。昨夜大雨，几乎冲走所有现场痕迹。雨停下后，名为大李的警犬以杨帆穿过的衣服为嗅源，沿河寻找，失败；勘查组已经撤回，带走留在现场的自行车做进一步检查；访问组继续沿着已知线索追查。

“为什么判断她是从世安桥上摔下去？”侯大利头发被汗水打湿，乱如雨后鸡窝。

朱林默默注视河水。

侦查员陈阳道：“在桥上找到自行车，杨帆最有可能掉进河里。”

侯大利断然道：“她不可能摔下去。”

朱林听到其语气相当肯定，转过头来，问道：“为什么？理由呢？”

侯大利脑海中浮现出杨帆骑车时的画面，向前走了几步，蹲在路沿石边上，指着隐约的自行车印迹，道：“杨帆平时骑车都会靠近人行道边缘，有一条基本路线，从不偏离。如果她要在世安桥停下来，肯定会把自行车摆在桥头。杨帆放学回家时，还没有下雨。我想不出她摔进河里的理由。”

朱林打开夹板，找出现场图。

从自行车位置看，应该是自行车撞到了条石栏杆。只不过，昨天一场暴雨将现场痕迹冲刷得干净，现场勘查很难有决定性发现。访问组也没有发现有用线索，所以暂时无法确定昨天在桥上发生了什么事情。侯大利和杨帆接触得多，熟悉杨帆的活动规律，若是他能够彻底摆脱嫌疑，那么其提供的情况最有价值。

朱林合上夹板，道：“你用了‘如果’两个字，那就意味着肯定有让杨帆在世安桥停下来的原因，原因是什么？”

“我和杨帆从小是邻居，关系好。我们经常在世安桥停下来，到那边草地去坐一会儿，她会帮我补习功课。”

“带我们到草地去。”

侯大利带着朱林等人来到平常约会的小草地。暴雨过后，小草地被冲得面目全非。正在观察草地时，朱林接到另一路侦查员的电话报告。侦查员在走访过程中无意逮到了一个盗车团伙，但是与杨帆失踪没有关系。

“是不是有消息了？”侯大利紧紧盯着朱林眼睛。

朱林摇头，道：“没有。”

“从昨天放学到现在都没有见到杨帆，存在各种可能性。为什么你们会认为她落水？”侯大利站在草地边，往日与杨帆在小草地约会的画面穿透时空，在脑海中完整重现。他用手压了压额头，头脑中的画面被稍稍压缩，随即又弹了回来，顽强地保持原样。

朱林道：“从现在的线索来判断，落水的可能性最大。”

侯大利脸色苍白，扭头对夏晓宇道：“给我弄条船，我要沿河去找。”

夏晓宇道：“虽然在桥上发现了自行车，可是情况很复杂，不一定掉进河里。我们再等一等。”

“杨帆和她爸一样固执，做事极为严谨，严谨到刻板，不会轻易改变习惯。她晚上没有回家，肯定遇上大事，最大的可能性就是落水。弄条船，我要沿河找。”侯大利脑海里浮现出杨帆掉进河里的画面，抱紧双臂，以抵御来自内心深处的寒冷。

夏晓宇伸头看了一眼湍急河流，苦笑道：“昨天下了大暴雨，正在涨大水，没有办法开船。我调一百多人沿河寻找，效果一样。”

夏晓宇不同意找船，侯大利没有强求，拿出手机，给省城圈子里的哥们儿拨打电话。他所接触的狐朋狗友皆为富二代，能调动的资源很多，能量不容小觑。打电话不久，一个朋友回话能找到船。

“我从世安桥下河，钱无所谓，随便开口。每天十万？十万就十万，赶紧来。”侯大利挂了电话，站在河边等待搜索船，有一个想法抑制不住地冒了出来：“如果我不和省城哥们儿喝酒，送杨帆回家，就不会出事。”这个想法演化成一条毒蛇，沿着血液咬遍所有的器官。

夏晓宇知道无法阻止失去理智的侯大利，与侯国龙通电话后，赶紧安排手下弄几套救生衣，又从保安队里调来几个会水的保安，专程保护国龙集团太子。

一小时后，一条小型机动船开过来。侯大利跳上船，将救生衣扔在脚旁。两名精干的保安跟上船，护住侯大利。

河水湍急，机动船剧烈晃动。侯大利站在船头，对岸边警察道：“有消息一定要通知我。”

朱林没有料到侯大利如此血性，劝道：“公安和世安厂组织不少人沿河在寻找，没有必要驾船。河水太急，真有危险。”

侯大利没有回应朱林，站在船头，吼了声“开船”。机动船马达轰鸣，在湍急的河中左摇右摆。

夏晓宇急得在岸上跺脚，吩咐手下道：“附近村民最熟悉情况，你去找几十个村民，每天发工资，沿河寻找。你招呼不动村民，就找生产队长，让他出面。”

夏晓宇手下找到生产队长蒋昌盛，由他组织四十个人沿河岸搜索。蒋昌盛长期到城里卖菜，是精明能干的生意人，一番讨价还价以后，组织了自家附近两个大院子约四十个村民，带竹制钉耙、绳子和渔网，沿河寻找落水者。村民们对于寻人的积极性很高，因为除了每天有基本工资以外，若是发现了尸体，还有大笔奖励。

重赏之下必有勇夫，村民们知道沿岸回水沱具体位置，很快越过沿河寻找的人群，前往几个回水沱守株待兔。

离世安桥约十公里，岸上坐着一群疲惫的寻人者，里面有极度伤心的杨勇和秦玉，还有闻讯赶来的李永梅，江州一中一年级部分同学也组织起来到河边寻找。

机动船突突地开来，侯大利站在船头。机动船开过，天色变暗，闪电划破天空，雷声大作，随即暴雨倾盆。李永梅发现站在船头的儿子，又急又怒。

侯大利随汹涌河水起起伏伏。想起与杨帆在一起的美好瞬间，他的泪水顺脸颊而下，与雨水混在一起，无法分辨。

岸上的人，河中的船，搜寻两天，没有任何消息。

杨帆父母杨勇和秦玉残存的一点侥幸被时间压得粉碎，秦玉扛不住压力，病倒在床。在床上躺了一小时，她想起下落不明的女儿，又强撑起床，随着丈夫一起在河边寻找。

杨帆失踪第三天，机动船来到距离世安桥约五十公里的一个河湾处，水中若隐若现有一抹红色。杨帆在出事当天穿了一件红色外套，与这一抹红色极为相似。

在船上守了三天，侯大利脸颊迅速塌了进去，眼窝深陷，头发结成几缕，胡子突然间就从脸皮上冲了出来。他声音嘶哑，说不出话，用手指着那一抹红色。

为了获得高额报酬的船老板敢在涨水季节行船，算得上要钱不要命的胆大人物。当船靠近时，船老板蹲下身看了一眼红色，用最快的速度掉转头，不再看第二眼。

侯大利双腿发软，坐在船板上。在这一刻，太阳被云层遮住，天空失去光线，暗淡无比。他眼光直勾勾地望向河边水草里的红色，神魂被死神砸得粉碎。人们在青春年少时，享受成长快乐，很少思考生与死的大问题。杨帆之死，让侯大利第一次近距离直面亲人死亡。

刑警很快出现在岸边。远远看到水中漂浮的红色，秦玉惨叫一声，昏倒在地。杨勇跪在地上，用头猛撞地面。

警方将杨帆父母安置在警戒线以外。

刑警们在岸边够不着尸体，打电话给船主，要求船主将红色拉到河边。机动船船主胆子大，却迷信，不肯靠近尸体。

两名刑警上船，一名中年男刑警拿起竹竿用力推动尸体，朝岸边慢慢移动。

看见水中红色后，侯大利身体仿佛有一层看不见的屏障，将其身体与外界隔绝，听不到声音，看不见光线。当男刑警用竹竿推动那一抹红色时，屏障出现一个空洞，声音、光线、水汽等蜂拥而入，侯大利这才重新与外界发生联系，嘶哑声音突兀响起：“不要推，她会疼的。”

男刑警见惯生死，内心强大，道：“尸体不会痛，总得弄到岸边。”

“跟你说了，停手。她会疼的。”侯大利抢过竹竿，站在船边小心翼翼托住红色。在移动过程中，红色侧了身体，随后完全翻转过来。侯大利看清楚水中出现的脸，“哇”地吐了出来，呕吐过后就大哭，却坚持用竹竿托着红色移动。

尸体靠岸以后，朱林道：“可以了，暂时不要出水，等到法医来了再弄上岸。”

来自世安厂工会的女领导眼泪汪汪地道：“朱支队，拉起来吧，杨帆爸妈在岸上看着，泡在水里不妥当。”

朱林紧紧盯着水里的红色，又看了一眼岸上人群，耐心解释道：“尸体暴露在空气中比在水里更容易腐败，为了争取更好的破案条件，等等吧。法医已经在路上了。”

他纯粹站在刑警支队长角度实事求是谈问题，尽量不带个人情感。工会领导经常邀请世安厂小公主杨帆在厂里表演节目，对其深有感情，听到朱林毫无感情的职业语，气得扭头就走，暗骂公安人员都是铁石心肠。

红色上岸，盖上白布。秦玉最先昏倒，其次是杨勇，再次就是体力完全耗尽的侯大利。

沿河寻找的居民最远走到了下游二十来公里，得知尸体在五十公里处发现，惋惜走得太近，没有赚到大钱，只是弄到点辛苦费。

在侯大利寻河的这一段时间里，江州刑警支队重案大队查了无数线索，最终还是将侦查方向暂定为情杀：杨帆生活极有规律，每天从家门到学校门，从不与社会上的男性接触，若是情杀，更大的可能性是学生。向杨帆表达过爱意的学生共有五人（包括侯大利），仍然需要进一步调查。

经法医尸检，尸体有如下特征：口中稍带水渍；瞳孔放大，在黏膜上有出血现象；耳膜破裂出血，肺里有积水；口鼻有泥沙；体表突出部位有擦伤，边缘不整齐。

结论：杨帆是溺水死亡。

侯大利昏睡一天，起床后，在刑警支队找到朱林。

朱林打量瘦了整整一圈的纨绔子弟，脸皮放松了些，道：“你很勇敢，在河里漂了三天。”

几天时间，侯大利暴瘦了十七八斤，相貌看起来老了十岁。河里漂浮的那抹红色已经严重刺激了他，产生了心理创伤。“杨帆做事真的很细致，过世安桥时，自行车车轮每次都在距离桥边约有一米的地方，几乎没有偏差。为了这事，我嘲笑过她，说她胆子小。”他略有停顿，用十分肯定的语气道，“如果没有意外，杨帆绝对不会落水。”

“经过初查，可以排除自杀。目前也没有犯罪事实指向他杀，意外落水的可能性最大。至于意外落水的原因，限于条件，很难弄清楚。”朱林对眼前男孩的看法悄然发生变化，耐心解释。

侯大利道：“我了解杨帆，她肯定受到伤害，否则不会落水。比如，有人故意将她推进河里，这个就和意外落水很相似。”

“这是《呈请不予立案报告书》，正要报给主管副局长。尸体解剖并不支持他杀，也没有找到其他线索。侦查员找到了附近几班客车驾驶员，只有一班客车驾驶员看到了倒在栏杆前的自行车，没有更多发现。”

“客车驾驶员看到了自行车？”

“客车驾驶员看到自行车的位置和现场勘查人员固定下来的自行车位置是一致的。从现场分析，如果有人想害杨帆，直接将自行车也丢到河里，这样更难查。”

“世安桥很多村民经过，为什么不捡这辆自行车？”

“暴雨，应该是这个原因。”

“自行车上应该有指纹吧？”

“指纹分潜汗性指纹、附着性指纹和减层性指纹，任何指纹都有可能在移动挤压抖动中遗失，雨水也会冲刷掉指纹。勘查技术人员只在自行车把手上提取到残缺指纹。经对比，是杨帆本人的。”

侯大利神情阴郁地离开刑警支队，来到世安桥。他坐在桥上，闭上眼，脑海里又浮现出杨帆骑着自行车快速穿过世安桥的画面，随即想象发生意外的各种可能情况。

摩托车或是汽车迎面与自行车相碰，杨帆惊慌之下，自行车转了方向。

有人在追逐自行车，导致杨帆的自行车改变了运动轨迹。

有多人拦住自行车，杨帆试图冲过去，结果失手。

有人招呼杨帆，杨帆下车，某种原因发生了冲突。

脑海中的画面清晰，仿佛事件曾经发生，侯大利不是想象，而是在脑海中将“事实”进行回演。

依据自行车最后出现的位置，以及杨帆一贯的骑行路线，侯大利在桥边反复推演，无论如何不能接受杨帆会在没有外力的情况下摔进江州河。有路过的行人看到这个疯疯癫癫的年轻人，想起曾有人于此落水，赶紧快步离开这晦气之地。

推演多时，侯大利身心俱疲，坐在条石栏杆上，双手按紧太阳穴。往事如放电影一般浮现在脑海中，凡是与杨帆有关的事情都清晰异常。

众目睽睽下的谋杀

世安厂是三线厂，位于巴岳山中段，距离江州市区约四公里。

世安厂生活设施和厂房沿山脚分布，星星点点，呈一字长蛇阵。厂区种满香樟树，将一幢接一幢的白色砖房围在其中。砖房层高均超过五米，门和窗比普通民居更为宽大。所有家属院均有编号，编号为六号的家属院被称为六号大院。

六号大院位于小山坡上，距离前厂门约五百米。

四幢三楼，杨勇提行李，秦玉牵女儿，敲开邻居李永梅的房门。

李永梅打开房门。

杨勇道："我们这次要走五天。"

"别操心小帆，好好办事，回家一趟不容易。"李永梅牵着杨帆，朝屋里喊，"大利，小帆来了。"

侯大利放下魔方，站在卧室门口朝杨帆招手。

杨帆没有撵父母的路，说了一句"早点回来"，便径直到侯大利房间。

杨家和侯家是多年老邻居，知根知底。杨勇和秦玉有急事回老家，女儿放在侯家，绝对放心。

卧室里，侯大利压低声音道："我有新魔方，等会儿比赛。"

杨帆给了他一个白眼，道："你肯定练习很久了，这不公平。"

侯大利拿起新魔方，随手一阵乱转，很快将诸色聚齐。

杨帆看得眼花缭乱，随即展开反击，骄傲地道："我现在不玩魔方了，幼稚，我要读童话。我差点忘记了，你认不了多少字，不会读童话。”

侯大利道：“你给我讲童话故事，我教你玩魔方。”

杨帆用力点头。

送走杨勇和秦玉夫妻，侯国龙和李永梅脸上的笑容消失得干干净净。回到卧室，关了房门，李永梅脸皮绷得很紧，没有一丝笑意，道：“辞职出去，如果生意做垮了，那我们家就要喝西北风了。”

侯国龙拿起放在桌上的报纸，指着报纸上画满红线的文章。

“这篇《东风吹来满眼春》最先是发表在1992年3月26日的《深圳特区报》上，如今全国各大报刊都全文转载了。报道意味着什么，难道你真的看不出来？总设计师说得太好了，不坚持社会主义、不改革开放、不发展经济、不改善人民生活，只能是死路一条。你难道没有嗅出其中的机会？我在世安厂干了这么多年供销，熟悉市场，晓得市场需要什么。与其在厂里混吃等死，不如痛痛快快大干一场。你放心，凭你老公的本事，每年赚个一两万绝对没有问题。到时我儿子与小帆结婚，我给他们风风光光办婚礼。”

提起这事，李永梅气不打一处来，道：“杨勇是厂医院一把刀，知识分子为人挺清高。你辞职以后变成无业游民，到时候杨勇和秦玉十有八九不肯让小帆嫁给大利。”

两人正在说话，一个花白头发的老头推门而入，怒道：“侯国龙，你太让我失望了！你是厂里后备干部，再锻炼两年就当供销科长，为什么辞职？难道你眼里只有钱，没有世安厂，没有集体荣誉感？”

侯国龙抬头一看，原来是老厂长来了，但他还未说话，妻子李永梅已经跳了起来：“侯国龙，你背着我已经交了辞职书？你眼里还有没有这个家，生活过得好好的，非要往火坑里跳！”

她没有想到先斩后奏的丈夫居然还假惺惺地讨论是否辞职，若不是老厂长在家，肯定要扑上去厮打。

听到屋外吵闹声，侯大利和杨帆好奇地站在门口张望。

杨帆乖巧地递了纸巾给李永梅，道：“干妈，别哭。”

“小帆，到屋里去。干妈没哭，眼里进了沙子。”李永梅用纸巾擦掉眼泪，将小帆带进侯大利卧室，轻轻关上门。

老厂长很看重精明强干的侯国龙，对其寄予重望。此时木已成舟，他发了一通火以后，将以前的生意伙伴联系方式写在纸上，交给侯国龙。然后他黑着脸，背着手，气咻咻地离开侯家。

老厂长离开后，李永梅安静下来，坐在客厅抹眼泪。侯国龙勤快地在厨房忙碌，准备做硬菜来缓和气氛。

饭菜摆上桌，侯国龙笑嘻嘻地抱住妻子肩膀，道：“不要生气了，若是生意做不好，凭着做菜的手艺，开个小饭馆没有问题。”

李永梅用力打掉伸向胸前的手，道：“儿子和小帆在里屋。唉，你就是不安分，辞了职，从此就是无业游民。你在供销科，我在厂里说得起话。你辞职后，我在厂里抬不起头。倒了八辈子霉，嫁给你。”

侯大利和杨帆年龄尚幼，不能理解辞职出去创业对家庭有什么影响，只是难得看见大人吵架，就躲在门后看热闹。

晚餐时间，侯国龙不停讲笑话，想让气氛活跃起来，还殷勤地为妻子夹菜。李永梅绷着脸，一言不发，也不吃饭。

晚餐比平时丰盛，两个小孩忙着吃肉，顾不得大人刚刚在吵架。

晚饭后，侯国龙屁颠颠地洗碗，李永梅仍然绷着脸坐在客厅里。

《新闻联播》时间，李永梅来到卧室，道：“小帆，阿姨和叔叔有事出去一会儿，你们两人在家里，怕不怕？”

杨帆还真有点怕。侯大利挺起胸膛，道：“不怕，我在家保护小帆。”

六号大院在厂区内，很安全，李永梅只不过是随口一问。她随即与丈夫一起又去找老厂长，讨教办厂的经验。

老虎不在家，猴子称霸王。侯大利先是将连环画搬到客厅，又从铁盒子里拿出水果糖，在杨帆面前显摆。侯国龙是厂里的供销科副科长，长期走南闯北，家里总有糖果。两个小孩吃了两粒上海水果糖，又吃龙虾糖，大饱口福。

吃过糖后，侯大利为了逞能，带杨帆到里屋放录像带。电视刚打开，里面响起奇怪的音乐，还出现了“红楼梦”字样。杨帆明显比侯大利早熟，小小年龄已经能读简单童话书了。她知道《红楼梦》是文学名著，便端着小板凳坐在电视机前，准备认真学习，谁知“红楼梦”里出现的是脱光衣服的男女。杨帆蒙着眼睛，大叫道：“这是什么啊？关了，快关了！”

侯大利最初看到画面有些懵懂，听到杨帆叫声，意识到这似乎不应该小孩看，手忙脚乱地关掉录相机。

杨帆看见了不该看的动作画面，又羞又恼，躲进卧室，不理睬侯大利。

晚上九点，侯国龙和李永梅仍然没有回家。杨帆困得睁不开眼，到了十点，按照父亲要求必须上床，而上床之前她得去六号大院院外的公共厕所方便。

六号大院正在改造，在几幢楼外面增加卫生间和厨房。改造工程已经在厂长办公会通过，出了图纸，准备今年动工。在改造完成之前，大家还得使用大院外的公共厕所。前往公共厕所要经过一段黑暗树林，黑暗树林早年曾经吊死过人，而且女厕所灯光昏暗，有十几个大蹲位，在夜间冷风吹过时会发出呼呼的声音，阴森恐怖。杨帆平时在夜里都是由父亲和母亲共同陪伴上厕所。父亲站在厕所外，母亲在内，三人可以隔着墙交谈。这是小家庭生活非常重要的一项活动。

父母没有回来，杨帆不敢单独进入女厕所，就算侯大利站在厕所外面也不行。

杨帆肚子越来越疼，如果不解决问题，极有可能造成极为尴尬的后果。侯大利急中生智，将报纸铺在卧室里，用来解决内急。杨帆最初拒绝，实在憋得不行，还是红着脸接受了建议。

解决内急问题以后，杨帆将肮脏物装入塑料袋。她坚决拒绝了侯大利陪同，独自将塑料袋丢进院内垃圾池。

“今天这事，不能跟任何人说。如果说了，我和你一刀两断！”杨帆眼光不敢瞅侯大利，嘴里却恶狠狠的。

侯大利笑嘻嘻地道：“我不怕上厕所，所以我家没有夜壶，你们家应该准备一个吧。”

杨帆道：“我们家不用夜壶，那个东西太脏，放在房里臭烘烘的。”

早上，侯大利和杨帆还没有起床。侯国龙和李永梅在厨房小声议论。

李永梅捶了丈夫一拳，道：“让你把录像带取出来，你偷懒。两个小家伙肯定看过录像。你让我的脸往哪里搁啊？现在看到小帆都心虚。”

侯国龙笑道：“心虚什么，我们调剂夫妻生活，理直气壮。你儿子还没有发育，屁事不懂。”

李永梅告诫道：“小帆是小姑娘，脸嫩，这事装作没有发生。”

八点，四个人在一起吃早餐。杨帆想起电视里出现的羞人画面，吃饭时低着头，目光不敢与其他人对视。

这时，响起了敲门声。

清洁工老杜满脸黑圈，两根手指提着一张报纸来到房间门口，道：“侯科长，太过分了！”

老杜是正式工人，工作职责是清洁垃圾。他在厂里是厕所里的石头——又臭又硬，不怕得罪人，虽然只是清洁工，但在厂区内无人敢惹。

侯国龙道：“老杜，什么事啊？”

老杜举起报纸控诉道：“今天有两只野狗跑到垃圾池，将一个袋子扒出来。为什么要扒袋子？里面有屎。狗改不了吃屎，闻到屎味就要下口，将屎拖得满院子都是。”

杨帆脸红得能滴出血来，恨不得在地上找一条缝钻进去。

老杜继续控诉：“报纸上写着侯科长的名字，所以我上来评评理。革命只是分工不同，没有高低贵贱之分，侯科长要尊重我的劳动。”

看到报纸上的名字，侯国龙明白肯定是两个小崽子做的好事，赶紧道歉，提出帮助老杜打扫院子。

“不用侯科长打扫，以后注意就行了。”老杜出了恶气，提着沾满屎的报纸回到院子。

侯国龙将儿子单独拎到房间，追问事情经过。侯大利高昂脖子，将事情大包大揽在自己身上，结果挨了五下鸡毛掸子，小腿和大腿上出现五条红肿印子。打完儿子，侯国龙和李永梅到自家新开的小作坊加班，将侯大利和杨帆留在家里。

走到路上，李永梅道："我觉得不是儿子扔的。他胆子大，从来不怕黑。"

侯国龙道："杨帆毕竟是女孩，醒事早，得留点面子。打了儿子，就保住了杨帆的面子。"

在家里，杨帆看着侯大利腿上的红肿印子，哭着追问："你把我供出来没有？"侯大利骄傲地道："我不会当叛徒，否则我爸不会揍我。"杨帆威胁道："这件事情不准说出去，说出去，我再也不理你了！"

两人在家里玩了一会儿，留了张字条，就和院子里的大孩子们一起前往市里看运动会，为世安厂厂队加油。

江州市每年都要举行夏季城市运动会，参加单位是全市各系统和大单位。世安厂是大厂，单独组队参加，每年成绩都不错。世安厂有一个转业军人是投弹高手，多次获得手榴弹投掷冠军。上午有手榴弹投掷比赛，世安厂拉拉队全部集中在手榴弹比赛场地旁边，准备为冠军助威。

世安厂冠军队员小刘出现在赛场，如老虎巡视领地一般在场地里走了一圈，甩甩手臂，弯弯腰，自信满满。轮到他投弹时，世安厂拉拉队发出阵阵欢呼。

杨帆问："小刘叔能赢吗？"

侯大利素来崇拜小刘叔，道："小刘叔肯定要赢，能赢小刘叔的人还没有生出来。"

手榴弹在空中飞出漂亮弧线，落地以后，有工作人员跑上去，在落地点插上红旗。小刘的红旗比起其他人的红旗至少多了五六米。世安厂拉拉队认为这一块金牌拿定了，欢声雷动。

最后一个选手上场。这个选手胸肌发达，运动背心上印有"银行"两个字。他也不做准备活动，几乎就是随手扔了一下，手榴弹如炮弹一样飞了出去，着地点远远在小刘红旗前面。

扔完手榴弹以后，这个选手不再投弹，转身离开。

其他选手又投了两轮，距离银行队选手的红旗差得很远。

一枚到手的奖牌被人横刀夺走，世安厂拉拉队都觉得遗憾。遗憾归遗憾，众人皆承认银行系统选手确实厉害，实力远超世安厂小刘。广播传来热情洋溢的声音："银行系统选手石秋阳打破手榴弹纪录，将原纪录提高了四米。"

世安厂拉拉队达成共识：银行系统出了一个怪物，世安厂在手榴弹项目上失去优势，几年都翻不了身。

侯大利和杨帆只是来看热闹，谁输谁赢对他们影响不大。两人跟着拉拉队在运动场玩了一天，累得不行。

回到家已经六点。桌上有饭菜和一张字条，字条留言道:爸爸妈妈有事，晚点回家，你们自己吃饭，早点睡觉。吸取了教训，杨帆吃过晚饭以后赶紧到院外的公共厕所。可是又遇到另一个新问题，临睡觉时，侯大利父母还没有回家，杨帆不敢一个人单独睡觉。侯大利最初坐在床边陪杨帆说话，说了一会儿，两人都被瞌睡虫侵袭，眼皮重如山。等到侯国龙和李永梅回家时，两个小孩在床上睡着了。

李永梅看着两个小家伙的睡姿，道："他们青梅竹马，从小就好，不知最终能不能走到一起。"侯国龙不停打哈欠，道："你是咸吃萝卜淡操心，我以后做什么生意才是最重要的。"李永梅讽刺道："当初是谁瞒着我辞职，现在开始担心以后了。早知现在，何必当初。"

从辞职到现在，夫妻一直就为这事拌嘴，侯国龙腰杆不硬，没法还嘴，抱起熟睡的儿子到另一个房间睡觉。

选择决定命运，这是一句大实话。

侯国龙选择离开世安厂，先是从世安厂请星期天工程师，度过最困难的时期后，花大价钱从世安厂挖走几个关键岗位技术人员，生意走上了正轨。

国龙厂技术人员们拆掉不同品牌的摩托车，反复安装。经过无数次拆卸以后，国龙牌摩托车横空出世。几年后，国龙牌摩托车成为国内鼎鼎有名的摩托车品牌，在东南亚市场占有相当大的份额。

杨勇坚持留在世安厂医院，担任了厂医院副院长，靠技术吃饭，旱涝保收，生活平静。

侯国龙创业最初阶段，极度缺人才，多次邀请杨勇到企业工作。在杨勇眼中，国龙厂不过是一家随时可能垮掉的小企业，他觉得侯国龙的邀请很可笑，自己是堂堂副院长，怎么可能到一个私人小厂工作？

国龙厂发展起来后，侯国龙开始逐步解决企业里世安厂老人比例过高的问题，再没有向杨勇发出过邀请。侯家和杨家渐行渐远。

江州商界在20世纪90年代处于战国时代，竞争手段简单粗暴，经常诉诸武力，犹如黑社会争夺地盘一样。行业老大丁晨光的女儿遭遇不幸以后，初露头角的侯国龙被江州黑社会吓住，悄悄将企业主体搬到省会阳州，儿子侯大利也转学到阳州最贵的私立学校读书。他不愿意让江州这边的人了解家人情况，严密封锁了儿子的消息，也不让儿子与江州人见面。

每个人的发展都受社会和家庭的巨大影响，另一方面，每个人的发展又有独立性。侯国龙希望儿子能好好读书，进入名牌大学，将来继承家业。可是，侯大利是独立的人，与父亲一样有个性有思想，进入青春叛逆期以后，在省城结交了一帮子有钱的富二代，日子过得高潮迭起。

这一段时间正是国龙集团发展的黄金时期，夫妻主要精力全部倾注于此，忽略了对儿子的成长教育，以为花重金送到贵族学校，儿子自然会顺利成长。

一起阳州富二代因争风吃醋打群架而致人死亡的案件，这才让侯国龙发现儿子居然成为省城纨绔圈子的风云人物，出事当天儿子被其他事情耽误，这才没有参加打群架，侥幸逃脱牢狱之灾。

出事之后，数位朋友建议侯国龙将儿子送到国外，留学归来以后正好接班。侯国龙不愿意儿子成为黄皮白心的香蕉人，决定将儿子送回家乡读高中，远离省城纨绔圈子。

2001年8月，高一开学前几天，侯大利回到江州。刚在江州大饭店的房间里放下行李，妈妈的电话便追了过来。

“大利，我让顾英准备一些礼物，你提到杨叔家里去。”

“妈，我才到江州，改天去。”

“你小时候经常生病，都是吃杨叔开的中药。既然回到江州，你一定要去拜访。现在没有开学，还有时间。等到开了学，时间更紧。”

“好，好，好，我去。好几年没有见到杨帆，也不知道她长成什么样了。”

江州大饭店是侯家产业，顾英是饭店副总经理。她按照李永梅的要求，将土特产准备妥当。

侯大利在饭店睡了一会儿，带上礼物，前往世安厂六号大院。

敲门之时，侯大利在脑中设想杨帆长成少女的模样。杨帆从小就是六号大院小公主，女大十八变，进入高中应该还算不错。他脑海中浮现出不少省城美女的样子，猜测杨帆大体上也就是如此级别。

房门打开，开门的正是杨帆。虽然有心理准备，侯大利还是被杨帆吓住，定睛细看，猛拍额头，道：“我靠，你居然长成这样了！简直祸国殃民。”

杨帆身穿一袭白色长裙，系红腰带，留着马尾巴。最普通的学生打扮仍然让杨帆宛若天仙下凡，美得让人不能直视。侯大利在阳州见过大世面，此时见到儿时朋友杨帆仍然觉得挨了一颗手榴弹，炸得脑袋嗡嗡作响。

杨帆没有想到敲门的是侯大利。几年时间，侯大利从一个小屁孩长成了身高超过一米八的英气青年。她微微侧头，脸上露出调皮神情，道：“你怎么回来了？”

侯大利有些挪不开眼睛，道：“我在江州一中一班。”

江州一中一班是江州最好的班级，是为了读清华北大准备的，俗称清北班。六号大院早就有侯大利变成街头小混混的传言，如今这个青梅竹马的小混混要来读清北班，杨帆心直口快地道：“一班是清北班，你来做什么？成绩肯定会被拉到最后一名，不是很没有面子嘛。”

她微微一笑，补充道：“我也在一中一班。”

杨帆的笑容是这个夏天最美丽的鸟儿，在侯大利脑中飞舞，弄得他有些眩晕。

侯大利到世安厂找杨帆纯粹是完成母亲交给的任务，顺便看一看老朋友。多年不见，有时也怪想杨帆的。见面瞬间，他觉得到江州一中一班是父母这辈子做出的最正确决定。

短暂尴尬结束，侯大利和杨帆坐在客厅毫无拘束地交谈起来，分享这几年各自的经历。客厅茶几上有一个魔方，色块边缘颜色有些脱落。侯大利根本不假思索，手指翻飞。在一阵哗哗声中，魔方六种颜色全部归位。

杨帆知道侯大利玩魔方天赋超人，依然眼睛发直，叹道："我为了超过你，买了魔方攻略，记住书中的步骤才勉强能够完成两面。可你没有看过攻略，居然还玩得这么溜，用的时间比我短。人和人的脑回路不一样，这点我得承认。你智商不低，用在学习上多好。"

侯大利脑中似乎有解码器，将所有玩魔方的步骤一步步浮现出来，对他来说玩魔方极简单，丝毫没有难度。

杨家墙上挂有老派相框，相框里面有杨帆初中阶段的舞台照。

"我记得你是幼儿园舞霸，现在还跳舞吗？有没有录像？"提到录像，侯大利不由得想起两人小时候偷看大人录像带闹出的笑话，笑了起来。

杨帆也想起了当年的糗事，道："你脑袋乱想什么，不许笑。"

"我没有乱想。"

"你肯定在乱想。"

在侯大利的强烈要求下，杨帆半推半就地将自己珍藏的光盘放进DVD。

节目里，杨帆跳独舞，舞蹈名字叫《孔雀舞》。远景，白裙胜雪，舞姿优雅，如不食人间烟火的孔雀。近景，其手臂软若无骨，柔美中又迸发激情。

这个舞蹈曾在电视里播放无数次，侯大利看过，没有太多感受。杨帆跳起此舞，他顿觉惊艳无比。惊艳变成一道电流，击中十六岁青年的心脏。

杨勇和秦玉下班回来，见到多年未见的侯大利都挺高兴，做了拿手菜招待老邻居的顽皮小子。在席间，杨勇询问了侯大利的身体。侯大利在四岁前多病，每个月必发烧一次。杨勇是医院一把刀，也通中医，做了不少药丸给侯大利。不知是药丸起了效果还是年龄长大抵抗力增加，到了四岁以后，侯大利很少发烧，变成了一个皮猴子。

晚上八点，杨勇和秦玉站在窗前，望着女儿将侯大利送到院外：两人都是高挑个子，并排走在一起有说有笑，杨帆还不时扬手做打人状。

杨勇满脸担心，道："今非昔比呀，侯大利变成纨绔子弟。我不想让他和小帆走得太近。他们家太富，我们家靠技术吃饭，平安和稳定才是幸福。"

秦玉安慰道："侯大利和小帆多年未见面，这次回来就和走亲戚差不多。小帆有主见，看不上侯大利的。"

出于对女儿的信任，夫妻俩没有太过焦虑。

开学后，杨帆在第一时间成为江州一中新一届校花，还被公认为历届校花中最美丽的校花。侯大利成为江州一中最有钱的富二代，还被公认为历届富二代中最有钱的富二代。

9月19日，周六，中午。杨帆如热锅上的蚂蚁一般在屋里转来转去，昨天，侯大利送了一张歌剧院演出票，约她看歌剧。江州歌剧院最近几年不景气，几乎处于半瘫痪状态。去年江州歌剧院得到一笔投资进行大修。焕发青春的歌剧院频频邀请国内外著名的演出团队来江州演出，今天来演出的西欧音乐剧团，正是杨帆喜欢的。

侯大利笑嘻嘻地发出邀请时，杨帆从这个幼时伙伴的眼中读出某种意味深长的味道。自从初中开始，她无数次地将这种眼光拒之门外。对待其他人，杨帆会毫不犹豫地拒绝，而侯大利不是其他人，是一起长大的兄长。尽管这个兄长变成传说中的纨绔子弟，但是成了纨绔子弟仍然是兄长。

杨帆接受了邀请。

演出很精彩，杨帆看得很开心，偶尔也会担心侯大利会来牵自己的手。如果他真要牵，是拒绝，还是接受，这是一个麻烦问题。

所幸侯大利没有在黑暗中趁机牵手。

演出结束，杨帆沉浸在剧情之中，脸上仍然挂有泪滴。侯大利对音乐剧没有感觉，整个演出过程一直在天人交战。按照在阳州得来的泡妞经验，在演出的时候他应该毫不犹豫地握住杨帆的手，甚至还可能有进一步动作。只是，面对冰清玉洁的杨帆，他罕见地前怕狼后怕虎，担心若是举动不慎，惹恼对方，以后就没有机会了。

杨帆为人做事很认真，有时认真到古板，侯大利从小就领教过。

演出结束，侯大利陪同杨帆去后台找主演签名。

到了后台，杨帆停在门口，道："真的能拿到签名？杰克是大牌。"侯大利神神秘秘地笑道："一切都在掌握中。"进了后台，歌剧院领导很热情地带侯大利和杨帆找到颇有名气的演员杰克。

蓝眼珠金头发的杰克很程序化地为杨帆签了名，同意一起合影。

走出歌剧院，杨帆仍然沉浸在歌剧中，情绪比平时激动，道："凭什么歌剧院院长领你去要签名？"

侯大利道："我有个人魅力呀！"

杨帆道："不准油嘴滑舌，说实话。"

侯大利道："歌剧院去年得到一笔投资，这才起死回生。这一笔钱是我爸投的，所以我才能狐假虎威。我知道你喜欢这台音乐剧，恰巧这个音乐剧团在阳州演出，我请歌剧院一定要想办法把演出团队弄到江州。没吹牛，真是这样。"

"原来这样啊！"杨帆所受到的家庭教育一直推崇安贫乐道，对富豪者心存鄙夷，至少在明面上如此。跟着侯大利出入演出后台如履平地，能够与仰慕的演员合照，甚至音乐剧团到江州演出都与侯大利有关，这让杨帆深受震动，觉得自己所受家庭教育似乎是一个隔绝外界的套子，有掩耳盗铃的嫌疑。

侯大利完成了一次低调而有效的炫耀，暗中得意，却假装云淡风轻。

杨帆推着自行车往前走，侯大利走在旁边，有一句无一句地闲聊。

沿着林荫道走了十来分钟，远远能够看到山南银行的高楼。来到这座楼，意味着杨帆将骑上自行车，沿胜利路出城回世安厂。侯大利放慢脚步，想与杨帆多走一段。

在街道拐弯处出现喧哗声，有人群在快速跑动，聚集在一起。江州市民素来喜欢看热闹，街上打架、撞车，往往能引起围观。喧哗和跑动，意味着街道上有突发新鲜事。

街边，一男一女两个年轻人正在激烈争吵，如斗鸡一样，互不相让。

看来是一对小恋人，女方要分手，男方不同意。女子不过十八九岁，挺漂亮的。男子则有二十来岁，从穿着到气质都极为普通。围观者兴致很高，议论纷纷，还有人起哄让他们赶紧分手。争吵了一会儿，女子转身要离开。男子伸手抓住女子，女子用力挣脱。拉扯中，男子恼羞成怒，摸出匕首，扎向女子。

围观人群原本只是看热闹，瞎起哄，当男方行凶时，他们全部傻掉，眼睁睁地看着男子用匕首刺人。女人被匕首扎在肩膀上，没有受到致命伤。她见往日恋人双眼通红，杀气腾腾，吓得没有一点力气，失去应对能力。

有旁观者清醒过来，叫道："快跑哇！"

男子将女人拉倒在地，蹲在女子身边，从容不迫地扎第二刀、第三刀。

一名晚报记者恰好在围观人群中，出于职业敏感性，挑选了一个极佳角度，将凶残杀人犯和呆若木鸡的围观群众圈进镜头。

男子扎到第六刀之时，侯大利扛着杨帆的自行车冲了过来。他横举自行车，砸在男子脸上。男子的注意力全部在女子身上，没有注意到周边变化，被自行车砸得金星乱迸，摔倒在地。

侯大利又朝行凶者脸上用力踢去。

行凶者陷入疯魔状态，躺在地上，举刀乱挥。侯大利的皮鞋踢到行凶者脸上，发出"砰"的一声脆响。

一个背书包的年轻人跟着跳出来，朝行凶者另一侧脸面踢去。年轻人是侯大利和杨帆的同年级同学陈雷。他虽然从初中就和社会人交往，打过架，偷过车，但是当街看到杀人还是第一次，脑子一下蒙掉。侯大利跳出来将行凶者打倒在地之后，他这才回过神来，狠踢行凶者。

榜样的力量是无穷的，有人敢于挺身而出，就有第二个、第三个人。第三人是一个胖子，他重新举起自行车，扔在行凶者身上。越来越多的人冲了出来，对行凶者拳打脚踢。

公安闻讯过来之时，行凶者满脸鲜血，如死狗一般趴在地上。

被扎女子伤势过重，当场身亡。

行凶者被制伏后，杨帆用自行车驮着侯大利，前往附近医院包扎。在医院急诊室，侯大利龇牙咧嘴地拉开裤腿。小腿伤口有四五厘米长，鲜血不停地往外涌，杨帆吓得花容失色。

医生开始处理伤口时，侯大利伸手握住了杨帆的手。这是一次大胆试探，由于选择了正确的时间和地点，杨帆没有拒绝。

阴谋得逞，侯大利乐开了花。他闭着眼，专心体验与杨帆握手的感觉。在童年时代，侯大利和杨帆经常在一起玩耍，搂搂抱抱、推推搡搡是常事，那时侯太年少，互相碰触之时就如左手摸右手，完全没有感觉。进入青春期，他再次握紧杨帆的手，只觉得对方柔若无骨的手传来一阵阵生物电，让心跳加速，内分泌系统发生激烈变化，多巴胺狂增。

共同面对凶杀现场，杨帆对侯大利的评价和情感发生了明显变化。侯大利从省城归来时，散发着浓烈的纨绔气质，让她暗觉隔膜。遭遇杀人案后，杨帆万万没有想到侯大利居然会第一个冲出去，狠揍杀人犯。

从医院出来，杨帆道："没想到你还是和小时候一样勇敢。"

说话间，杨帆将那只"魔爪"不动声色地甩掉，这让侯大利很遗憾。更遗憾的是另一件事情，侯大利道："我们距离杀人现场太远，否则可以将那个女孩子救下来，可惜了。"

杨帆柔声安慰："你已经尽力了。若是当时周边人能及时站出来，那个女孩或许还有救。"

在侯大利的强烈要求下，两人回到现场。现场在短时间内被清理干净，仍然有一群闲人在凶案发生地议论纷纷，不肯散去。侯大利和杨帆凑在人群中听了一会儿便知道了很多细节：被杀女子的哥哥在附近银行上班，是银行保卫科长；保卫科长很高大，得知妹妹遇害，跪在地上痛哭。

银行家属院就在附近，有好事的银行职工家属还在人群里讲起保卫科长的家事。

一个老太婆提着菜篮子，对保卫科长深表同情，道："他是好人哪，平时不多言不多语，工作认真负责，为人也很诚恳。他们是兄妹，在他们很小的时候，爸爸妈妈出车祸一起走了，哥哥带着妹妹长大，既是长兄，又是父母，很不容易。他把妹妹拉扯大，感情不是一般兄妹能比的。听说他正在给在镇里当老师的妹妹调动工作，已经有了眉目，谁知遇到这种事情。真是天算不如人算哪！"

听到这些事，杨帆发出感慨："现在是什么世道，好人命不长，祸害活千年。"

与多愁善感的杨帆相比，侯大利明显没心没肺，道："那我就去当祸害，可以活一千年。"

杨帆嗔怒道："这个时候别开玩笑，我没心情。你在省城这些年胡作非为，你别瞪眼，我听说过，这是事实。你以后要跟我做朋友，得痛改前非，努力学习，成为一个正派的人。"

在省城圈子里，如果有人说出这样的话会被所有人笑死，会被当作假正经、大傻瓜，杨帆说出这一番话时非常真诚，让侯大利无法用"解构"方式嘲笑她。

晚上，杨帆在梦里反复出现侯大利冲过去救人的场景。侯大利发现有人杀人时，没有思考便冲了过去，完全发自本性。其冲过去救人的姿势如此勇敢和果断，留给她深刻印象。

街边杀人案的新闻很快在《江州晚报》刊发。

每天晚餐时间，杨勇都会在饭前读报，了解江州新闻，这已经成为雷打不动的习惯。他看完第四版，将报纸放在桌上，感叹道："人心不古哇，若是放在十年前，肯定有一群人冲出去帮助受害者。"

杨帆好奇地拿起报纸，看完第四版文章，愤怒地道："记者不讲职业道德，断章取义！"

杨勇道："你怎么知道记者断章取义？"

与侯大利一起看演出之事是机密，绝不能让父母知道，否则会引来没完没了的唠叨。杨帆停顿了一下，道："当时我们班上有同学在现场，知道现场情况。案发很突然，现场围观的人都蒙了，没有反应过来。后来就有很多人冲出来，一起制伏凶手。记者只写了整个事件的前半段，后面围观群众合力打凶手就被掐掉了。"

"还有这种事？"杨勇又拿起报纸。

《路人冷漠，一朵如花生命凋谢》，标题下面是一幅清晰的大相片：凶手举起刀，正在扎躺在地上的年轻女子。年轻女子身上满是鲜血，放弃了抵抗，神情痛苦、绝望。在凶手身旁站有几个人，这几个人没有笑容，表情有些呆滞。

杨帆眨了眨眼，道："我们有两个同学看到这事，讲得非常清楚。"

杨勇查看了摄影记者和编辑的名字，道："如果你说的是真的，那么报道有很大问题。报社批评路人冷漠，可是报社摄影记者也在现场，他只顾抓拍相片，为什么不见义勇为？虽然我也是摄影爱好者，理解摄影者遇到抓拍机会的急切心情，但是人命毕竟比一张精彩的相片更重要。这个时候，他最应该做的事情是放下相机，哪怕对着歹徒大吼一声，都比一张精彩的相片有价值。"

"老爸，你这个观点犀利。"杨帆看了报纸只顾着生气，没有发现报纸这篇文章隐约透露出来的矛盾之处。

杨勇愤怒地道："如今报纸只顾用夸张甚至虚假报道增加销售量，有了销售量才有广告，有了广告才能发财。以钱为指导，这是人心不古、社会风气不正的最主要原因。"

前往江州一中时，杨帆将报纸装进书包。

下午放学，侯大利和杨帆一前一后走出学校，来到小河边。

小河在江州市这一段被称为江州河。江州河穿过城区，又向东流去，最后汇入长江。江州市政府这几年全力打造沿河景观，修建滨江花园带，为市民提供了一个天然的休息场所。

"什么事情？神神秘秘的，刚才还不肯说。"侯大利环顾左右，顿时喜欢上了这个"约会"地点。

“报纸记者完全不顾事实。大家一起制伏凶手的事情，新闻里一点都没有提及。”杨帆将《江州晚报》递给侯大利，让其阅读第四版文章。

“万幸啊万幸！我爸现在是胆小鬼，越有钱越胆小，最怕我出事。如果知道我还要见义勇为，天肯定会塌下来，家里会被搞得鸡飞狗跳，我爸极有可能再给我配两个保镖。”侯大利拍了拍额头，大呼万幸。

杨帆想起了“黑衣人保镖”形象，忍不住想笑，道：“有这么夸张吗？我感觉社会治安挺好的，你是故意给江州政府抹黑吧。”

“用句书面语来说，社会治安和长江差不多，表面上风平浪静，实则水下波涛汹涌。”侯大利看见杨帆在撇嘴，道，“我爸有一个朋友叫丁晨光，也是做摩托车生意的。他的独生女叫丁丽，前些年在江州被杀了，现在都没有破案。丁丽被杀以后，我爸被吓破了胆，在阳州初期，还真给我配了保镖。”

杨帆父母选择成为工薪阶层，缺少了富贵，换得了安宁。这些年来，杨帆生活在校园和世安厂厂区里，很少直面社会险恶。听到侯大利讲起生意场上的刀光剑影，浑身起鸡皮疙瘩。她用同情的眼光瞧着侯大利，柔声道：“大利，你变成富二代，到底什么感觉？是不是过得不好，很苦恼？”

“想听实话吗？”侯大利愁眉苦脸地道。

“当然，我想听实话。侯叔成为富豪，肯定会对你造成负面影响。刚才提起丁丽，我心里紧绷绷的。”

“当富翁压力很大”的观点是杨勇和秦玉的固定观点，前些年在家庭交流中，经常提到侯大利由于缺乏父母管教与社会青年混在一起的故事。杨勇和秦玉认为侯大利小时候如此聪明可爱，因为成为富二代而误入歧途，毁了人生，言谈间对侯大利深表同情。杨帆受到父母影响，也觉得侯大利失去父母关爱挺可怜。

“我在你面前说实话吧。在其他人面前，我没有说实话。”侯大利脸色严肃，先是低头看着平静的小河，又用四十五度角仰望星空，这才故意用深沉的眼光瞧向杨帆，道，“我现在觉得成为一名富二代，除了安全问题外，其他地方都还不错，若是当一个全职纨绔子弟，那真是爽翻了，爽翻了！”

他前面说得很凝重，后面喜笑颜开。

“居然还说纨绔子弟爽翻了！讨厌，我不理你了。”杨帆原本会听到侯大利的吐槽，不料画风突变，大恼，扬起手欲打。

侯大利伸手抓住杨帆手腕。

自从侯家搬离六号大院以后，侯大利和杨帆有数年时间没有见面。这一次在江州一中重逢，见面不久后又一起亲历了血案，关系猛然就拉回数年前。两人以前是以“兄妹”模式进行交往，从小在一起长大，天天见面，友情中带着浓浓亲情。几年时间分离，家庭环境的巨大变化，给两人以成长空间，带来全新视角，将“兄妹”关系还原成为正常的对异性爱慕的男女青年。

侯大利小时候经常牵杨帆的手，甚至在一起摔跤，从来没有什么异样感觉。彼一时，此一时，他始终记得杨帆打开门时自己的感受，当时场景完全是青春女神横空出世。这种女神来袭的感觉，与往日青梅竹马的兄妹感觉完全不同。

杨帆被侯大利握住手腕，脸唰地红到了脖子，往后缩了缩，没有挣脱魔爪。她没有想到侯大利会如此大胆，一时之间思维混乱起来，脸烫得如起火一般。

“你放手！”

“我不放！”

“侯大利，放手！”

“报纸妹，我不放！”

听到“报纸妹”称呼，杨帆想起小时候那一次尴尬经历，扑哧笑了起来。青春女神展颜而笑，侯大利获得鼓励，更不肯放手。

杨帆最终屈服，不再试图将手从侯大利的魔爪中挣脱。

两人牵手在小河边树下说话。杨帆焕发出更加亮丽的神采，青春光彩扑面而来，让侯大利感受到圣洁之美。

两人在小河边聊了二十来分钟，杨帆便要回家。杨帆是杨家的千金宝贝，父母为了保护她，规定了明确的回家时间。若是回家时间与放学时间有明显差距，杨帆必须给父亲做出合理解释。

回城以后，侯大利买了一辆自行车。第二天放学后，侯大利骑自行车送杨帆回世安厂。到了世安桥以后，杨帆不肯再让侯大利跟随。

侯大利坚持道："我们下车，走一段。"

杨帆从内心深处也想与侯大利在一起，便"勉强"同意了这个方案。两人推着自行车往世安厂走。从世安桥到世安厂还有一公里，两人有说不完的话，回家路途实在太短。

侯大利道："我这两天跟着你，发现你骑自行车从学校到世安厂时有一条基本路线，几乎没有偏离过。"

"真的吗？可能随我爸吧，你知道我爸的性格，他是外科医生，讲究严谨，不仅工作严谨，生活也严谨。从另一个角度来说也就是死板。初三毕业，我在暑假参加了部队文工团考试，顺利通过了。我爸想让我去学医，认为到文工团是吃青春饭，坚决不准我去。我本来很想去，后来屈服了，这才到了一中。"

杨帆谈起了对自己来说很重要也很遗憾的一件事。

"幸好你没去，否则我们就不能会师了。"侯大利安慰道，"你若对文工团真有兴趣，我让国龙集团投资搞一个国龙文工团。你来当团长，想怎么玩就怎么玩。"

杨帆给了这个纨绔子弟一个白眼，道："很多事情用钱买不来。你以后也要改掉富二代思维。我未来的男朋友，一定要通过自己的本事考上重点大学。"

几年时间，青梅竹马的两个人在思想上产生了一定差距，杨帆意识到侯大利如今确实有了富二代思维，习惯用钱作为衡量标准。虽然两人对世界的看法在悄然发生变化，但是从小培养起来的感情加上帅哥美女在一起的化学反应，让两人交往起来非常愉快。

从9月底开始，侯大利就骑自行车送杨帆回家。杨帆受父亲影响很大，行为谨慎，不愿意两人的事情被任何人知晓，回家行动安排得非常隐秘。放学后，两人各自到不同区域取自行车，驶离城区，在郊区会合，最后于世安桥分手。世安桥附近有一处密林，密林中间有一块平坦的草地，两人经常坐在草地上复习功课。

除了杨帆同桌好友杨红以外，没人知道侯大利和杨帆的小秘密。

10月18日，侯大利接到省城哥们儿的电话，下午在江州一起聚聚。哥们儿在电话里暧昧地说起有两个艺校女生要一起来江州，到时候一起嗨一把。侯大利在省城时混迹于富家公子圈，因为年龄小，为了在圈内装酷，跟随大哥们有样学样，甚至遇事就当急先锋。

回到江州，侯大利的人生发生了美妙的转折，眼里只有杨帆，对其他女孩子再无兴趣。但今天省城大哥们过来，侯大利出于义气还得接待。

放学后，杨帆离开学校，独自骑自行车回家。

一小时后，一场罕见的秋日暴雨突袭江州，江州河水暴涨。

晚上七点，暴雨时断时续，杨帆还未回家，杨帆父母焦急起来。

晚上七点半，杨勇和秦玉叫上左邻右舍，沿公路寻找杨帆，在世安桥发现了倒地的自行车。世安厂六号大院的邻居们报案以后，冒大雨，顶惊雷，沿河道寻找，到天亮时仍然一无所获。

侯大利与省城来的狐朋狗友们喝了顿大酒，然后回家睡觉。而此时的杨帆已然孤独死去。

第二章
实习刑警侯大利

刑侦系高才生侯大利

不管杨勇家庭发生了什么样的变故，太阳照常升起，世安厂按照自有节奏进行演变，邮递员每天按时将报纸送到订户家门口。

杨勇无法接受女儿突然间离开人世的现实，不敢相信女儿躺在阴暗冰冷的殡仪馆。他每天出门时，总有女儿背书包上学的幻觉。每天进屋时，也总是觉得女儿就在家里，耳朵里还传来隐约的钢琴声。

他从院外走进门，拿着几份积在报箱里的报纸。以前每天都是女儿清理报箱，这几天女儿没有拿报纸，报纸塞住了报箱口。他将报纸夹在腋下，走到客厅，呆站半天，才将报纸放在桌上。

杨勇不知自己应该做什么事，耳中又飘起了隐约的钢琴声。他的眼光在屋内四处寻找，寻找女儿的身影，突然间，他看到了熟悉的女儿。女儿的演出照被印在《江州晚报》上，相片有八分之一版，格外清晰，栩栩如生。

杨勇如突然中枪一般，向前扑了半步，抓起报纸。报纸第四版用全版来描述杨帆落水之事，特意配上了演出相片，用许多笔墨描写杨帆的美丽，并且提出数种猜测。虽然最后写了一句“秋雨到来要注意安全”

之类的话，可是消费死者吸引眼球的意图如司马昭之心，路人皆知。

杨勇全身血液急速涌上大脑，大脑发出炸裂之声。他抓住报纸往外跑，在厂门外跳上公交车，进城，跳下公交车，又狂奔。

进入报社大楼，杨勇狂吼："朱建伟在哪里？朱建伟你个杂种，给我出来！"

楼下保安出面阻拦杨勇，杨勇便与保安厮打起来，最后还端起一个小花盆砸在保安头上，砸得保安鲜血直流。

杨帆出事后，侯国龙和李永梅都一直留在江州，准备等杨帆火化之后再回省城。侯国龙平时忙得不落屋，也趁此机会在家休整。他接到秦玉电话后，急匆匆地对妻子道："中午别管我，我要出门。"

李永梅不满地责备道："难得回江州，说好不出门，怎么又往外跑？"

侯国龙弯腰穿鞋，道："今天《江州晚报》登了杨帆落水的消息，用了小帆大幅相片，杨勇很生气，到报社找记者，结果在一楼和保安打了起来，把保安头上打了一个洞。杨勇被带到派出所，我得把他捞出来。"

李永梅指了指卧室，道："你小声点，别让儿子听见。"

侯大利原本有气无力地躺在床上，听到父亲之言，猛地坐了起来。他站在窗前等到父亲走远，这才找理由下楼。离家最近的报刊亭刚巧卖完了《江州晚报》，他沿街道向前走，走到另一个街心报刊亭。

另一个方向走来一个头发略斑白的男人。

侯大利和那男人同时来到报刊亭，各自要了一份《江州晚报》，站在报刊亭旁边观看起来。

晚报上的相片是杨帆的演出照。这张相片平时贴在江州一中的告示栏里，应该是被记者翻拍出来。客观来说，记者翻拍技术很不错，报上相片非常清晰，杨帆似乎一下就活了过来。侯大利注意到文章的编辑和摄影皆是朱建伟。

旁边男子将报纸卷在怀里，走在行道树下，消失在人群中。

侯大利在商店买了一把杀猪刀，带在身上，直奔报社大楼。杨勇是医生，没有街头打架经验，再加上暴怒之下失去理智，没有找到朱建伟，在一楼就和保安纠缠在一起。侯大利在省城这几年，跟着一帮人胡吃海喝，耳濡目染，学了些社会手段。他进入报社，非常平静地在楼下办公室问清楚朱建伟在哪一间办公室。

他推开朱建伟的办公室，很平静地叫了一声："朱记者。"

坐在皮椅上的瘦高个态度高傲，昂起头，道："你是谁？"

在朱建伟对面坐着两人，其中一人正是随着朱林来家里调查情况的陈阳警官。有警察在场，侯大利没有拿出杀猪刀，直接道："我找你有事。"

陈阳意识到不对，道："侯大利，有事？"

侯大利突然上前一步，狠狠地给了朱建伟一个大耳光，道："你狗日的在别人伤口上撒盐，恶毒！"

陈阳拉住侯大利，不让他继续打人。

杨帆爸爸来闹过事，朱建伟明白眼前此人肯定是为杨帆而来。一篇报道引起广泛关注，这正是记者的成功之处。他吐了一口血水，严肃地道："新闻不受任何力量绑架，市公安局不能干扰新闻，你这种暴力也不能阻止公众有知道真相的权利。你是当事人的家属吗？你寻衅滋事，我有依法追究你责任的权利，考虑到你的心情，我原谅你。"

侯大利混过省城圈子，并非没有见识，可是毕竟年龄还小，又没有实际工作经验，被朱建伟一番大义凛然的话堵得说不出话来。他知道这些话很多都是假话空话大话，但是一时之间不知道如何反驳。无法反驳，更让侯大利怒火冲天，再次冲过去打人，被两个警察拦住。

侯大利离开报社大楼以后，将杀猪刀丢进垃圾桶。

如游魂一般回到家，侯国龙已经回家。

侯大利问："杨叔还在派出所吗？"

侯国龙道："出来了。派出所民警知道他家发生的事，没有为难他。杨帆明天火化。可怜的孩子。"

想起杨帆还要经受烈火，侯大利心如刀绞。他回到房间，心道：如果我不去和省城哥们儿玩，而是送杨帆回家，就不会出事。这个想法如毒蛇一样撕咬着他的心，无法摆脱。

烈火熊熊，杨帆短暂的一生在亲人的悲哭中结束。

杨勇和秦玉不能面对女儿骨灰，由秦玉的妹妹和侯大利两人一起进殡仪馆处置骨灰。

在女儿出事之前，杨勇只知道女儿与侯大利关系不错，后来在收拾女儿遗物的时候，看到她的日记，少女敏感细腻的心思在日记里表露无遗，因此同意由侯大利送女儿最后一程。

骨灰出来以后有很多大块，殡仪馆工人用一个木制工具压迫骨灰，让骨灰变得细小，更坚硬的骨头则直接用木槌敲破。

在遗体告别等诸多环节中，侯大利一直神情麻木。前一段时间他在夜晚偷偷流了很多泪水，流得太多，导致没有了泪水。当木槌敲在头盖骨上，他能感受到杨帆钻心的疼痛以及对人世的不舍，泪水再次奔涌而出，湿透胸襟。

“报纸妹，我知道你是被害的。我发誓要揪出凶手，为你复仇！”侯大利捧着骨灰盒，对天发誓。他发誓时没有说出声，只是说给自己的灵魂。经历了如此惨痛之事，如果不能抓住凶手，他的灵魂将永远不得安宁。

陵园密密麻麻立着坟墓，墓前皆有墓碑，墓碑上端安放相片。相片多是老人，还有部分中年人，年轻人非常少见。骨灰放置完毕，盖上花岗石盖板。盖板落下，从此阴阳永隔。秦玉坐在女儿墓前久久不愿意起身。

杨勇神情憔悴，胡须和头发干涩、灰白。他久久凝视极为熟悉又格外陌生的侯大利，道：“谢谢你为小帆做的一切。我们要搬家，离开江州。每年肯定要来给小帆扫墓，你有空也来看看她。”

说到这里，他哽咽起来，紧紧抱住侯大利。

杨勇和秦玉从墓地下山之后，直接去火车站，准备前往省城。他们两人将所有一切都留在江州，包括家具、房产、记忆和熟人关系。

与杨勇和秦玉分手后，侯大利神情恍惚地往回走，穿过马路时都没有听到一辆汽车高扬着喇叭冲了过来。汽车司机猛打方向盘，才避免正面直撞过去，但擦身而过的一刹那，还是将侯大利远远撞飞出去。

侯大利昏迷了十二小时。在昏迷之时，脑中不间断地涌出世安桥上的细节，无数细节碎片在头脑中飞舞，构成了千变万化的图像，所有图像都不支持杨帆是意外落水。

在儿子昏迷期间，侯国龙和李永梅一直守在病床前。当儿子醒来以后，李永梅当即决定捐款给寺庙。侯国龙成为国内著名企业家以后，对侯家来说世俗上的事都不算太难，唯独解决不了精神上的事以及更玄妙的命运。侯国龙和李永梅这对无神论夫妻开始向缥缈的命运低头，信起神鬼，成为省城寺庙的贵客。

李永梅坐在儿子病床前，拍着胸口，道："吓死妈妈了！"

"你如果不想在一中读书，可以留学，随时可以走。"侯国龙不愿意儿子到省城再次成为纨绔子弟，准备直接将儿子送出国。

侯大利摇头道："我哪里都不去，就在江州一中。"

半个月后，侯大利出院。他走出医院来到学校，总觉得以杨帆之死为分界点，世界发生了微妙而明确的改变，现在的世界与以前的世界不再一样，每个相识的人或多或少都发生了变化。这种变化非常隐蔽，但是侯大利能够感受到。疑惑很久，他明白自己发生了不可逆转的变化，再也回不到原来的世界。

侯大利即将走进教学楼，同班同学金传统跑过来，神神秘秘地道："你知道吗，陈雷出事了。"

侯大利、金传统都是富二代。侯家企业是属于省内拔尖、全国有名的企业，金家则是本地房地产企业，当地有名。他们两人在学校是属于"带有严重社会习气的同学，混入一班，严重影响了本班的学习风气"，这是班主任杜眼镜给出的结论。

杨帆出事以后，这对于侯大利是天大的事，他不理睬金传统卖的关子，继续往前走。

金传统自然不能理解侯大利心境突变，道："哎、哎，你别走，听我说。陈雷曾经给杨帆写过情书，这事大家都知道。公安到陈雷家里核实情况，有意外发现。"

侯大利停住脚步，眉毛根根直立，抓住金传统的衣领，道：“什么发现？”

金传统是排骨身材，被勒得直伸舌头，道：“放手哇，我出不了气。”

侯大利慢慢松开手，眉毛渐渐平顺，道：“快说，别卖关子。”

金传统捂着脖子喘了一会儿气，才道：“警察找陈雷问话时，无意中发现他家里有一辆摩托车是偷来的，搂草打兔子，把陈雷弄进去了。陈雷太倒霉，简直是祸从天降。今天晚上，我们找地方玩玩，给你扫扫晦气。”

“我不玩了。”侯大利摇头，朝教室方向走。

金传统这才注意到侯大利背着大书包，惊得下巴都要掉下来了。侯大利是在省城“操过社会”的人，特别忌讳在校外背书包。开学之初，金传统因为背书包被侯大利嘲笑过数次。如今金传统能不背书包则尽量不背书包，岂料侯大利居然重新背起了大书包。

金传统紧追几步，与侯大利并行，道：“没有想到，陈雷平时成绩挺好，居然是盗窃集团的一员，潜伏得很深哪！”

侯大利觉得金传统这个富二代幼稚，不理睬他，直接进教室。走进教室，所有同学的目光都射过来，最后集中于特别辣眼睛的大号新书包。

对侯大利来说，新书包具有象征意义。

侯大利在病床上做出重要决定：好好读书，考上山南政法大学刑侦系，以后成为刑警，将杀害杨帆的凶手找出来。

杨帆落水之后，警方不予立案，侦查工作自然无从开展。侯大利大骂警察是废物，骂过之后，痛定思痛，知道无法改变警方决定，他便做出改变人生的决定：当刑警，亲自找出凶手，为杨帆复仇。

侯国龙得知儿子想法以后是喜忧参半。喜的是儿子几乎是一夜之间懂事了，知道做正事，忧的是儿子居然要当警察。一般家庭，儿子当警察值得庆贺，但对侯国龙来说，儿子最重要的职责是回到家族企业工作，等到熟悉企业情况以后接班。掌控国龙集团，这才是最重要的事情。当警察，实在不是侯大利该做之事。

儿子表明态度以后，侯国龙抱着侥幸之心，在病床前做儿子的思想工作，道："我支持你考大学，这是大好事。但是，爸爸建议考山南财经大学，或者山南大学。"

侯大利直截了当地道："爸，你不用绕弯子，我也不绕弯子。我当警察就是为了杨帆。破了杨帆的案子，抓住凶手，我就回公司上班。"

侯国龙叫苦不迭，道："朱支队是江州首屈一指的神探，办过不少大案要案。他认定杨帆是意外落水，那肯定就是意外落水。没有行凶人，你怎么破案？破不了案，难道一辈子不回国龙集团？"

侯大利慢吞吞地道："我考政法大学，以后当刑警，至少是一条正道吧，而且只是暂时的。若是我继续混社会，吸点毒，捅死个人，那就真是歪道。"

省城老板圈子普遍对教育子女感到心忧，因为下一代违法犯罪的着实不少。侯国龙如触电一般跳起来，道："好、好、好，你想考政法大学，那就去考吧。别说这些不吉利的赌气话。"

"我不是赌气，是真要考政法大学刑侦系。"

"小帆不幸走了，最放不下的还是她的父母。若是要追凶，也应该是他们。如今你杨叔到省城私立医院当医生，你秦阿姨也跟着过去，他们实质上认同了小帆是意外事故。"

"不管他们是不是认同，我还是坚持我的观点，没有外力，杨帆不可能落水。我若是放弃追查此事，这辈子就没有意义。"

与儿子交流以后，侯国龙和李永梅只能依了儿子。虽然考政法大学不是最佳选择，总强过成为混世魔王。

杨帆的死亡如一颗钉子，深深嵌入侯大利大脑某处，让他无法用以前的方式面对生活。警方没有立案，社会也无能为力，导致他独自面对杨帆惨死带来的心理创伤，身心都出现一种类似创伤后应激障碍的症状，只不过没人朝这方面思考。

侯大利靠特殊关系进入江州一中，成绩烂如狗屎，要考上山南政法大学刑侦系并不容易。好在如今才是高一，只要认真学习还是很有希望。为了尽快提高成绩，他决定请英语、数学、语文的一对一家教，周六、周末和寒暑假将全部用来补课。

对一般家庭来说，一对一家教挺贵。侯国龙压根没有考虑钱的问题，更关心的是儿子能否坚持到高考。他和妻子李永梅聊起儿子参加高考这事，得出这个结论：若是儿子是鸡公屙屎——头节硬，没有毅力和恒心，那就证明儿子就是寻常的庸人，只能守成，更多考虑是多留点钱，让他这一辈子过得舒服。经营企业则需要找职业经理人。若是儿子真能坚持学习，如愿考上山南政法大学，那么儿子就真是可造之才，自己的企业肯定要交给他。就算他当了警察，到时也必须接手家族企业。

以杨帆遇害为分界线，在分界线以后，侯大利这个富二代彻底脱离了省城和江州市里的富二代圈子，变成沉默寡言的高中生，每天行走在学校和家里，除了读书以外，还天天坚持锻炼。

2004年，高考前夕，侯大利在摸底考试时已经是全班第四名，成绩优秀。侯国龙和老师们轮番做思想工作，希望侯大利能够报考清华或者北大。高考结束，侯大利根本没有考虑其他志愿，只是填报山南政法大学刑事侦查专业。

山南政法大学侦查学专业是教育部批准建立的我国第一个侦查学本科专业，山南政法系统特别是刑侦系统有大量领导毕业于此专业。侯大利想得很深很细，决定成为诸多刑侦领导的小师弟。

侯国龙暗自叹息：以儿子的聪明和毅力，读清华、北大都没有问题。可惜读了政法大学，儿子以后的人脉集中在警察圈子里，而非更高层，多少会影响前程，实在遗憾。

李永梅对此评价是“贪心”，儿子走正道，比什么都强。儿子在这两年多的变化已经带给她太多惊喜，她绝对满意。

拿到山南政法大学录取通知书以后，侯大利前往公墓，给杨帆上香。

出车祸以后，侯大利发现自己脑袋似乎出了点问题。他以前就因为出色的观察能力而被称为“四眼狗”，而车祸之后，这个能力更是得到大幅提升。现在的一双眼睛几乎像是摄像机一般，视野变得更加宽阔、清晰，而且能快速而敏锐地捕捉每一个细节。更让他吃惊的是，一旦闭上眼睛，关注点的画面便会自动跃入脑中，细节清晰，结构明确，就像是摄像机的画面回放功能一样，一遍又一遍循环播放，供他检索和审视。

江州公墓建在山上，从上往下俯视，无数墓碑构成了墓碑军阵。侯大利站在墓顶再次验证车祸后增强的奇怪能力：闭上眼，墓碑在脑中能够单独虚拟出来，从低到高，层层叠叠。凡是他看过的墓碑，墓碑上的相片和文字都会浮现出来，清晰异常。

侯大利用脑中怪异能力看了一会儿墓碑，在脑中与栩栩如生的杨帆进行交流。交流完毕以后，他用手帕擦干净杨帆的墓碑相片。

手机响起来。杨勇的声音很遥远也很熟悉，道："高考怎么样？"

侯大利道："我拿到山南政法大学刑侦系录取通知书了。我在山上，给小帆扫墓。"

杨勇在女儿生日时都会悄悄回到江州。女儿墓地非常干净，总有一束没有干枯的鲜花。鲜花带着露水，娇艳欲滴。侯大利在小时候无论性格还是品性都是极好的，当上富二代以后，名声在世安厂变得糟糕。谁知这个名声糟糕的纨绔子弟居然是个痴情人，能一直为女儿打扫坟墓，还能为了女儿考入政法大学。

侯大利考上山南政法大学刑侦专业是为了破案，不管案子是否真存在，杨勇想到侯大利能做到这一步，深受感动，打电话时潸然泪下。

杨勇原本想说妻子又怀孕了，得知侯大利在山上之后，没有再说此事。他产生了一种怪异的想法，总觉得再生小孩就是抛弃杨帆，割裂了与女儿的联系。这种想法没有任何道理，产生以后却很难消解。

侯大利与山南政法大学的同学有明显的差异。他进入大学时，身怀侦破杨帆案的强烈动机，积极主动学习专业知识，对谈恋爱等与专业无关的事情丝毫不感兴趣。他仍然没有从心理创伤中完全解脱，尽管与同学们正常生活在一起，却真实地觉得与所有人和事都有隔膜，是以观察者的眼光和心态看待大学生活。他与同学一起玩耍打闹、喝酒跳舞时显得很正常，表面上甚至可以很兴奋，但内心深处非常冷静，总是脱离于欢乐的青春之中，这让他缺少真正的快乐。

其他同学刚刚经历了残酷的高考，进入大学之后，至少在进校初期有所松懈，谈恋爱，打游戏，普遍在专业上并不是太用功。此消彼长，侯大利在大学初期很快就在专业课上脱颖而出。

大二以后，一部分同学确定了奋斗目标，有的想考研，有的热衷于社会活动，这两部分同学进步很快，在学校崭露头角，更多同学仍然懵懂，随波逐流。

这几年，国龙集团如日中天，侯国龙屡上国内富豪排行榜。侯大利在学校竭力保持低调，不考研，不谈恋爱，也不参加社会活动，只对本专业感兴趣。他成为同学眼中的大怪物，得了一个“变态”的绰号。

整整四年，侯大利只出过一次风头。进入大学后，他发现自己独特的视觉捕捉能力，以及空间感知能力在刑侦方面能够得到充分的发挥和训练，变得更加强大。在模拟案件教学时，能够迅速将模拟现场装进大脑，闭上眼就能清晰地在头脑中还原和重建现场，甚至能在脑中发现在现场时没有注意到的异常情况。

为了验证这个特殊才能，侯大利参加了山南电视台主办的《超级找碴王》节目。这个节目中有一项特殊比赛：从四万五千块魔方色块中找出一块被调整过的魔方色块。

山南电视台为了增加收视率，配有官方指定的种子选手。种子选手要提前记住两万两千五百块小色块的顺序，这两万两千五百块小色块在现场排成一面墙，在现场临时调整一块魔方色块以后，要能够根据记忆，将调整色块找出来。

虽然种子选手能提前看到由四万五千块色块构成的两块魔方墙，但是要记住两万两千五百块小色块的顺序则需要技巧和惊人的记忆力，非天才根本做不到。

侯大利参加此项目时占了大便宜，不用死记硬背，头脑中清晰显示两面魔方墙，并转换成3D图像。当两幅图像重合以后，调整的色块便自动跳了出来。他凭着这个变态能力成为山南电视台当期货真价实的超级找碴王。此节目播出后，轰动山南政法大学。

大学毕业前，侦查系资深的费教授主动提出让侯大利读自己的研究生。这位资深老教授不仅有深厚的学术背景，而且他所带的研究生大部分居于国内刑侦领导岗位，若是考上老教授的研究生，有助于侯大利在本行业发展。侯大利委婉而明确地拒绝了老教授抛过来的橄榄枝，执意回江州做一名刑警。这让所有知情人深以为憾。

人生天地之间，如白驹过隙，大学时光不过人生短暂片刻，转眼就到2007年实习期。

实习前，侯大利和同学们喝了一顿酒，提起行李，前往实习单位。

夏晓宇是国龙集团江州公司老大，耕耘江州多年，人脉极广。侯大利到江州刑警支队实习，就是由其落实。

侦破没有立案的杨帆落水案，这是侯大利考入政法大学的初衷。进入政法大学以后，他清晰地知道要破此案难于上青天。若是他放下此案，杨帆会永不瞑目。因此，不管破案难度多高，侯大利都必须做下去，这或许就是他的宿命。

一宗尘封十二年的悬案

从省城阳州回到江州，侯大利接到电话，来到刑警支队长朱林办公室。

几年未见，朱林比以前更瘦，不仅头发花白，连两鬓和胡子都花白。有的人年轻时很帅，人到中年相貌却变得平庸。而朱林年轻时相貌普通，头发花白以后，却突然变得风度翩翩起来，配上锐利的眼神，明星范十足。

他打量向自己敬礼的山南政法大学刑侦系实习生，沉默不语。

六年时间过去，昔日稚嫩的富家子完全蜕变，高大挺拔，气质沉稳，明显比同龄人成熟，如工作多年的老刑警。

朱林对侯大利的看法有一个转变过程。杨帆失踪之后，他在侯家见到酩酊大醉的高中生侯大利，印象很坏。后来，侯大利冒着生命危险租船沿河寻找杨帆，接连找了三天，最后在小河湾找到失踪者，朱林觉得这个富家子讲义气、勇气足，态度有所转变。

刑警支队各单位实习名单送到支队长办公室后，朱林意外地在里面看到了侯大利的名字。实习分配名单只是一张表，上面有实习生所在的大学，但是没有附简历，无法确认此侯大利便是彼侯大利。

此刻在办公室见到侯大利，朱林这才确认实习警员侯大利确实就是侯国龙的儿子。

侯大利的实习单位是刑警二中队，二中队管辖范围包括世安桥所在地，朱林立刻明白侯大利没有放弃杨帆案。在这一刻，他对富二代侯大利的态度转变为欣赏。欣赏归欣赏，该敲打还得敲打。

“你在江阳区刑警二中队实习？”

“是。”

“为什么要到江阳区刑警二中队？”

“我服从组织分配。”侯大利一直将杨帆悬案深埋于心，从来没有跟政法大学刑侦系同学们谈起过，眼前的刑警支队长算是少数知情人。侯大利不了解朱林立场，没有袒露心迹。

“六年前，杨帆落水，你一直否认是意外事故，到现在还坚持这个观点吗？”朱林目光锋利如刀，紧盯侯大利不放。

“仍然是这个观点。不管是群体和个体都有路径依赖，我借用经济学的这个词。杨帆深受医生父亲影响，做事严谨，一丝不苟，甚至到了古板地步，没有外力，绝对不会轻易改变习惯。”

“并不是所有刑事案件都能破，有不少社会影响巨大的案件，最终没有结果。”

“我不能放弃，若是放弃，就没有人再管这事。”

“你如今是实习警察，实习警察也是警察，做事必须以法律为准绳，以事实为依据，在案件侦办过程中掺入个人感情，有可能导致严重后果。你即将到刑警二中队实习，作为刑警支队领导，我必须严肃地给你提出来。如果做不到将公和私分开，最好不要穿这身警服。”朱林没有绕弯子，直截了当地提出警告。

“我之所以要考山南政法，就是要走法律途径，在法律框架下解决问题。”侯大利没有躲避朱林的目光，也没有刻意对抗，平静面对。

朱林脸上紧绷的肌肉慢慢放松，简单询问了侯大利在政法大学的学习情况。等到侯大利离开，他拿出通信录，翻到一位刑侦系老师电话，打探侯大利的情况。

“老谢呀，我是朱林。”

“朱支，好久不见，什么时候到学校来开个讲座？你破了这么多大案，肚里有货呀！”

“我问一个人的情况，刑侦系学生，到支队来实习。侯大利，你知道吗？”

“怎么不知道，刚才还和费老爷子聊天，侯大利把费老爷子气得够呛。”

“怎么回事？”

“费老爷子一心想让侯大利读他的研究生。这家伙不知搭错了哪根神经，不读研究生，非得直接工作。”

“他的成绩怎么样？”

“很优秀。从在校期间表现来看，他是当刑警的好材料。”

……

打完电话，朱林陷入沉思。

从杨帆失踪开始到现在的六年时间里，江州积累了八起未破的杀人案，其中三起杀人案有明确犯罪嫌疑人，但犯罪嫌疑人逃跑，尚未归案。另外还有五起未破杀人案，始终未找到突破口。随着时间推移，五起杀人案成为命案积案，演变成柜中档案，化成插在受害者直系亲属胸口的匕首。

这两年，公安部提出了“命案发案数下降、命案逃犯数下降、命案破案率上升”的“两降一升”目标，对各地实行了严格考核。江州命案侦破工作原本长期在全省处于领先位置，恰好在“两降一升”前后未破命案突然增加，由先进变成了落后，这给刑警支队长朱林带来极大的压力。

除此之外，还有受害者家属和社会舆论的压力，对有责任有荣誉感的刑警支队长来说，后者形成的压力更是如芒刺在背。

朱林担任刑警支队长多年，年龄渐长，向上空间关闭，退居二线是迟早之事。他不留恋官位，只是对未侦破的五起命案耿耿于怀。这五起命案最早一起距今超过十年，当时侦办案件的刑警或退休或调动工作，若没有专门力量介入，这些积案最终会变成档案里的死案。每次想到这一点，他便觉得未侦破的五起命案是对三十年刑警生涯的讽刺和侮辱。

他如今还担任刑警支队长，时常关注这五起案件，发现线索就会派侦查员调查。等到自己退居二线时，接触过五起积案的人越来越少，现存有利条件不复存在，要破案更是难上加难。

今天，朱林脑中猛然间形成一个模糊想法：侯大利是侦办五件疑难命案非常合适的人选。

要侦办这种疑难积案，必须是性子执拗的人，否则很难咬死一个案子不松口。侯大利这个富二代为了侦破杨帆案能考入政法大学，性格肯定执拗，不达目的不罢休，不管别人看法，正是典型的犟驴子性格。

除了性格以外，还要有破案的能力。侯大利是山南政法刑侦系学生，成绩还特别优秀，从这一点来说，他经过实践磨砺以后，应该具有办积案的能力。

最后一点，破积案靠毅力也靠运气，不能有太强的功利心，侯大利背景特殊，不需要升官，更不需要发财，恰好符合这一点。

他想了一会儿，自嘲地笑道：“侯大利就是一个实习警员，现在想这些虚无缥缈的，有屁用。”

在刑警支队长办公室当面接受上岗教育之后，侯大利这才到刑警二中队报到。在中队长办公室等了一会儿，见到了刑警二中队丁浩队长。

“听说你很能打，这很好，以后抓人多了个助手。小偷小摸、赌博的、嫖娼的，你下手别太狠，稍不小心，中队吃不了还要赔一砣。杀人抢劫、贩毒的，下手就要让他们失去反抗能力。”丁浩很风骚地穿了一双红色运动鞋，一对黑眼圈很有喜剧色彩，与板着脸一脸严肃的朱林形成强烈对比。

侯大利笑道："我能打，谁说的？"

"朱支给我通了电话，说你是刑侦系散打好手，下手有点毒，喜欢使用反关节技，让我把你管好用好，别搞出事。"丁浩笑嘻嘻地打量侯大利，道，"朱支专门打电话关照实习生，罕见哪！老实说，你有什么背景？"

侯大利是土生土长的江州人，父亲是鼎鼎大名的侯国龙。但是，他在小学后期以及初中阶段都在省城度过，高中阶段更是闭门读书，大学阶段则完全封闭在山南政法大学校园里。江州商界很多人知道侯国龙有一个独子，真正见过这个独子的人并不多。丁浩更是压根没有将实习警员侯大利和大老板侯国龙联系在一起。

侯大利自然不肯轻易讲出自己是国龙集团太子，含糊应对。

中午，丁浩搞了一个简单接风宴。说是宴，不过是中队在家刑警坐在一起吃饭，滴酒未沾。下午，侯大利正在翻阅《江州公安局办案指南》，接警电话响起。值班民警李超道："群众抓了个小偷。带甩棍和手铐，马上到现场。"

皮肤黝黑的李超将车钥匙丢给侯大利，坐在副驾驶位上连续不断地打哈欠。侯大利实习当天就遇上事，很有几分兴奋，警车开得飞快，拉起警笛，闪起警灯。

"抓个毛贼，警灯和警笛就免了，吵得慌。"李超伸头瞧了瞧侯大利脸上表情，道，"有案子发生，是不是特刺激？以后你下了队，只要干一年，听到电话响，准会被吓得心惊肉跳。我们队大部分人都有心理毛病。谁都不例外，当刑警久了肯定得神经病，至少神经衰弱。"

中队同事都直呼李超为"李大嘴"，侯大利坐在车上很快便明白"李大嘴"的来由。从上车起，李超嘴巴就没有停过，确实对得起"李大嘴"这个绰号。

侯大利关了警灯和警笛，继续听李超唠叨。

"为什么会成神经病？很简单哪。我才参加工作的时候，遇到的大多数都是毛贼和笨贼，如今信息时代，犯罪分子茄子开黄花——变了种，高智商犯罪、流窜作案、职业犯罪明显比以前多。他妈的，反侦查意识也越来越强。破案难度大，办案周期缩短，考核也紧，血压不高都难。机关全是年轻人，派出所和责任区最年轻的也有三十岁吧，我们中队平均年龄三十六岁。你来了，算是拉低了刑警二中队的平均年龄。

“喂，你别闷着，总得说话呀！”

“我们中队刑警心理状态真的很差吗？”在刑侦系里，每天都会被老师煽动得热血沸腾，前来实习的警员都打了鸡血，憋着劲儿，想在实习单位好好表现。听到李超如此说，侯大利不觉对刑警队现实情况有几分好奇。

“初到刑警队，大家成就感很强，也很兴奋，迫不及待地要办案子，我相信你现在也是这个状态。工作几年，你就能尝到万般滋味。走访、抓捕、询问等时间安排极不规律，也没有办法规律。长期面对暴力对抗，时不时会上演死神来了的大戏。刑警也是普通人，在这种极端恶劣的生存环境下，难免会心情抑郁、百无聊赖、心烦意乱、坐立不安、精疲力竭，严重一些就是神经衰弱，头痛、头晕、记忆力下降、失眠、畏光、畏声，最后发展到难以胜任工作。你别撇嘴巴，这是真实发生的。我为什么说得这么溜，这些毛病我都犯过。我们中队个个都带点毛病。”

“工资高吗？”

“别提这事了，纯粹为了钱，谁来干刑警？我考你一组与空调有关的歇后语，你就知道刑警们的工资水平了。第一个问题，涨工资是什么？”

“涨工资——空调。”由于李超有提示，侯大利准确说出答案。

“又说涨工资，是什么？答不出来吧，又说涨工资——美的空调。涨工资越涨越低——变频（贫）空调。”

李超说了一串歇后语后，笑得十分欢乐，道：“吓着你了吧？你也别怕，当刑警还是很有职业幸福感的，我最满足的是从天而降，拍着犯罪嫌疑人肩膀，说一声‘我是江州刑警’。多数犯罪嫌疑人都会吓得面无人色，乖乖束手就擒，最严重的会吓得尿裤子。每当这个时候，职业幸福感油然而生。还有，全队上下一起努力，破了一件大案，那也是挺幸福的。我得提醒你一点，不要在受害者面前当救世主，你会很失望的。”

报案地点距离中队驻地很近，谈话间，警车来到报警现场。

一个胖女子紧紧拽着一个猥琐的中年男人，旁边围了一圈人。由于人多，中年男人不敢用阴招，也没有用刮胡刀，只能空手和胖女子撕扯。胖女人从面相看就挺厉害，膀大腰圆，与中年男人在拉扯过程中不落下风。争夺数回合，胖女子底气更足，猛地用力，将中年男人推翻在地，顺势骑在身上。

“你这人脑壳有包，我是强盗，再不放开，我就用刀子捅你！”中年猥琐男出言威胁。

“你还有刀是不？”胖女人抓住中年男人两只手，用力将其压在地上。她身体肥壮，全身伏在中年猥琐男身上。从上往下看，中年猥琐男只剩下一个脑袋在左摇右晃。

“松开，老子出不了气。你是做啥子的？身上这么腥臭，好难闻。”中年猥琐男被压得喘不过气，便开始用坏招，胯部不断扭动，往上使劲挺。

“你还占老娘便宜。”

胖女人担心小偷有刀，不敢松手。而这个小偷实在猥琐，不停把该死的部位朝上顶。她火气上来，狠狠地用额头砸在小偷鼻子上。小偷鼻子顿时开了花，血流不止。

“老子一年没过性生活，你不怕丑，我们来现场直播。”小偷从业以来，历尽磨难，内心十分强大，尽管胖女人身上有浓浓的鱼腥味，还是决定破釜沉舟，抹掉脸皮，与之纠缠。

胖女子被弄得骑虎难下，正在这时，警察终于出现了。

“侯大利，铐他。”李超发话以后，拿出甩棍，在一旁警戒。

小偷作案一般有团伙，团伙有明确分工。一般情况下，受害者少，小偷多，受害者反抗就容易演变成流血案件。虽然眼前这个小偷应该是独狼，可是不怕一万只怕万一，李超作为老刑警还是非常谨慎。

侯大利上前一步，道：“这位大姐，让给我。”

“他偷我钱，钱包还在他身上，我没有让他走脱。”胖女子狠狠掐了对方一把，这才从猥琐男身上离开。

中年猥琐男被胖女子掐得直吸凉气，喘着粗气，眼睛滴溜溜乱转，嘴里喊“冤枉”。他忽然翻身而起，动作快如老鼠，起身后，弯腰、缩脖子，伸手扒拉看热闹的人，想从人群中钻出去。

侯大利眼疾手快，抓住中年猥琐男中指，往外扭动。中年猥琐男“哎哟”叫了一声，当场跪下来。侯大利一招得手，制伏中年猥琐男，利索上铐，然后将上了铐的猥琐男丢在地上。

围观群众好久没有见过身手如此利索的警察，很兴奋，大声叫好。

中年猥琐男与胖女人上了警车，一起朝驻地走。胖女人坐在副驾驶位置，中年猥琐男戴着手铐，和李超一起坐在后排。中年猥琐男鼻血长流，从鼻子滴到胸口，十分狼狈。他捧着手指，用哀怨的眼光瞧着侯大利，道：“警官，我手指要被揪断了。就这点小事，犯不着吧？这可是我吃饭的家伙。”

李超被逗笑了，道：“你还挺理直气壮。这双手应该用来劳动，而不是偷窃。”

中年猥琐男道：“我这也是劳动。”

“闭嘴！”李超用手掌给小偷脑袋上来了一个盖帽。

中年猥琐男这才悻悻闭嘴。侯大利见此人没脸没皮，也顺势给了小偷一个盖帽。

李超道：“大利还挺老练，知道空手抓人。以前有一个实习生，拿着甩棍上铐，始终上不利索。结果甩棍被抢，挨了好多棍。”

侯大利道：“持枪不抓人，抓人不持枪。忘记这一点，要被教官鄙视。”

李超用力拍侯大利肩膀，道：“你实习结束就到二中队来。以后我们合作，你当第一抓捕手，对付嫌疑人中的强手。我当第二抓捕手，抓弱手。”

侯大利道：“老大，我是新兵啊，报到第一天就专门对付嫌疑人强手，担子太大。”

李超咯咯笑了一会儿，道："丁队说，你他妈的下手贼狠，我喜欢哪！对敌人就要像秋风扫落叶一般无情，千万不要假仁假义。玩笑归玩笑，我刚才站在外面也没有闲着，必须防备他们有团伙，你得记住这一点。"

听到给自己上铐的警察是实习生，中年猥琐男暗自不停撇嘴，嘀咕道："我犯点小事，是人民内部矛盾，不是阶级敌人。"

李超又扇了中年猥琐男后脑勺，道："我们说话，你他妈的别插嘴！"

回到二中队，李超和侯大利将中年猥琐男带到办案区。搜身后，从猥琐男身上搜出镊子以及寒光闪闪的刮胡刀。

李超指着刮胡刀，声色俱厉地问："这是做什么的？"

猥琐男道："划包的。"

李超道："划过人没有？"

猥琐男翻了一个小白眼，道："我傻呀，小偷小摸，关几天就出来。划了人，麻烦大了。我不做这种傻事。你们赶紧办手续，我还没有吃饭，早进去早吃饭。"

胖女人回头骂道："就要饿死你，早死早超生！"

中年猥琐男在警察面前装傻，面对胖女人一点都不客气，道："关你屁事！下次小心点。你是菜市场杀鱼的吧，身上还真臭。真倒霉，遇到你。"

对于这种滚刀肉，刑警中队其实也没有太好的办法。两个刑警给胖女人做笔录，李超和侯大利则在讯问区给猥琐男做笔录。

做笔录前，李超半边屁股坐在侯大利桌上，道："你以后就得和今天一样，下手要干净利索，千万别拖泥带水。今天抓的是老贼，老贼有老贼的好处，知道分寸，一般情况下不会朝我们动刀子。若是遇到新贼，或是流窜作案的，或是团伙作案的，我们动作稍稍慢点，挨上刮胡刀，就是一条深口子，太惨了。"

刮胡刀的刀锋闪闪发光，若是划在皮肤上必然是皮开肉绽的结果，侯大利想起"血花"很有些不寒而栗，因此完全赞同李超所言。他在政法大学期间苦练关节技，就是为了应对这种突发情况，今天小试牛刀，三年苦功果然没有白费。

“刑侦系出来的人，做笔录应该没有问题吧？你问，你记。”李超懒洋洋地打哈欠，一副没精打采的模样。

“我没有做过正式笔录。”

“没事，我在旁边坐着。走偏了，我会问话。”

侯大利生平第一份笔录在报到当天完成。这份笔录没有难度，也没有成就感。猥琐男只承认这一次偷窃行为，承认得非常麻溜，其他事情绝不多说。李超在旁边闲看着，一句话都没有提示。

笔录做完，李超抽着烟看了一遍，挥了挥手，道：“还行，发法制科。”

笔录发给法制科后，侯大利再带猥琐男体检。体检之后，再送其到拘留所。一个小案子，从中午忙到晚上七点，总算走完所有程序。

从拘留所回来，侯大利主动请丁浩、李超以及不值班同事到大排档吃饭。换了便装，大家坐在大排档上便活泼起来，相互开玩笑。

丁浩用力拍打侯大利肩膀，道：“你小子算个人物，每年都有实习生到中队，大多默默无闻地来，默默无闻地走。你今天算是黄鼠狼掀窗帘——露了一小手。”

侯大利谦虚道：“这是小事，连一小手都算不上。”

李超道：“我们当刑警每天都在踩钢丝绳，任何一件小事都有可能让我们摔得稀巴烂，每件小事在没有出事时就真是小事，出了事就真是大事。今天那个老贼如果搭错神经，也有可能用刮胡刀拉一下，拉到要害，那就是了不得的大事。”

李超是一个话痨，开口就如长江之水奔流不息，道：“刑警不同于其他警种，必须有真本事，还得有胆量，今天虽是小案，你做得都不错。来，碰一杯。”

侯大利是第一天报到，主动给各位前辈敬酒。

有不少歌手专门走大排档场子，唱着流行或不流行的歌。侯大利刚给李超敬了酒，转身见到一个大红裙抱着吉他来到身边，吓了一跳，

“哇”的一口吐了出来，喷在大红裙身上。

大红裙歌手傻傻地望着正在呕吐的侯大利，满脸蒙，随即夸张地尖叫起来。侯大利吐了几口，没好气地道：“光天化日之下，不要穿红裙子出来吓人。”

大红裙歌手回过神来，生气地道：“你说什么呀？我凭什么不能穿红裙子？现在天都黑了，和光天化日没有关系。”

大排档老板认得丁浩，赶紧过来将又恼又羞的歌手拉到一边，将场面圆了过去。

丁浩皱着眉头问道：“什么情况？酒量不至于这么浅。”

自从在江州河里见到那一抹红色，侯大利便有了毛病，看见红色裙子就要反胃。他知道不能让别人不穿红裙子，总是尽量远离红裙子，免得刺激肠胃。今天正在喝酒，扭头看见一身大红裙子，肠胃不受控制，当场吐了出来。这是自己的特殊情况，侯大利只能胡乱扯了理由。他用矿泉水漱口，又倒了一杯酒，主动邀战。

一天时间之内，侯大利成功打入二中队，被丁浩和李超等诸多老刑警接纳。丁浩当场让侯大利拜李超为师父。刑警是特殊的技术活，需要代代相传，按江州刑警的传统，新人入队都得认个师父，师父给新人立规矩，传授书本上学不到的技巧。这是让新刑警迅速适应特殊工作环境的有效方法。这种师徒传承没有法律意义上的明确权利和义务，但是有着道义上的权利和义务。

以前世安厂也有类似师徒制，侯大利不排斥此制度，起身给李超敬了酒，恭敬地喊师父。李超道：“我们首先是同事关系，其次才是师徒关系，所以，心里有师父就行了。平时就叫我‘李大嘴’，叫‘师父’别扭。”

接下来两天，二中队办了两个小盗小骗的案子。办案刑警事多，每天忙碌不停，听李超说起新来的实习民警做笔录还行，便总是逮着侯大利做笔录。侯大利也不推辞，做笔录时将老刑警问话要点与书本知识一一对应，所做笔录没有废话，也能抓得住要点。

市局法制科老大打过来电话，闲扯几句后便询问这两天谁在做笔录，得知是新来的实习生，“哦”了一声，便挂断电话。

实习第四天，值班即将结束，侯大利正在啃鲜肉大包子。

值班室电话响了起来。此时还未交班，同样值了夜班的李超最讨厌这个时间点来电话，来电话肯定是出警，只要出警，就甭想交班。他又腰骂了几句，这才接通电话。

接完电话，李超又给老婆打电话，点头哈腰道：“亲爱的，值班还有一小时结束。”

“是不是又有报警电话？”李超老婆胡秀声音挺大，话音透过话筒，传到侯大利耳中。

李超平时是个话痨，语言丰富又传神，可是在老婆面前，其言语变得干干瘪瘪，道：“刚接到一个报警电话，我去处理，很快就回来。”

胡秀道：“你女儿在发高烧，李超，你愿意回来就回来，不愿意回来就拉倒。钱又赚不到几个，每天忙得四脚翻天。”

第三章
用三个烟头锁定嫌疑犯

法医田甜

放下电话，李超骂了几句脏话，叫上侯大利，准备前往报案地点。

侯大利几口把鲜肉大包子啃完，道："这个案子恐怕得收集物证，我去拿几个物证提取袋。"

"你去拿提取袋，我拉肚子。"

李超捂着肚子走进卫生间，从卫生间出来时，已经调整了情绪。他看到侯大利带上单警装备，嘲笑几句，将车钥匙丢过去。

报案地点在永发电器商场。老板孙胖子正在破口大骂，"猪"、"狗"之类不绝于耳。几个身穿商场制服的女子低眉垂眼，不敢回嘴。厂方送货员满脸晦气地站在旁边。

孙胖子给李超递烟，道："李警官，几个女人笨得吃屎，上了一个大当。"

李超接警时满腹牢骚，到了现场则是"既来之，则安之"，将家务事丢在一边，深吸了一口烟，振作精神，道："孙胖子，骂人解决不了问题。怎么回事，谁来讲？"

丢了货的服务员被骂昏了头，讲起案情夹七夹八。李超和侯大利听了半天，才弄明白是怎么一回事。

来二中队实习以来，侯大利遇到的都是没劲的小案。今天这一起案件略有不同，有智力因素在其中：上午，永发电器商场进了一批货，包括冰柜、冰箱和空调三个品种。送货厂家正在往仓库送货，有一个男人开着标有永发电器商场的货车来到仓库前，声称商场抽查产品，每个品种随机调取一台。送货工人不疑有诈，主动将一台冰柜、一台冰箱和一台空调放进货车。到了最后验货环节，送货方和商场争吵以后，最终才明白被人弄走了一台冰柜、一台冰箱和一台空调。

李超觉得挺奇怪，道："现场有商场的人，外人假装抽查，难道你当睁眼瞎？"

服务员很委屈地辩道："当时我和另一个仓库管理员都在库内，根本没有注意外面的事。"

李超又问厂方送货员，道："你让别人弄走东西，不留依据？"

厂方送货员也很委屈，道："那人穿工作服，车上印有'永发电器'四个字，又在仓库边上，谁会想到是骗子？"

问完基本情况，李超问道："大利，你是刑侦系高才生，你怎么看？"

侯大利站在仓库门口四处打量，观察现场细节，道："第一，商城附近有不少监控视频，他是开货车来的，肯定要进入视频中，此人要么是蠢货，要么有备而来。第二，仓库附近人来人往，应该有很多人看到，趁着新鲜劲，赶紧走访调查，要去调视频。我们两人搞不过来，得从队里再调人。第三，那辆货车留有车痕，可以固定痕迹。那人抽烟，烟头上应该留有指纹和唾液。这人若是诈骗老手，十有八九留存了指纹或者DNA信息在库里。"

在他心目中，此案极为简单，破案应该没有困难。

"打住打住，前两条可以采纳，指纹也可以采集，DNA就算了。一个小屁案子，用得着大动干戈？你别以为刑警都是高科技，那是给大案要案用的，我们二中队办案还得靠老办法和土办法，用句书面语，叫作专门机关和人民群众相结合。你别小瞧这一套，土是土点，其实很管用。”

李超到一旁打电话，给丁浩汇报了案情。

十分钟不到，另一组刑警马兵和何小勇来到现场。二中队只有十二名侦查员，四名在外地办案，剩下八个民警，除了留在中队的值班民警、在大队开会的民警，只能派马兵和何小勇两人过来。

四人在现场稍加讨论以后做了分工：马兵和何小勇访问附近居民和商户；从仓库往外走有银行、歌厅等单位，这些单位大部分装有监控系统，李超曾在治安上工作数年，熟悉这些企业，就由李超和侯大利调取监控视频。

侯大利在货车停靠位置用镊子夹了十三个烟头，放进事先准备好的物证提取袋。

李超对采集烟头不以为然，却也没有阻止侯大利。

第一站是红月亮歌厅。红月亮歌厅位于从仓库到大街拐弯处的咽喉位置，安置在门口的监控器应该能覆盖街道角。服务人员认得李超，称其为‘李哥’，递烟泡茶。

李超怡然自得地抽烟、喝饮料，与漂亮女经理聊天。侯大利独自查看监控视频。监控里很清晰地显示有一台货车从仓库方向开出，货车侧面印有“永发电器”几个大字，车牌清楚。驾驶员只有侧影，戴帽，相貌模糊。

很快确定，货车使用假车牌。

基本可以断定这辆车就是诈骗者使用的货车。

李超对这个结果早有准备，和侯大利一起又查看了另外两家歌厅的视频。通过三个视频，可以判断货车朝西开去。

看完三家歌厅的视频，已经到了中午时分。李超和侯大利肚子饿得紧，随便找了家馆子，点了京酱肉丝、回锅肉、清炒丝瓜和三鲜汤，弄了两大碗干饭。李超和侯大利狼吞虎咽，风卷残云般扫光饭菜。

吃饭后，李超猛拍脑袋，大叫，道：“糟糕，忘了打电话！”他急急忙忙给妻子打电话，结果妻子手机关机，想到女儿还在高烧，顿时慌了神。

距离下午开会时间还有两个多小时，这个空隙，李超赶紧回家。

下午两点，丁浩在会议室召集李超、马兵、何小勇、侯大利等侦查员碰头，分析案情。李超脸上有一条新鲜伤痕，对外称是被树枝挂伤。二中队的侦查员都知道李超是耙耳朵，家家都有一本难念的经，没人拿其脸上伤痕开玩笑。

侯大利将货车相片投影到墙上，在黑板上画出货车路线图。

另一组侦查员马兵谈了现场调查访问情况：事发时正是附近几个仓库最忙碌的时刻，很多货车进进出出，没有人特别留意有一辆货车在此短暂停留。

两组侦查员谈完基本情况，丁浩清了清嗓子，道："情况很清楚，犯罪嫌疑人只有一人，熟悉现场情况，提前做过精心准备，车辆和相貌都有伪装。我提出一个问题，谁来回答？这人费了如此多周折，弄了一台冰箱、一个冰柜和一台空调，总价值在七八千块钱，一万块不到，他是神经病吧？动机是什么，这一点很关键。"

侯大利桌前放着几张货车相片。他闭上眼，货车便出现在脑里，包括外部细节特征，都很清晰地"复制"在头脑里。

李超道："我来给这个诈骗犯画个像，这人是老贼，胆大、狡猾、贪婪、愚蠢；或许在监狱里关过，没什么文化，与时代有些脱节。后面一条是直觉，没有任何根据。"

丁浩道："大利，你怎么看？谈具体一些。"

刑警中队的刑警大部分来自山南警察学院和秦阳公安学校，还有几个是转业军人。山南政法大学刑侦系的大学生很少到基层，刑警们都想见识刑侦系学生的破案水平。

侯大利没有怯场，道："我同意师父的判断，这确实是一个笨蛋老贼。他弄这三样都是家里要用的，十有八九是家里恰巧缺这三样，顺手就搞了。这个老贼不懂高科技，在停车的位置有十三个烟头，我全部提取了。烟头上留有指纹和唾液，指纹可在省厅指纹库里比对，如果是老贼，或许就能破案。唾液里有上皮组织细胞的DNA，这种老贼说不定也会在省厅DNA信息系统留有信息。"

丁浩慢条斯理地道："大利提取的烟头，极有可能就有犯罪嫌疑人扔的。但是大部分应该不是嫌疑犯的，嫌疑犯在这边时间短，不会留下这么多烟头。马兵，送货员提到过老贼抽烟吗？"

马兵摇头，道："我问过老贼是否抽烟，送货员没有印象。"

侯大利解释道："烟头分布在货车停留的位置，有三个烟头很新。我在物证交接中注明优先检查这三个烟头。"

丁浩摆了摆手，道："支队这一段时间够呛，年轻女孩子被奸杀，破不了案，无法交代。技术室忙得脚板翻到脚背上，这种小案子的检材送过去多半会被拖时间。我们先用老办法，老办法解决不了问题，再按支队要求三天之内送物证。现在我来做个分工，大嘴和大利这一组做两件事情，一是请交警配合，落实车辆最终去向；二是明天继续看监控，查看是否有人踩点。我感觉肯定会踩点，如果没有踩点，情况不会摸得这么准。马兵和何小勇这一组也做两件事，一是继续现场调查，看有什么遗漏之处；二是查一查刑满释放人员。我同意大嘴和大利的意见，这人十有八九有案底，多半是刚回来不久的刑满释放人员，家里正好缺电器。"

散会以后，李超发起牢骚，道："最烦这种破烂小案，破了案，没有光彩。破不了案，领导会认为连这么一个小案子都办不下来，纯粹是吃干饭的。而且，办这种案子只能靠自己，技术部门没有什么兴趣也没有力量来支持。"

牢骚归牢骚，办案是刑警的本职，李超还是立刻与侯大利一起再看监控。

看监控很枯燥，特别考验耐心。视频不是电影，没有音乐，没有表演，没有情节，只有无穷无尽的车流和人流。看了半天，李超和侯大力两眼发疼，胸口发闷，一无所获。

马兵这一组也没有进展。

一个小案，难住了二中队一群老侦查员。

这在刑警中队也算寻常事，丁浩做出决定，道："事情还多，你们几个不能全部陷在一个案子里，暂时放一放，有新任务。"

侯大利有点惊讶，道："案子未破，放不下呀。我建议查一查烟头，应该有效果。"

丁浩伸手拍了拍侯大利肩膀，道："总案值不到一万，算是小案子。十几个烟头要查指纹和DNA，犯罪嫌疑人有可能在信息库，也有可能不在，更何况，查完了不一定找得到犯罪嫌疑人。你算算，这得投入各部门多大精力。作为中队长，我得考虑效率和成本。这种小案十件有五件破不了，人力有穷尽，刑警不是神仙，你要接受这个现实。好钢要用到刀刃上，我们今天要开一个局，投入二中队所有警力，大家要把注意力集中在这件事上。办完这事，你们继续查这件诈骗案。"

DNA技术虽然说是较为成熟的技术，可是对基层中队来说，使用DNA技术的时候很少，主要还是倚重指纹和足迹。丁浩发自内心地觉得一个小案子居然使用DNA技术查验十几个烟头是很扯淡的事。

作为中队长，案子破不了发愁，中队没钱也发愁。如今中队经费紧巴巴的，油钱紧张，队员外出办案费用有不少是自己垫付。今晚这一局经营了一个月，到了收网关键期，不能因为这个案子耽误。

李超是老板凳，明白丁浩难处，不再多说。

离开中队长办公室以后，侯大利低声问道："师父，丁队说是要开一个局，什么意思？"

李超拍了拍侯大利肩膀，道："局就是赌局，抓了赌博场子，我们会分到一部分经费，利国、利民、利中队。前两天就有哥们儿蹲点，估计踩实了，今晚行动。我们确实要把永发电器的案子先放一放。"

"我发现丁队挺喜欢拍肩膀，但是从来不拍师父的肩膀。"作为国龙集团太子，侯大利素来没有操心过钱。他挥挥小指头，就可以让二中队过上神仙一般不愁钱的日子。只是这样一来，身份就会暴露，他决定暂时不改变在二中队的生存状态，将钱的问题先抛在一边。

"你很能观察呀，细微处都瞧出来了。丁队就是这个毛病，总喜欢和大人物一样拍肩膀。如果再来一句'小鬼'，那就有老红军派头。"李超双手叉腰，模仿了大人物的姿势，随后又道，"肩膀挨过一枪，天气变化就疼。丁队当时和我一起在现场。"

李超是老刑警，不修边幅，胡子鼻毛老长，没事时经常嘻嘻哈哈，还是个话痨，办案也没有特别过人之处。侯大利不由得有几分看轻自己的这位师父。此刻听到李超肩膀曾经中枪，他马上意识到自己犯了形式主义错误，只看到表面，没有抓到本质。

未破的案子被迫放下，侯大利如吞了苍蝇一般难受。

李超完全能理解实习刑警的焦灼心情，安慰道："破不了案，地球还得照样转。你来中队报到后还没有休息，等到把晚上的事做了以后回家玩两天，看看爸妈，和女朋友睡一觉。对了，你有没有女朋友？"

"没有。"侯大利摇头。

"小伙子长得帅，怎么没有女朋友？难道要把所有精子都存起来奉献给媳妇？就算有这种想法，你想存也存不住哇。你要向师父学习，早栽秧早打谷，早生娃儿早享福。"

在刑侦一线时间久了，经常面对社会阴暗面，李超的荤话如机关枪的子弹一样嗖嗖往外射。

第一次建议被丁浩否定，侯大利没有完全放弃。这是他实习以来遇到的第一个有意思的案子，若是不能破案，对即将开始的警察生涯来说是一个遗憾。他反复斟酌以后，再次找到丁队，请求将烟头作为物证提前送到技术室。

老办法没有抓到老贼，送物证不影响办其他案子，丁浩便同意送物证。

侯大利标明了收集物证的时间、地点和事由后，将收集到的烟头送往技术室。技术室对外还挂有市公安局司法鉴定中心的牌子，位于刑警大楼。

技术室内勤是年轻女子。年轻女子身材高挑，至少有一米七以上。她五官立体，眼睫毛长长的，略带弯曲，是一个长得挺有个性的美女。此人漂亮倒是漂亮，工作态度却不敢恭维。她与侯大利办完交接之后，冷脸坐在椅子后面，眼睛望向窗外。

侯大利自我介绍道："我叫侯大利，是二中队实习民警。"

年轻女子"哦"了一声，明显没有交谈的欲望。

侯大利又道："一般来说，什么时候出结果？"

年轻女子没有抬眼睛，道："等通知。"

侯大利道："还有需要二中队做的事情吗？"

年轻女子目光仍然在窗外，道："没有。"

侯大利有着特殊背景，人又长得高大，还算得上英俊。因此，他总能吸引女同学注意，其中不乏漂亮的女同学。这一次在技术室被年轻女内勤彻底漠视，这对侯大利来说是新鲜经历。

回到二中队，他继续读《江州公安局办案指南》。

李超偷偷摸摸回来，脸上又多了一道口子，面对侯大利探询的眼光，道："你懂的，这次是被猫抓的。"

侯大利没有多问师父的私事，聊了几句刚才在技术室遇到的冷漠女内勤。

李超道："那是田甜，法医。"

侯大利有些惊讶，道："她是法医？"

"田甜以前话也不多，待人接物还行。她爸是江州有名的大律师，去年涉案被抓。发生这种事，田甜一下就变成了冰美人。"李超感叹一声，道，"本来局里有两个帅哥克服了对法医的心理障碍，想追求她，现在全部被冻跑了。你没有女朋友，勇敢点，用爱来融化我们冰山美女。"

侯大利对女法医没有成见，可是对冰山美女没有任何兴趣。

当晚，二中队全体出动，成功捣毁一个赌博窝点，现场堵住十几人，桌面上现金足有二十万。

抓现场后，二中队根据情节分别处理被堵住的十几个人，有的放，有的罚，有的拘留，忙到凌晨五点才处理结束。丁浩心情不错，让人煮了一大盆面条，里面放了鸡蛋和火腿肠，刑警们都饿了，端着大碗在盆里捞面条。一时之间，呼噜声大作。

吃罢面条，大家在队里休息。侯大利是实习刑警，不好意思与老刑警们争沙发，就趴在桌子上睡觉。

经过晚上这一次"破局"行动，侯大利真切地感受到了什么叫作

“战斗的集体”。虽然这只是一次简单的抓赌行动，仍然体现了集体的力量。同事们有的弄消息、有的蹲点、有的侦查、有的控制望风人、有的突入房门。经过密切合作，成功将赌窝一锅端掉。战斗结束后，大家聚在一起吃面条，横七竖八地睡在单位。这种集体生活很粗糙，又很温暖。

侯大利初报到时对这个集体的印象是模糊的，或者是程式化印象。到了二中队以后，他与这个集体近距离生活和工作在一起，听李超唠叨，看丁浩为了经费和考核愁眉苦脸，与同事们一起行动，模糊印象变得具体生动。

早上七点，侯大利仍然觉得饿。

“师父，我们到外面吃肥肠面。”

“好哇，吃完再回家。”

肥肠面馆距离二中队不远，每天早上总是人满为患，餐馆老板在街道上摆了一排塑料椅子和小板凳，当临时餐桌。吃面之人也不讲究，坐小板凳，面碗放在塑料椅子上，呼噜、呼噜，大家都吃得相当嗨。

坐在小板凳上等肥肠面条时，侯大利认真地道：“师父，昨天冲进屋里，为什么让我排到最后？”

李超平时总是用嘻嘻哈哈的态度来掩饰真感情，打了个哈欠，道：“冲到前面好立功啊。”

侯大利道：“师父，不是这个原因。”

李超道：“你是实习菜鸟，难道让你冲到最前面？平时可以开玩笑，实战时是不可能的。我们是刑警，任何一次行动都有可能遇到危险，包括抓赌牺牲的案例也有。等你以后成为老刑警，一样会让菜鸟们跟在后面。”

侯大利放下碗，跑到隔壁超市拿了两瓶小歪嘴。李超头摇得如拨浪鼓，道：“回家让你嫂子闻到酒味，我哪里还有活路。”

侯大利道：“我们两人喝一瓶。”

在侯大利劝说下，师徒两人喝了一瓶小歪嘴。

正在喝小酒，母亲李永梅电话打了过来。

“我家大少爷，出来实习这么长时间，也不回家。你别回阳州，我和你爸有事到江州，你今天一定要抽时间回高森。你这人怎么在外面乱吃面条？小馆子多脏啊，老余师傅跟着我们回江州，让一级厨师给你做顿吃的，比小馆子强得多。”

李永梅在外人面前是国龙集团高管，在家人面前变成一个越来越爱唠叨的中年妇女。

侯大利接连值班，正好有一个休假，道：“我等会儿回来。爸也回来了？麻烦了，爸回来又得给我讲人生道理。”

李永梅生气地道：“家里养了两头犟驴，老的犟，小的也犟。”

离开二中队，侯大利顶着乱七八糟的头发独自回家。高森别墅是江州顶级别墅，位于无名小湖旁，周边有两座缓坡，绿树成荫。每套别墅都是独立区域，前后有花园，通过小径、溪流和篱笆与其他别墅隔离。

停了车，进家门，稍稍发福的李永梅扬起很有仙气的拂尘，用力抽打儿子屁股，道：“毕业实习前都不回家，直接到刑警队，眼里还有没有爸爸妈妈？若不是晓宇，我们都不知道你到江州实习。”

让母亲打了几下屁股，侯大利道：“实习而已。爸还没有起床？”

李永梅提起拂尘，道：“你爸一早就出去了。他打了招呼，让你回家别走，他要跟你谈话。”

“唉，又要谈话，有什么好谈的。爸就是想劝我回公司。我当几年刑警，最后还得接他的班，不急这几年。”侯大利嘟囔几句，找了换洗衣服去洗澡。

李永梅知道儿子的心结在什么地方，想开口劝导，又不知道从何劝起。她想起高人讲述的招数，用指头点着侯大利脑袋，威胁道：“给你五年时间，回来接班，找媳妇生娃，否则我就出家当尼姑。”

侯大利回过头，上下打量母亲，又走过来用手背试了母亲额头的温度，道：“妈，没发烧吧？你这说法是一个神转折。如今家大业大，你在集团管财务，真能舍得出家？别骗我了，我可是刑警。”

李永梅扬了扬拂尘，道：“出家当灭绝师太是开玩笑。我办了皈依证，当俗家弟子，这可是真事。小帆太惨，这是命啊，我现在想起都心疼得要命，得天天念佛。”

下午三点，侯国龙带着酒意回家。侯大利已经外出了。

李永梅端来自制醒酒汤，埋怨道：“明明知道儿子要回来，还喝这么多酒。到了江州，谁敢灌你的酒？明明就是自己想喝。”

“人在江湖，身不由己。我们钱多，但是毕竟是企业，还得和地方搞好关系，有的酒不能不喝呀。”侯国龙喝着自家特制酸汤，问道，“这个兔崽子，吃老子用老子，老子见儿子一面，还得预约。”

李永梅提起此事就摇头，道：“儿子还在想杨帆，我们说了没用。儿子和你一样，个性倔，都是花岗岩脑袋，两条犟驴凑在一起。”

大花岗岩脑袋侯国龙想着儿子的小花岗岩脑袋很是头疼，不停摇头。

小花岗岩脑袋坐在世安桥上，忧伤地望着东去的河水。几年时间过去，侯大利从青涩高中生成为实习刑警，从少年变成了青年。这点时间对世安桥来说算不得什么，它没有任何变化，依然安静地立在小河上。

坐在世安桥的条石栏杆上，侯大利以刑警眼光重新审视过去的“旧案”。

从刑事侦查角度来说，通过解剖已经证明杨帆死于溺水。综合各方面情况，确实符合不立案规定。但是侯大利完全不能相信生性严谨的杨帆会从世安桥上摔下去，摔下河肯定是有人通过某种手段导致杨帆落水。这个论断没有任何证据支撑，全凭直觉，但是侯大利相信自己的直觉。

这是几年前未立案的“旧案”，侦破此案难度太大，简直可以用难于上青天来描述。侯大利坐在条石栏杆上以刑警思维思考侦查方向，更觉一团乱麻。

客观来说，刑警支队当年将侦查方向确定为情杀，这是正确的。只不过能够列入怀疑对象的人全部有确定的不在场证明，情杀的方向没有走通。

另外可能性就是激情杀人，杨帆骑车路过世安桥时，遭受到没有任何关联的路人袭击，袭击的唯一理由还是因为年轻貌美。如果是后一种情况，破案的概率更是渺茫。

“如果我不和省城哥们儿喝酒，送杨帆回家，就不会出事。”这个想法无数次从意识的深海中蹿了出来，发出狰狞笑容，撕咬侯大利的灵魂。他站在桥边，对着河水用尽全力长吼，发泄心中郁闷。

智破诈骗案

晚上七点，侯大利开车沿河边公路进城。他的心情仍然沉浸在黑暗之中，杨帆所写的那封情书在脑中浮现，娟秀文字排列整齐，逐一跳跃出来。他用这种特殊方式阅读情书，在外人面前表现出来的潇洒荡然无存。

拐进一条支路时，一辆货车慢悠悠地开在前面，挡住路。

货车屁股在侯大利眼前晃来晃去，侯大利脑里某根弦突然“咯噔”响了一声。响声过后，脑海中的暗开关被打开，浮现出印有永发电器货车的立体图像。脑中存在的作案车辆与眼前车辆有两处明显不同，一是车牌不同，二是没有永发电器标志。但有两处相同，一是车型和颜色相同；二是车屁股上有两块椭圆形的补漆，颜色、位置和形状与作案车辆尾部的补漆完全一样。

与当年参加电视节目《超级找碴王》相比，找到脑中车和眼前车的相同点简直是小菜一碟，侯大利肯定眼前车便是诈骗犯开的那辆货车。这真应了一句老话，踏破铁鞋无觅处，得来全不费工夫。

等到小巷稍稍宽一些，侯大利轰了油门，越野车轰鸣一声，与货车并排。

侯大利扭头骂道：“你他妈的开快点，堵了半天！”

货车司机四十来岁模样，没有小胡子，也没有戴太阳帽。他听到骂声，扭头呸了一声，道：“你他妈的没长眼，这条路只有这么宽。”

侯大利指着货车司机，道：“下来，老子今天要收拾你。”

货车司机只以为对方是路怒症，压根没有料想到对方是警察。他刚从劳动队毕业，操着一根扳手跳下车，蛮横地道：“开越野车就了不起，老子专治各种不服！”

“老子才专治不服。”侯大利跳下车，嚣张地用手指着对方。他用这种姿态麻痹了对手，然后乘其不备，扭住对方手腕关节，猛然反向用力。

货车司机来不及反抗便被压在地上，如杀猪般叫了起来。

侯大利制住货车司机，不等他回过神来，道：“你在永发商场门口撞了我的狗，就这么跑了。”

货车司机被突如其来的打击弄蒙了，脱口而出，道：“谁撞狗了？”

“前几天你把车停在永发商场，出来时，在红月亮旁边撞了一只狗，停都不停就跑。你别抵赖，抵赖我扭断你的手。”侯大利语速很快，一步一步给货车司机下套，同时用力反扭司机手腕。

“啊、啊、啊，你轻点。”货车司机道，“你讹人，我没撞狗。”

侯大利稍稍松了松劲，道：“肯定是你撞的。车上还有包装箱，我看得清清楚楚。”

货车司机见对方说得有鼻子有眼，道：“红月亮那边装货的车多，凭什么就说是我撞的，你认错人了。”

除了车屁股上两块椭圆形补漆外，没有任何证据能证明此货车司机诈骗。侯大利一直通过语言来试探自己是否判断失误，从货车司机的对答以及这人的相貌气质综合判断，货车司机绝对是诈骗犯。

看热闹的人在江州大地上永远存在，平时处于隐身状态，一旦有事，立刻跳出来，围在一起看热闹。

侯大利果断取出手铐，铐住货车司机。

得知眼前人是警察，货车司机反而嚣张起来，嚷道：“没有证据凭什么抓人？违反人权哪，我要投诉！”

此事做得十分鲁莽，但是战机稍纵即逝，侯大利没有准备停手。他正在给李超打电话，大街传来长串的警笛声，好几辆闪烁警灯的警车风驰电掣地开进支路，气势惊人。

货车司机一张嘴合不拢，道：“这位警官，屁大一点案子，来这么多警车，太夸张了吧。”

侯大利眼见众多警车，最初瞬间也觉得不可思议，随即明白某个地方肯定有大案发生。他正愁没有可靠证据锁定货车司机，不料货车司机被一串警车吓住，主动认罪，不禁心内窃喜。

货车司机苦着脸道：“这位警官，我现在交代应该可以算自首。我还检举揭发，糖厂保险柜是大麻子做的。”

几辆警车停在小巷，着装警察和便衣警察匆匆走过，正眼都没有瞧两人。走到最后的着装警察还嫌侯大利的越野车挡道，道：“越野车和货车挪一挪，别挡路。”他看到侯大利亮了证件，又瞅了一眼被铐住的犯罪嫌疑人，略为点头，匆匆而去。

朱林支队长和另一个稍胖的警官走进支路。朱林经历了无数大案要案，练就了一副钢铁心肠，面无表情，行走如常。他见到侯大利，停下脚步，道：“你怎么在这里？”

侯大利上前报告情况。

朱林看了一眼戴铐汉子，“嘿”了一声，道：“土孙，是你呀，几进宫了？”

土孙尴尬地笑道：“朱警官，三进宫了。”

朱林还是年轻民警时就曾经抓过绰号“土孙”的惯偷。岁月荏苒，小警官变成朱支队，土孙三进宫后变成了老贼。朱林知道土孙狗改不了吃屎，还是语重心长地道：“三进宫了，你准备一辈子待在监狱？”

土孙憨憨地笑道：“等年龄大了，还真想待在里面，作息有规律，生活有保障，看病不要钱，饮食很健康。”

朱林扫了侯大利一眼，道：“案子办扎实。”

土孙这时也明白这些警察不是为了自己，暗自后悔刚才说漏了嘴，又开始叫嚣，道：“警官，你凭什么抓我？我在劳动队是学过法律的。”

侯大利瞪眼道：“你少废话，不要给脸不要脸！”

土孙笑嘻嘻道：“刚才说的话作废呀，没证据，你们不能乱抓人。”

等了一会儿，李超开车来到支路。侯大利按捺不住好奇心，给李超耳语几句后，沿着诸位刑警行走方向，来到案发现场。案发地现场勘查工作还没有结束，不少人站在警戒线外伸长了脖子。

听了会儿议论，侯大利返回支路。

“什么案子？”

“师父，一个年轻女老师遇害。”

“唉，又一起命案。你以后经历的案子多了，压根不愿意到案发现场。走吧，到土孙家里去看一看。”

土孙又开始喊叫：“你们有搜查证没有？公安不能带头私闯民宅。”

“少说废话，到时候会给你手续。”李超加紧了手铐，将土孙丢进警车。

李超、侯大利以及跟随前来辨认丢失货品的厂方发货员在土孙家中找到冰箱和电视，又在楼下小卖部找到正在使用的冰柜。小卖部老板得知这是赃物，吓得脸发白，结结巴巴地解释：“孙卫兵是老邻居，大家都知道他是小偷。这人缺点很多，好处就是兔子不吃窝边草，不害老邻居。”

李超严厉地道：“他为什么要给你冰柜？你涉嫌销赃。”

“孙卫兵家的老爷子帮过我家不少忙，虽然在赊欠东西时让他签字，我也没有让他还过。前些天他说送我一台冰柜，抵以前欠的钱。”小卖部老板被吓得不行，找出了一个旧本子，上面全是孙卫兵赊欠东西的签字，时间可以追到七八年前，数目不小。

厂方发货员原本以为能够马上拿到被骗货物，得知二中队要将冰箱、冰柜和空调拉回驻地，脸色很不好看，嘴里不停嘀咕。

李超见惯这等事情，装作没有看见。

侯大利年轻气盛，大声斥责道：“冰箱、冰柜和空调是赃物，也是破案的重要证据。案子走完流程，肯定会依规还给你们。我们费尽心力帮你们追回财产，你不仅不感谢，反而甩脸色，有没有良心？”

作为富二代，他思维还有盲区，总认为这点货款不值一提。而对厂方发货员来说，既有钱的问题，也有责任的问题。厂方发货员哭丧着脸辩解道：“侯警官，我没有甩脸色。拿不回东西，我要被扣钱，要被扣惨，搞不好饭碗要丢。”

李超和了稀泥，好言劝厂方发货员配合完成拆卸工作。

回到二中队，丁浩很高兴，又用力拍了拍侯大利肩膀，道："你还真是变态，仅凭货车上的修理痕迹，居然真将土孙揪出来，人赃并获。"

"丁队，运气好，纯粹运气好。"丁浩手硬，力气大，打得侯大利直缩肩膀。

"看似偶然，仔细分析，说明变态工作态度认真，如果不是反复看相片，也不会记得土孙车辆的细节。"丁浩表扬了两句，收掉笑容，道，"不过你这种做法很冒险，如果没有找到赃物，那可真不好办。这种事只能做一次，不能有下回。除此之外，我总感觉土孙没有这么聪明，不能设计如此简单又有效的作案手法。江州诈骗犯罪行为人有两个明显特点，一是作案人多是惯犯，二是喜欢团伙作案。讯问土孙时，要有意挖一挖有没有其他同案犯。"

土孙一口咬定，绝对没有其他人，就是一个人干的。

侯大利做笔录时仔细观察孙卫兵，得出结论：孙卫兵谈到一个人作案时眼神飘忽不定，不愿意直视办案民警，说假话的可能性极大。

第一次讯问结束以后，侯大利在值班室里翻阅以前拷贝的视频。

土孙应该来踩过点，踩过点就得留有痕迹。侯大利反复翻看红月亮提供的视频时，果然发现土孙身边有个年轻人。看到这个年轻人，侯大利不相信自己的眼睛：土孙身边的年轻人是高中校友，曾经追求过杨帆的陈雷。

发现陈雷后，侯大利如进入折叠空间，瞬间被拉回杨帆失踪的日子。他愣了一会儿神，又将注意力转到案子上：陈雷有前科，又与土孙出现在现场，团伙作案嫌疑陡然增加。

当前难点在于视频只能证明土孙和陈雷在现场出现，并不能证明陈雷作案。土孙明显不是意志坚强的人，很快就将作案细节交代得清清楚楚，与事发时的情况严丝合缝，唯独涉及陈雷时咬死一点：陈雷到江阳区是喝土孙大哥的生日酒，对自己作案之事一无所知。

经过调查，当日土孙的亲大哥确实办了五十酒，办酒席地点是距离永发电器不远处的永发酒楼。酒宴十四桌，在酒楼大厅。陈雷作为土孙的朋友，过来喝酒在情理之中。

案子到这个时候，其实已经可以结案。

但是，在视频中出现的刑满释放人员陈雷着实可疑，不去碰一碰，侯大利实在不甘心。他向丁浩说明理由，请求在案件移送检察院之前，对陈雷进行一次侦查询问。

丁浩同样觉得土孙应该有同伙，同意由李超和侯大利找一次陈雷，如果没有新线索，就此结案。

照例，由侯大利开警车。李超坐在副驾驶位置，舒服地靠在椅背上。他侧过脸来打量侯大利，问道："你对陈雷有强烈兴趣，是什么原因？"

侯大利道："土孙是土贼，撬门还行，要干净利索地作这次案子，脑子还缺了根弦。陈雷和土孙一同蹲过牢，共同作案的可能性很大。"

李超摇头道："我是混了这么些年的老刑警，直觉告诉我，你对陈雷兴趣很大。没有理由，就是直觉，你的神情、语气和身体语言等诸多方面都告诉了我这一点。"

"我和陈雷以前是校友。他在高中牵涉到摩托车偷盗案被判刑，当时引起轰动。我是实习刑警，怀揣一颗满是激情的红心，当然有很高的破案积极性。"侯大利是实习警员，此时还不愿意轻易谈起杨帆案。

李超撇了撇嘴巴，表示不信。这时，他怀里的手机响了起来。手机是杂牌子，声音响得如座机开了免提。胡秀在电话里一顿埋怨，严令李超尽快回家。李超顾不得侯大利在身旁，唯唯诺诺。

挂了电话，李超忘记了刚才的话题，摆出师父架子，教训道："你别偷笑，刑警忙起来顾不上家，屋里屋外全靠老婆撑起。我们对家庭有很多愧疚，只能服从管教。这不是怕，是爱。"

侯大利道："我理解，是真理解。"

李超却认为徒弟在敷衍，道："你才入行几天，理解个屁。等你讨了老婆，几天不回家不接电话，你就知道厉害了。"

说话间，车开到陈雷所开公司，公司名字很怪，叫江州雷人商务公司。陈雷一米七左右，很瘦，文静秀气。

看过李超证件，陈雷客气地将其带到豪华的会客厅。会客厅里空调很足，还有一个漂亮小妹坐在茶具后面，为客人服务。

客人坐下，陈雷瞅着侯大利，道：“毕业了？”

侯大利道：“还没有毕业，在二中队实习。”

“人的命真说不清楚。侯大利当初在学校成绩比我差得多。我不是吹牛，混社会也没有耽误学习，成绩还真不错。谁知道侯大利居然考上了山南政法。我从劳动队刑满释放，读一个社会大学。”经历过劳动改造的陈雷彻底脱去了学生的青涩，目光中有着同龄人没有的阴沉。

开场白结束以后，李超嘴角下拉，冷漠中带有严肃，完全没有在同事面前稍显滑稽的表情。

陈雷谈话时始终神情平静，态度诚恳，承认如下两点：一是与土孙是同劳，关系不错；二是和土孙到永发商场附近喝过酒。

一小时后，李超和侯大利离开了公司。上车后，李超道：“你是什么感觉？”

侯大利道：“所有细节全部吻合。”

“案子只能这样，你准备写结案报告。结案报告对你们这种菜鸟很有用处，不仅是完成任务，更是对思维的训练。整个案件的人物、时间、地点、起因、经过和结果，作为刑侦系学生，你应该懂吧。”

“明白。谢谢师父。”侯大利在刑侦系学了不少书本知识，知识和实践有很大差距，还真得由李超这种老刑警来领路。

“谢个狗屁。我是你师父，这点责任还是要尽的。”李超又自嘲道，“我回家见你嫂子，准备跪搓衣板。还是你这种单身男刑警最爽，无牵无挂。”

“师父，虽然陈雷说的全部吻合，我还是觉得他有问题。土孙没有能力设计如此恰到好处的骗局。这个骗局看起来简单，实则很巧。”

“刑警不是万能的，很多案子都破不了，你对此要有心理准备，否则迟早会有心理问题。当刑警不能太敏感，过于敏感会累死，甚至情绪和精神出问题。当然也不能丢三落四、麻木不仁，得在中间寻找一个平衡点。”

“陈雷肯定在窗内，望着我们冷笑。”侯大利闭上眼睛，想象着陈雷站在窗口的画面。在他心中，陈雷始终没有脱去杀人嫌疑。他所谓的不在场证明，其实都有破绽可寻。

“没有这么神吧？”李超从车窗伸出头，果然看见陈雷站在窗边，道，“丁队说你是变态，确实有点变态，祖师爷确实赏你吃刑警这碗饭。”

窗边，陈雷俯视警车，嘴角浮起一丝轻蔑的笑意。他将侯大利的号码记在手机上，默念几遍。侯大利是猫，他是老鼠，猫和老鼠可能是敌人，也可能是朋友，或者一半是敌人一半是朋友。

永发商场的案子确实与陈雷有关。当时，陈雷和土孙吃过饭后在茶楼喝茶，茶楼窗子正好面对永发商场。土孙刚刚刑满释放，抱怨家里穷得没有电视、电冰箱等家用电器。陈雷指着永发仓库道：“那是一个提货点，随时可以提货。”

陈雷很小就参加盗窃。第一次是在初中，当时利用年龄小和个子小的优势，专职望风。第三次盗窃的地点就在永发电器。作为望风者，他多次踩点，对永发电器周边情况非常熟悉。

从监狱出来，他由单纯的盗窃技能选手变成了十项技能选手，技能多了以后便很鄙视盗窃，认为盗窃只适合土孙这类人。他试图建立自己的江湖，有了江湖，一切随之而来。

他在监狱时得到一个大哥传授保险丝经验：所有案子都必须有保险丝，这根保险丝起作用的关键点是手下犯案时必须咬牙认罪，让案件中断于此。

这名大哥曾经名动江湖，在监狱里还搞掉了一个乱咬牙的家伙，大哥也因为此事被直接敲了脑壳。这事强烈震撼了陈雷。如今，他为人处世处处以关老爷为号召，讲义气，耍豪爽，聚集了一群“志同道合”的兄弟。

凡是走得近的兄弟都知道陈雷反复说过的话：谁犯事都各人背起，如果敢把兄弟扯出来，不仅是丢命，还得殃及父母兄弟。

土孙和陈雷关系近，知道陈雷表面温和，实则心狠手辣。这次被警察抓住以后，土孙脑子里一直回忆起陈雷说起过的血案，一个字都没有朝陈雷身上扯。

警车走远，消失在人群。陈雷慢慢给自己点上一支烟，思绪回到以前。

当年杨帆是学校的明星，按现在的说法就是校花，清纯，美丽，犹如小龙女一般，赢得无数男同学青睐。陈雷年龄很小就行走江湖，算是学生中的异类。无论他再异类，终归是少年人，天然爱慕美丽少女。他不仅写了情书，还多次当面献花表达爱情。

监狱几年时间里，陈雷躲入被窝自慰，仍然以杨帆为幻想对象。

想起往事，陈雷心情糟糕起来。他不愿持续阴郁下去，强迫自己把思路集中在侯大利身上。高一时期的侯大利是纨绔子弟，不值一提。读了政法大学后，侯大利气质变化很大，目光冷静，如刀子一样刺人。

侯大利将李超送回家，掉转车头，来到最新发生杀人案的地点。他将车停在距离案发地点稍远处，来到一处江湖菜馆。在铐住土孙之时，他对不远处的江湖菜馆有点印象，觉得装修还不错。进入江湖菜馆，点了麻辣鱼和辣子鸡，味道当真很棒。

侯大利与女服务员很快聊在一起。

提起凶杀案，女服务员压低了声音，道："听说是敲脑壳死的，先奸后杀。不，是先杀后奸。好恐怖，好恶心。"

侯大利又问："女孩多大年龄？"

女服务员道："太惨了，死的那人叫陈凌菲，长得挺漂亮。她是刚参加工作的老师。这件事以后，我绝对不敢上夜班了。"

侯大利以聊天的方式询问了遇难女孩的基本情况，比如头发什么颜色、衣着习惯、是不是江州本地人等问题，不知不觉就从女服务员那里问到许多细节。他如今只是二中队的实习刑警，没有资格接触由支队重案大队侦办的重案。旁敲侧击打听这些事，更重要的原因是想寻找当年杨帆落水的蛛丝马迹。

死者是年轻女性，这是与杨帆的最大相似点。既然有相似点，他就想多了解情况。

侯大利脑海中浮现出杨帆落水时朱林讲过的话，当年的情景历历在目，色彩、声音没有任何改变，如新发生一样。记忆不失色，让他承受了更多痛苦。

江州这些年积压了五起没有线索的杀人案件，朱林为此承受了巨大压力。侯大利几年前见到朱林时，朱林还是身材笔挺的刑警支队长。七年时间弹指而过，朱林明显有了老态，头发花白，背也略略驼了。

市刑警支队长肩上的担子重如泰山，外人只见到刑警支队长威风八面的模样，却很难看到刑警支队长破不了案时的沮丧神情。

此刻，朱林正和一位更老的刑警相对而坐。

退休两年的主管刑侦副局长老姜扭开保温杯，喝了一口枸杞水，道："几件案子都找不到有用线索，这本身就说明了一件事，这几件案子就是一个人做的，这才能做得干净利索。"

"唉，陈凌菲案搞不好又要成积案。若真是这样，我无脸坐在刑警支队长的位置上，得让贤。"朱林头靠在椅子上，浑身疲惫。

这六件杀人案都没有明确侦查方向，又不符合串并案条件。老姜干了一辈子刑警，指挥侦破无数案件，有些案子还是国内有名的大案要案，临近退休遇到这几件看上去并不高明却又找不到突破口的案件，给其刑警生涯留下了深深的遗憾，让其始终耿耿于怀。

对有近五百万人口的江州市来说，十二年时间积压六件杀人案未破，也算不得什么大事。社会照常发展，生活还得继续，始终牵挂案子的只有受害者的直系亲属和案件侦办人员。

老姜丢给朱林一支烟，道："老伙计别泄气，在这个位置上才能盯住这几件命案积案。你们几个刑警头头年龄都不小了，陆续要退居二线，那么积案就有可能变成冰案，永远沉在档案里，再不会有人管了。你盯紧的那个实习刑警，水平到底怎么样？"

朱林在这些天一直陷在陈凌菲案，没有顾得上"考察"侯大利。老姜提醒以后，便给技术大队打去电话。问完情况，他深吸了一口烟，道："刑侦系毕业的学生确实不一样，侯大利提供的烟屁股上确实有土孙指纹，与指纹库里的土孙指纹完全对得上。”

老姜道：“刑侦系毕业生也有笨蛋。只能说这个小伙子天生是做刑警的材料。老朱，你真要创造机会让他接班侦办那几件积案？”

朱林道：“侯大利是侯国龙的独生子，为了查明杨帆的落水真相，考上政法大学刑侦系，六年还没有放弃。要想办下这些积案，一定得有这种咬定青山不松口的犟脾气。而且，他毕业于政法大学刑侦系，从小丁反馈的情况来看，业务能力很强。”

侯大利到刑警支队实习，除了朱林、老姜等极少数人以外，其他人并不知道其国龙集团太子的隐藏身份。

“既然如此，早点谋划，等他锻炼两三年，熟悉各方面情况以后，想办法让他办积案。”老姜拍了一下脑袋，道，“你的想法不错，可是在现行体制下，一个年轻人搞这些积案还要全局支持，这个实在有点困难，你有具体措施没有？”

朱林苦笑道：“没有措施。让侯大利搞积案，百分之八十是空想。”

时间飞逝，侯大利顺利完成实习。

实习结束后，二中队为其举行了饯行酒。每年都有实习警员到中队，实习警员离队时，丁浩仅仅是不咸不淡说几句鼓励的话。侯大利这个“变态”到了二中队很快就成为办案先锋和劳模，弄得二中队队员们总是忘记“变态”只是实习警员，送行时皆将其当成了真正的战友。

2008年夏，侯大利大学毕业，进入江州刑警支队，成为一名普通刑警。与侯大利一起进入刑警支队的还有同班同学陈浩荡。侯大利在二大队工作，陈浩荡则进入刑警支队办公室。

侯大利最初想低调进入警队，隐去父亲的光环，专心办案。

山南著名企业家侯国龙出自江州，有诸多故事在坊间流传，流传时间久了，变成了财富传奇，所有民警都知道侯国龙的大名。侯大利来实习时没有带档案，正式分配时就有档案要进入公安局，低调是奢望，屏蔽更是幻想，来到刑警队二大队当天就有诸多队友询问其爹是不是侯国龙，得到肯定答案之后，又有好奇队友询问：“既然是侯国龙的儿子，为什么要来当刑警？”潜台词就是“脑壳有病”。

局长关鹏打电话给朱林，道：“老朱，新分来的侯大利是侯国龙的儿子，以前在二中队实习。”

朱林装傻，道：“政治处应该最清楚这事。侯大利实习之时，政治处只是提供了一个名单，江州姓侯的这么多，我怎么知道是侯国龙的儿子？他真是侯国龙的儿子吗？”

李超得知侯大利的爸爸是侯国龙，电话里发了火，对于徒弟以前的“欺骗行为”表示愤怒，要求赔偿精神损失。

侯大利知道无法给每个人解释真实原因，所以一概不解释，只说自己喜欢当刑警，这难道不行吗？包括请丁浩和李超吃饭时，他也是如此回答。

在单位可以如此回答，面对父亲之时，侯大利就不能说假话了。前往江州刑警支队报到的日子，侯国龙推掉所有活动，在家里备下饭菜，与儿子单独面对。

“国龙集团已经是现代企业，真要能掌控企业必须投入时间。你把最宝贵的时间花在刑警队，以后谁来继承家业？你爸是老派的人，把辛苦做下的企业交给别人，我不放心，也不甘心。”侯国龙给儿子倒了一杯酒，喝着小酒，试图劝回儿子。他知道这是堂吉诃德式的努力，但是不努力一把，实在不甘心。

侯大利道：“我或许是偏执症吧。等我抓到杀害杨帆的凶手，立马辞职，回到国龙集团。”

“如果当年刑警的判断没有错，如果杨帆真是意外事故，你肯定抓不到凶手，因为本身就没有凶手。那么，是不是意味着你要永远当刑警？这种情况发生，你的偏执还有没有意义？除非你是真正喜欢当刑警，那又另当别论。人生很短暂，最重要的决定往往是在不经意间做出来的，就好比当初我瞒着你妈辞职，辞职之后，我们的人生其实发生了重大转变。你现在同样如此，现在做出的决定会影响你的人生走向。”

侯国龙知道儿子脾气，彻底放下了父亲的架子和国龙集团掌舵者的权威，以朋友的身份与儿子平等谈话。他提出的观点都是其人生感悟，每一条都很简单，蕴含着其对生活的体悟。

“爸爸，谢谢你能说这些。我暂时只能这样想，我还年轻，有重新开始的本钱。”

对侯大利来说，人生被划分成两部分，第一部分是杨帆遇害之前的人生，第二部分是杨帆遇害之后的人生。两部分人生看似是连续的，没有区别，但侯大利本人清楚，当看到泡在水中的杨帆尸体那一刹那，他的人生发生了永久的实质性的改变。从此以后，他就不再是以前的侯大利，而是一个带有创伤的侯大利。创伤深入内部，最初不明显，随着时间延续，创伤如一棵小树开始发芽，渐渐长成参天大树。

如果不能找到凶手，侯大利的灵魂将无处安放。

至于是否出现杨帆真是意外事故的情况，侯大利固执地不去考虑，坚信自己的判断。

母亲李永梅曾经说过他这样做就是一场人生豪赌，并问他为了一个还没有和他结婚的女人是否值得。侯大利不知道是否值得，只是顺从本心，投入一场有可能并不存在的侦破工作中。

侯国龙实在无法理解儿子的选择。按照他的思路，要让公安局抓杨帆案的方法很多，根本不用本人亲自出面。他再一次说服儿子失败以后，心情比失去一个大生意伙伴还要糟糕。

作为行动派，侯国龙很快就从沮丧中走出来，打通了夏晓宇的电话。

“大利脑袋完全锈掉了，分不清好歹，抓不住重点。你要想办法让侯大利在刑警队坐冷板凳。”

“老大，既然如此，干脆就不让大利到刑警队。”

“若是进不了刑警队，他会猜到我们在做手脚。让他坐冷板凳，打破对刑警的幻想，最后知难而退。更重要的是坐冷板凳不用上一线，总能减少些危险。”

“老大，我明白了。这事不违法，也不违反政策，就是家长关心子女，走走后门，容易办。”

夏晓宇是国龙集团在江州的代理人，人脉深厚，办理这类事轻车熟路，十分拿手。

第四章
鸭骨上的DNA

鸭骨上的DNA

如何安排侯大利和陈浩荡具体工作，刑警支队领导班子产生了分歧。

朱林翻看侯大利和陈浩荡的档案，道："去年和前年，我们想要山南政法大学刑侦系的学生，结果没有招到。今年不错，山南政法刑侦系一下子分来两个。这两人都不错，各有特点，陈浩荡是学生干部、党员、校级三好学生。侯大利不是党员，也不是学生干部，但是学业很优秀，实习期间深受好评。"

支队政委洪金明调侃道："这个侯大利藏得深，实习期间居然不暴露自己是侯国龙的儿子。"

朱林将两个档案推给他，道："老洪，你是政委，提方案。"

洪金明道："陈浩荡在大学期间入了党，还是学生会干部，应该不错，我建议分到办公室。办公室这些年来人员老化了，应该有新鲜血液。"

朱林最看重的是侯大利，有意将其培养成江州新一代刑警领头羊，还将破积案的重任寄托在其身上。他在班子成员面前隐藏了真实想法，道："侯大利如何安排？"

洪金明不停翻看侯大利的档案，道："干脆将侯大利分到一大队。他的身份有点特殊，一大队好多子女没有工作，侯大利到了一大队，解决子女工作问题就易如反掌。"

"政委，一码归一码，不能扯到一起。"

副支队长、重案大队大队长宫建民明确反对将侯大利分到重案大队，理由很充分："不同地市的刑警支队内设机构不同，但是不管如何设置，一大队肯定是重案大队，这说明一大队的重要性。一大队是重案大队，办的都是大案要案，面临的危险也多。恕我直言，侯大利是侯国龙的儿子，这种富家子弟在遇到危险的时候能不能为队员挡子弹，我很怀疑。不仅是我怀疑，队员们都有这个怀疑。而且按江州惯例，要想调到重案大队，必须有三到五年工作经验，现实表现优秀，业务能力突出，才有资格进重案大队。不管侯大利是不是真有本事，都得先锻炼几年再谈到重案大队工作的事情。"

朱林道："老洪，你说。"

"侯大利在二中队实习时，表现得不错。但是老宫的担忧也很有道理。我建议将侯大利放到二大队，先让他搞情报资料。这是专业性较强的工作，正应该由高学历人才来负责。路遥知马力，日久见人心，他若真是一块好钢，迟早会用到更重要的岗位上。"

洪金明长得白净，微胖。白净和微胖总是让人产生他一直在机关工作的假象，实际上洪金明是从中队长、大队长、副支队长一路干过来的，标准刑警领导经历。

洪金明这个建议有些出乎朱林意料。他没有马上答话，略为斟酌，同意了政委的建议。侯大利身份确实特殊，让其坐一坐冷板凳，可以磨炼其心性。若是过得了冷板凳这一关，那就可以更好地委以重任。考虑到这一层，朱林说道："我同意政委和老宫的意见。请政委分别与侯大利和陈浩荡谈话，帮助两人尽快转变角色，适应由刑侦系学生到刑警的转变。"

从现实情况来看，在刑警支队从事情报资料收集整理工作的专业人员立功受奖机会少，工作机械枯燥，所以很多刑警都不愿意做这事。实际在岗的专业人员可用两个字分别概括，一是老，二是病。

为了让侯大利接受安排，洪金明特意做了谈话预案，准备先谈侯大利在实习期间表现，表扬一番；然后再谈刑事犯罪情报工作的重要性，特别是当前互联网时代情报工作的新特点；最后宣布支队的决定。

侯大利接到通知，来到政委办公室。他安安静静地听政委讲了半小时后，平静地道："政委，我是到二大队吗？"

洪金明脸上带着笑容，亲切地道："嗯，你到二大队工作。这是支队班子研究决定。"

侯大利道："政委，我明白刑事犯罪情报工作的重要性，会认真做好工作。"

对方身份特殊，却又如此配合，反而让洪金明觉得疑惑，仔细观察侯大利表情，又不是说反话。他再次解释道："刑事犯罪情报工作非常重要，特别是当今这个时代，情报工作是大部分案侦工作的基础，基础不牢，地动山摇。如今全省情报资料工作都存在资料传递渠道不畅、信息量少、信息应用不充分等问题，正需要你这种高学历人才。当然，你是二大队的刑警，除了专门收集和整理刑事犯罪情况工作以外，也要做大队领导交办的事，包括参加行动。我再说明一下，收集和整理刑事犯罪工作和重特大专案特情的管理教育工作是两码事。"

"政委，请组织放心，我会认真工作。"

侯大利很干脆地表态，没有任何与组织讨价还价的意思，也没有任何不满。情报资料收集和整理工作对于很多人是鸡肋工作，对他来说却是一个好工作。原因很简单，这个工作有利于他收集整理与杨帆案件类似的案件，正是求之不得的好岗位。

谈话结束后，洪金明亲自带着侯大利来到二大队，将人交到二大队叶大鹏手里。

侯大利知道自己作为侯国龙的儿子来到刑警支队工作，在最初一段时间肯定会被当作怪物。他有足够的心理准备，对任何同事的异样眼光都不在意，坦然面对。

"欢迎刑侦系高才生到二大队呀！我和二中队老丁是警校同学，他对你评价不错。等有空了，我们喝杯酒。"叶大鹏又道，"听说你散打不错，我们二大队有追逃的任务，你得有思想准备。"

侯大利挺了挺胸，道："随时听安排。"

叶大鹏转身下楼找朱林，叫苦道："支队长，你怎么把一尊菩萨弄到二大队来？侯国龙是全省首富，我实在不敢让侯大利冲锋陷阵。"

朱林瞪着眼，拍桌子，道："侯大利在丁浩手下时就能冲锋陷阵，凭什么到了二大队就不能了？侯国龙是企业家，什么时候企业家能管到刑警队了？侯大利就是一名新入职的刑警，该怎么用，就怎么用。你若不能用好刑侦系毕业生，那是你的失职。"

叶大鹏上楼，经过资料室时，看见侯大利正在擦桌子。

刑警支队二大队位于刑警支队办公楼的第四层，第四层最西端的角落便是资料室。侯大利和另一个还有三年就退休的老同志共用一间办公室，办公室就在资料室旁边。老同志临近退休，请了病假。侯大利擦去桌上浮尘后，深深吸了一口气，如进入宝库的大盗一样，小心翼翼地打开资料室。

资料室有一台孤零零的电脑，还有二十排装档案的柜子，柜子上标有年份，以及人员资料、案件资料、刑事犯罪线索资料、样品资料和为需要建立的其他刑事犯罪情报资料等大类来分别建档。

侯大利逡巡在资料柜前，随手拿出档案材料。每一本厚实的档案都封存了一段特殊的历史，打开档案，一段血淋淋的历史便跃然而出，带着血腥味。

转了一圈，他找到实习期间抓捕土孙时偶遇的陈凌菲案。陈凌菲案只有薄薄的基础材料，基础卷宗仍在一大队。

"变态，你怎么被分到了这里？"陈浩荡已经到刑警支队办公室报到，抽了个空，从二楼到四楼，与老同学见面。陈浩荡和侯大利在校期间关系一般，没有矛盾，也没有特别深的交往。他原本想留在省厅，结果失败，退而求其次，来到第二大城市江州的刑警支队。

"这里不错呀，我挺喜欢。"侯大利当刑警不想升官发财，专注于破案，所以思维与其他人都不一样。

陈浩荡半边屁股坐在桌上，用左腿撑着地："你爸是在江州发迹的，关系深厚，想办法调到局办或者政治处，以后发展肯定快。"

侯大利毫不客气地给了陈浩荡一个白眼，道："我们学刑侦的到刑警支队工作是正途，跑到局办有个屁用？"

"你是家庭环境太好了，不食人间肉糜。政法大学刑侦系只有我们两人在江州，以后要互相照应。"陈浩荡之所以选择江州刑警支队是研究了省厅历届领导履历的结果，省厅领导有三分之一在江州任过职，没有进省厅，来到江州，算是曲线进步。

陈浩荡不敢多耽误，聊了几分钟，下楼。

侯大利追到门口，道："'变态'这个绰号，到支队就不要用了。"

陈浩荡回头笑道："晚了，我已经说了你的绰号。大家都说这个绰号取得不错。"

资料室在西端角落，来往的同事很少，非常安静。侯大利翻了一会儿老旧卷宗，又抬头望天花板。看完天花板后，他拿起手机，找到唯一还在联系的一中老同学金传统，委托他约几个同班同学小聚，特意还点了李武林的名字。李武林当年给杨帆写过情书，杨帆落水之后被列为嫌疑人，经调查，排除嫌疑。

侯大利想直接接触当年追求过杨帆的同学，寻找蛛丝马迹。

江州一中是全市重点中学，一班是重点班，班上同学大部分考入985或者211学校，毕业后回江州的并不多，只有六个。李武林考入山南师范大学，毕业后回到江州一中教书。

金传统是唯一没有达到二本线的，干脆到澳大利亚留学。留学四年皆在华人圈里混，连英语都说不利索。他回国后进入家族企业，目前是正儿八经的小金总。当晚原本准备请六个同班同学吃饭，结果除了本班六人以外，还来了七个外班同学，且以漂亮女同学为主。女同学都精心打扮，或清纯，或性感，各自展现最有魅力之处。

宴请之地安排在国龙集团下属的江州大饭店，里面吃喝玩乐一条龙服务，可以不出酒店玩尽兴。席间，同学们喝得爽快。晚饭后又开了一个豪华包间，玩得很嗨。

凌晨两点，聚会才结束。侯大利喝得不少，没有回高森别墅，在饭店要了一个大房间。他进入房间，到卫生间将酒全部吐出来，脸色阴沉地在房里转圈，将李武林的最新面容嵌入头脑中，反复琢磨。

这一次同学聚会，李武林喝醉以后，抱着侯大利大谈对杨帆的相思之情，反复感叹自古红颜多薄命，直言杨帆出意外后，他很长一段时间都无心学习，所以最后只考了山南师范大学。从酒后言行来看，李武林仍然对逝去多年的杨帆念念不忘。

放在桌上的手机闪烁起来。

侯大利拿起手机看了一眼，见是一个女同学杨红的电话，没有接。过了一会儿，杨红发了一条短信："大利，你在哪里？我想和你见一面。"

杨红算得上漂亮，今夜特意穿了低领长裙，挂了闪亮的项链，在灯光下很是性感迷人。侯大利知道杨红对自己感兴趣，没有接电话，也没有回短信。

杨红喝了不少酒，微醺，坐在酒店停车场的车里，给侯大利打电话发短信。她等了半小时，没有收到回音，这才离开酒店。

早上起床，侯大利正在餐厅吃早餐，酒店副总顾英过来打招呼，特意提出："你平时一个人在江州，也别回高森了。在饭店开一个房间，吃住都方便。"

侯大利委婉地拒绝了。

在江州大饭店时，侯大利就真是"太子"，有无数人忠心耿耿想为其服务。开车进入刑警办公楼，他立刻就由太子变回普通刑警，开始整理沉寂的刑事犯罪情报资料。

杨帆之死被定性为意外事故，在资料库中没有任何与杨帆有关的资料。侯大利埋头于资料库中寻找与杨帆案相类似案件，希望能顺藤摸瓜，牵出杨帆案。

基于此，他将目光集中到陈凌菲案。

受害人陈凌菲，一个参加工作两年的女教师。

侯大利本职工作就是收集整理刑事犯罪情报，对此案产生兴趣以后，便以收集整理犯罪情报资料为名，到支队档案室将此案卷宗按程序调了出来。

刑事案卷分为诉讼卷（又称正卷）和侦查工作卷（又称副卷）两大部分。诉讼卷主要包括对外使用的法律文书和证明案件事实的证据材料，组装后随案移送人民检察院，供诉讼使用。侦查工作卷主要包括不对外发生法律效力的内部审批文书、案件研究记录以及有保存价值但是不须作为刑事诉讼证据使用的其他材料，装订后存档备查。

反复阅读正卷和副卷，侯大利将陈凌菲案牢牢装进头脑里。

从工作职责来说，他主要工作就是收集和整理工作，并没有要求侦办案件。详细看罢案卷以后，他主动将自己带入案件之中。

案情如下：陈凌菲母亲晚餐后，来到陈凌菲新房，发现女儿躺倒在血泊之中，陷入昏迷状态，抢救无效，死亡。

警察闻讯来到案发现场时，医务人员已经提前来到，数名医护人员进入现场，对昏迷中的陈凌菲进行了挪动；陈凌菲母亲和父亲在现场，对现场也有扰动。

初查后，警方有两种意见。

第一派意见是陈凌菲所住楼房是两层楼，楼梯有二十级。从所在楼梯角的位置来看，她失足从楼梯摔下，头部撞到楼梯，脑部受重创，意外死亡。另一派意见则认定是他杀，原因是发现楼梯上有大量喷溅性血滴，应该是他杀。

尸检报告主要内容摘要：头后部有多次挫伤，还有割伤和撕裂；蛛网膜出血，轻到中度；背部、手腕和手部有挫伤。

尸检结论：第一，钝器多次打击头部，头部骨折，脑损伤，这是致死原因；第二，死亡时间在晚上七点左右。

至此，他杀得以确认，刑警支队立案，重案大队接手。

刑警支队重案大队出现了第二次争论。

一派认为是陈凌菲的未婚夫代小峰杀了陈凌菲。经查，陈凌菲遇害现场的门窗完好，没有撬压痕迹，更接近内部人作案。

多数谋杀案都来自最亲近的人。夫妻天天见面，若是有矛盾，则慢慢堆积，由爱转恨的结局就是行凶。所以，他们首先将怀疑目标锁定在代小峰身上。

另一派则认为不能排除凶手是外来人员。因为陈凌菲与男友正在筹备婚事，刚装完新房，双方感情很好，男友代小峰没有杀人动机。

更关键的是代小峰没有作案时间。经调查，代小峰在案发当日一直在城西办公室加班，有多名同事可以做证。具体来说：下午五点半，代小峰安排晚上七点开会。同事们五点半便出去吃饭，代小峰肠胃不舒服，没有吃饭。同事们于六点二十分左右回来，代小峰仍然在办公室。虽然从五点半到六点二十分这一个区间有五十分钟，但是在晚高峰期间，代小峰绝无可能从城西办公室到城东的家，又从城东的家回到城西办公室。

案件陷入僵局，没有取得突破性进展。

侯大利反复研究卷宗后，决定重建犯罪现场。陈凌菲案件现场透露的信息远远超过杨帆案里的信息，若是这个案件都无法侦办，那么杨帆案件更难。

他所做的第一件事情就是核实代小峰从城西办公室到城东的家需要多少时间，从城东的家到城西办公室需要多少时间。

锁定犯罪嫌疑人有三大链条：一是犯罪嫌疑人和受害人的联系；二是犯罪嫌疑人和犯罪现场之间的联系；三是受害人和犯罪嫌疑人之间的关系。

犯罪嫌疑人和犯罪现场之间的关系主要包括时间关系、空间关系和证据关系，代小峰被排除在犯罪嫌疑人之外的最核心理由是他不具备作案时间。

代小峰的同事证实：由于公司要加夜班，当天下午五点半左右，同事们集体吃晚饭，代小峰身体不舒服，留在办公室。有同事证明，这一段时间代小峰胃部都不舒服，在吃药。傍晚六点二十分左右，同事们吃完晚饭回办公室，代小峰仍然在办公室。七点钟，所有人在办公室开会。

第一次实验是在10月9日傍晚六点，全城交通最繁忙的时间。侯大利从代小峰在城东的家出发，开向城西办公室。经过跨江州河的江州二桥时，发生了交通堵塞，直到七点半钟，车才到达代小峰所在城西办公室。从城西办公室出发，回到城东的家，花了四十五分钟。

第二次实验是10月10日下午五点四十分，侯大利从城西代小峰办公室出发，跨过江州二桥，回到城东家，用时约为四十分钟。侯大利在城东代小峰家楼下停留二十分钟，又开车回城西代小峰办公室，这一次在桥上被堵，用时一小时十六分钟。

两次实验以后，侯大利基本确定代小峰没有作案时间。重案大队侦办民警认定代小峰没有犯罪时间，基本靠谱。

侯大利所做的第二件事情就是犯罪现场分析。

案发时间距今有一年时间，侯大利只能尽量利用现有证据。这取决和受制于刑警支队技术室的现场勘查水平，能否有收获很难说。

通过翻阅卷宗留下的七十四张相片、文档、图表以及实验报告，侯大利手绘了现场图，在现场图上特别绘制了大量鲜血和血滴。

绘制鲜血和血滴过程中，他如画工笔一样，一点一滴将大块血液和血滴绘制在自己所做的现场图表上。这种方法来自刑侦系费教授——利用工笔画的方法还原现场。

完整的现场相片里面往往有种种细节，这些细节以各种面目隐藏起来，用工笔画法描绘则是发现细节的一种有效方法。费教授之所以会用这种方法来还原现场，主要原因是费教授本身就是从工笔画专业转行当了刑警，再调到政法大学刑侦系任教。

侯大利没有工笔画专业水准，但是工笔画的方法恰好与他本身特点非常合拍，所以他接受了费教授的方法，开发了属于自己的三维透视图。老师所画工笔画是平面的，他的三维透视图则是立体的，相同之处都是尽最大可能用自己的方法重构现场。

在描绘血滴时，他非常有耐心，拿起放大镜仔细数血滴，能够明确观察到的血滴有五百一十七个，大部分在台阶底部。从底往上的第一级台阶有三百零三个血滴，往上各有零星血滴，北面墙上还有八十七个血滴。其他数级楼梯上有剩下的血滴。

数完血滴以后，侯大利开始将血滴描绘下来。这是一个细致的艰苦工作，还得有非凡的空间能力，才能将现场还原成三维视图。

在画血滴细节时，他发现相片中有血迹抹痕，特别是墙壁上的血迹分布颇为复杂。从血滴形状来看，有滴上去的，有飞溅上去的，有擦上去的，有抹上去的，还有被甩上去的，大部分溅上去的血滴是中速度类型。

另外，还有不少血迹是中空的，中空血迹意味着血滴中有空气，空气爆裂以后形成血滴中空形状。

发现了中空血迹以后，侯大利停下来思考了一会儿。随后，他拿着放大镜又在墙上血迹上有了新发现：一块血迹凝固以后，上面又出现新血迹。

在地面上有一只足印，足印后面有七个滴落的鲜血。

在门框距离地面约半米处，还有半只血手印。

将所有血滴呈现在三维现场图中是一个极为烦琐的工作，耗时间，费心力。连续工作四天以后，侯大利这才完成三维现场图的绘制。

在绘图过程中，他从血迹分布及形状意识到受害者负伤以后没有立刻死亡，曾经在现场咳嗽吐血，试图爬起来，并且有走动。最后由于受伤过重，又倒在地上，死亡。

这也就意味着死亡时间并非行凶时间，行凶时间还得往前推。尸检报告的死亡时间是晚上七点，如果前推二十到四十分钟，行凶时间就在六点二十分到四十分这个区间。

但根据代小峰同事让证词：代小峰六点二十分的时候还在公司，他根本不可能作案。

侯大利和当时的办案刑警一样，在此受阻。

脚步声响起，一身警服的朱林出现在门口。他看到桌上摆开的卷宗和作图本，道："你在研究案子？哪个案子？"

"陈凌菲的案子。资料库中只有一页材料，我调卷过来，准备录入基本情况，从血迹中发现点情况。"侯大利认识朱林多年，还是第一次见到他穿上警服，颇不适应，多看了好几眼。

朱林坐下来，拿起绘图本，仔细看了一会儿，道："这是现场图？和平常的图不一样。"

侯大利道："根据卷宗资料，我用三维图重建现场。"

陈凌菲案是最新出现的未破命案，专案组奋斗几个月，没有突破，被迫暂时搁置。极为逼真的三维图将朱林带到那个充满血腥气的房间，原本还算轻松的心情瞬间沉重起来。

听完侯大利分析，朱林沉吟道："你这个发现很有价值，以前专案组确定的侦查方向是以七点死亡为基准，若是死亡时间提前四十分钟，很多事情会发生变化。而且，凶手没有能够将陈凌菲杀害就离开现场，也能反映出凶手的性格特点。但是，仅仅是血迹不完全有说服力，还得重新尸检。"

侯大利道："受害者遗体还保存着？"

朱林道："遗体还在。冷冻费用不低，若是再不能破案，最终还得火化。受害者遗体是田甜做的尸检，仍然让她来做吧。"

侯大利接到田甜的电话，来到技术室。

田甜脸上没有笑容，冷冷地道："再次尸检，还是和上次一样的结论，我对尸检结果负责。"

"现在的疑点是行凶时间和死亡时间不一致，能不能通过解剖来确定这一点？"侯大利在刑侦系学过刑事法医学，只不过作为侦查员和专业法医还是有相当大的差距。他知道能够通过解剖尸体确定这一点，但是自己做不了。

田甜道："得看尸检情况。"

"从血迹来分析，两个时间点不一致。具体来说……"侯大利想仔细给女法医讲一讲他通过案卷发现的疑点。

田甜打断了侯大利的话，道："你不必讲原因，我会独立判断。"

侯大利道："什么时候出结果？"

田甜道："该出结果的时候自然出结果。"

田甜态度生冷，技术还是出众的，两天后给出新的尸检报告。在报告中有一条是“早期急性缺血性脑细胞坏死”，田甜对此的解释是：“神经元变质一般要经过一段时间的血液循环才发生，死亡以后，生化过程就停止。也就是说，受害者不是立刻死亡，还曾有过一段时间呼吸。从神经元细胞缺血性坏死的状况来看，这个过程持续了一小时左右。”

尸检结果与侯大利从血迹推导的结果非常接近，朱林拿到报告以后，立刻重新启动案件，并点名让侯大利参加此案。

案情分析会上，侯大利按照朱林要求，在黑板上手绘了三维视图，梳理了发现陈凌菲没有当场死亡的经过。

“血迹形态在重新构建现场的过程中往往很有用，在此案中有不同的血迹聚集，大部分是中速度血迹，包括咳嗽、头发涂抹等等。墙上的血迹有抹痕，来自多个方向，有的地方出现叠加……从这些血迹我们就能看出受害者曾经有过移动，通过此点可以判断行凶时间和死亡时间并不简单相等。”

侯大利是新入职刑警，面对一群经验丰富的重案大队老刑警并没有怯场，根据自己的发现如实分析。

朱林以前曾经设想过由侯大利来办命案积案，当初只是设想，对侯大利真实能力并没有完全把握。此时听到侯大利分析血迹，其想法变得明晰起来。

刑警支队副支队长、重案大队长宫建民安排道：“第三组负责重新调查陈凌菲案。”

重案大队共有侦查员四十八人，下设八个探组和一个机动探组，两人搭档，两档一组，每组一辆警车和两台电脑，警用装备则按标准配备。

第三组组长李明满脸苦相。他手里还有一个入室抢劫案，若是重启陈凌菲案，人手实在是紧张。

朱林道：“李明，你是老刑警了，就别在这里愁眉苦脸。任务是一拨一拨来，有时紧有时松，这个我们控制不了。我知道三组人手紧，但是，我问你，哪个组人手不紧，哪个组没有案子，你说说？入室盗窃案已经有眉目，相对轻松些。把侯大利抽调过来，让他参加陈凌菲案调查。”

会议结束，李明将侯大利叫了过来，道：“你在二中队实习过吧？我们组刚从二中队调了李超过来，你就和李超一起办这件案子。”

侯大利喜道：“师父也调过来了？我在二中队实习的时候，他是我师父。”

李明道：“调令刚发，他下午过来报到。你们两人熟悉，那就好。李大嘴和你负责调查陈凌菲案，有什么线索给我报告。如果需要增加力量，可以跟我讲，统一安排。”

下午，侯大利正在研究陈凌菲案时，李超找了过来。李超进来就是当胸一拳，道：“你这个富二代，还瞒着师父。”

侯大利笑道：“当时师父也没有问我爸是谁呀，我不能自我显摆吧？”

李超在资料室转了转，道：“资料室是刑警队的冷板凳，与其在资料室，不如到二中队。我在二中队待惯了，挺不想来。重案大队缺人，一纸调令，我不想来也得来，鼻子压住嘴巴，我是没的法。”

侯大利泡了茶，端给师父。李超闻了闻茶香，道：“这是你自带的茶叶，高级呀！支队发的茶真是狗屎。”

侯大利从柜子里又拿出一罐茶，请师父带回去喝。李超拿起茶叶，道：“这茶很贵呀。”

侯大利笑而不答。

“徒弟孝敬一盒茶，我还收得起。”李超又道，“我是才调来的，你是二大队借过来的，李明把这案子丢过来，说明什么？说明李明对破案没有信心。虽然说行凶时间往前提了，可是其他条件都没有变，还是一头雾水。”

侯大利下定决心要侦破陈凌菲案。与杨帆案相比，陈凌菲案则有太多有用信息，若是陈凌菲案都破不了，那么更不用提杨帆案。

“师父，走吧，我们到陈凌菲家里看一看。”

“慌啥，我屁股还没有找到椅子。”

“屁股和办公椅都在，不会跑。但是时间拖得越久，办案难度就越大。”

“说得有道理。”

侯大利下楼，开着越野车到现场。

案发以后，代小峰没有再进入新房，新房钥匙就交给了陈凌菲母亲。

侯大利和李超来到案发现场时，陈凌菲母亲已经等在门口。陈凌菲母亲是江州师范学院的副教授，书卷气很浓，神情严肃，眉头紧锁。她打开房门，道：“案发后，没有人进来。我总觉得你们还需要来查看现场。谢谢你们，还记得我女儿的案子。”

侯大利携带了鲁米诺试剂和紫外线灯。在拐角楼梯处，他打开紫外线灯，能看到鲁米诺反应，血滴形状与卷宗上的基本一致。

李超在客厅与陈凌菲母亲聊天。陈凌菲母亲聊着天，眼光不时朝向专心看现场的侯大利。半小时以后，陈凌菲母亲忍不住问道：“这个警官在查什么？有新发现？”

李超道：“破案和科学实验一样，得反复研究。”

陈凌菲母亲摇头，道：“不一样。实验不会伤人。凶手杀了我女儿，我要给她讨回公道。”

侯大利终于收起了紫外线灯，又到门和窗前面用放大镜观察了一会儿，再来到客厅。

陈凌菲母亲道：“有没有新发现？”

侯大利没有回答这个问题，道：“陈凌菲遇害前有没有不同寻常的状况、与平常不一样的细节？”

陈凌菲母亲不停摇头，道：“以前的办案警察问过这个问题，实事求是地讲，真没有发现异常。女婿代小峰那一段时间很忙，经常加班。女儿积极备孕，反正挺正常。”

侯大利道：“你女儿有没有记日记的习惯？”

陈凌菲母亲道：“以前小时候，我要求她记日记，每天还要检查。读大学以后，她就没有再记日记了，把一个良好的学习生活习惯丢掉了。后来，有QQ以后，她倒是经常在QQ空间上写点小文章，我每篇都看过，没有异常情况。”

离开陈凌菲的家，侯大利和李超坐上车。

“重案大队都是老刑警，办案很专业。你这个新刑警能通过血迹修正作案时间点，真的很厉害了。要想进一步挖掘出猛料，不能说完全不可能，但是很难。”李超又道，“受害人的妈妈性格强势，大概是老师当久了。一般来说，强母弱女，据陈凌菲同学和同事讲，陈凌菲待人接物很温和，有时还有点傻天真。”

“师父，我们去查物证。”

“罗马不是一天建成的，每天做一点，循序渐进，才能坚持。”

“晚上请你吃大餐，把丁队和中队同事约上。”

“大餐当然可以吃，你向我们隐瞒身份，大餐算是道歉吧。”

回到刑警支队，两人进入物证室。

陈凌菲案的物证摆在桌上，零零散散一堆，各有编号。

物证中有现场采集的指纹、散乱在地上的十几根头发、餐台上的杯子等等。侯大利看过无数次卷宗，又画了现场三维视图，如今看到桌子上的物证，便利用自己独特的空间建构能力，在大脑中将所有物证还原到犯罪现场中。他一遍又一遍地审视虚拟犯罪现场的每一个细节，最终猛地一震，视线落在了一个物证提取袋上。

他从虚拟犯罪现场中退了出来，回到现实，那个让他感到灵光一现的证物提取袋就放在桌上。他戴上手套，用镊子将袋子夹了起来，通过透明物证袋能清楚地看到这是一张购物小票，采购的物品是酱鸭。

采购单子显示的时间很清晰：下午五点十二分。

除了对陈凌菲遇害地点相关物品提取以外，现场勘查技术人员还特意提取了餐桌上的物品，包括酱鸭骨头。看到这几样物证，侯大利陷入沉思。

“你发什么呆？”李超问道。

李超问过两次以后，侯大利似乎才回过神来，道：“卷宗里附有代小峰通话记录，应该是四点二十五分，与陈凌菲有一个通话记录。”

李超道："代小峰给妻子打电话，有通话记录说明不了问题。"

侯大利若有所思，只是思考得不是太成熟，暂时没有发表意见。

当晚，侯大利请江阳区二中队全体未值班人员到江州饭店吃饭。这一次聚会，大家都正式开始叫侯大利为"变态"，这个绰号在刑警支队传播速度之快，令侯大利这个当事人都感到吃惊。与二中队刑警们在一起吃饭，酒喝得不少，晚餐结束以后却没有加戏。刑警们普遍在家时间不多，上了案子，几天甚至十几天不回家也算正常。所以能回家的时间，大家都还尽量回家。

侯大利是单身，回到高森别墅还是一人，干脆又到饭店要了一间套房。进了套房不久，饭店副总推着一个大箱子进屋，里面装着侯大利的日常生活用品，包括牙刷、毛巾、换洗衣服。

"大利，以后就把这房间给你留下来。你一个人在这边生活，梅姐很不放心。"副总经理顾英三十来岁，保养得挺不错，是一个八面玲珑的角色，想再次劝侯大利进入饭店。

侯大利道："我来不了几回，留着可惜了。"

顾英开玩笑道："你用不着替公司节约，梅姐的儿子，应该奢侈一点。英姐给你解释什么叫低调奢华有内涵，一个人要有内涵，必须低调，其次要奢华。你光是低调，若不奢华，那还算不得有内涵。"

"英姐乱解释。"侯大利称呼顾英为英姐，顾英称呼李永梅为梅姐，大家各称呼各的，也不讲究。

与顾英聊天之时，不断有服务员进来，送来新鲜水果、新鲜牛奶和甜点。侯大利习惯了被人服务，也不觉得有异。

所有人离开后，侯大利打开笔记本电脑，开始查看陈凌菲QQ空间。

陈凌菲发动态挺有规律，几乎每天都要发三条，时间长了，数量不少。她的动态主要集中在家居、服饰、旅行上面，还有少量日常感悟。与一般女孩子不一样，陈凌菲多发风景照，很少发生活照，即使有生活照，都没有露脸。

侯大利想起陈凌菲母亲的神情，同意了李超针对母女俩的"母强女弱"评价。陈凌菲温柔贤淑，如一朵安静花朵开在幽谷。美丽花朵刚刚开放便凋谢，这让他在黑夜中悲愤起来。

QQ空间内容挺多，侯大利看得很慢。凌晨，看了三分之一的内容。躺在床上时，他闭着眼，一件件物证就浮现在脑海中。当鸭骨出现以后，他翻身坐起。

早上，离开饭店，进入刑警大楼，侯大利身上的太子光环自动退去，瞬间变回二大队资料员。打扫完资料室，侯大利接到朱林电话。

“陈凌菲案有没有进展？”

“到现场去看了，也看了以前提取的物证。客观地说，技术室的现场勘验人员工作非常细致，水平很高。美中不足的是对物证的应用，刺刀都打开了，却没有捅进去。”

侯大利答得很直接，没有隐藏自己的观点。刑侦是科学，科学来不得半点虚假，他不考虑与科学无关的事情，该说的话一定要说出来。

朱林神情严肃起来了，道：“这么说，你还真有进展？”

侯大利道：“不是进展，而是发现了有一条可以挖下去的线索。”

朱林道：“简单直接，不要卖关子。”

侯大利道：“物证里有一些鸭骨头，这极有可能会是突破点。原因很简单，啃鸭骨头时，鸭骨头上多半会留下人的唾液，人的唾液里含有口腔上皮细胞，口腔上皮细胞含有细胞核DNA，我们若是能从鸭骨头得到唾液检材，就可以和怀疑对象进行比对。当然，也有可能提取了唾液检材，却仍然找不到犯罪嫌疑人，但是我们至少有了一个锁定犯罪嫌疑人的重要证据。有了这个证据，犯罪嫌疑人迟早会归案。”

朱林没有表态，拿起电话，将重案大队宫建民、技术室负责人老谭叫到办公室。

老谭五十来岁，头发谢顶，听完侯大利的分析，鼓着眼睛道：“鸭骨头冷冻过，我们技术室没有能力提取类似干燥唾液。”

侯大利道：“刑警总队技术室能做，我在刑侦系时，到总队技术室参观过，这是他们的一项重要成果。”

朱林转头又问老谭，道：“当时，为什么要把鸭骨头保存下来？”

老谭道：“小林做的现场勘查，他这人就是收破烂的，每次都要提取大量物证。很多物证到底有什么用处，估计当时也没有想清楚。”

江州这几年累积了好几起未破命案，给刑警支队极大压力，若是能够以鸭骨头为突破口侦破陈凌菲案，那么就能减轻刑警支队面临的巨大压力。朱林当即拍板道：“老谭跑一趟总队。如果他们不能做，就请他们向公安部刑侦局请求帮助。”

在等待鉴定结果期间，侯大利和李超继续调查，这一次直接与代小峰联系。

代小峰所在的公司在西城，名字叫作峰凌科技，峰凌前面的峰字是代小峰的峰，后面的凌字是陈凌菲的凌字。公司在写字楼十八楼，侯大利和李超被带到了代小峰办公室。代小峰办公室约为一百平方米，一大排落地窗，整个西城尽收眼底，很有气势。

在侯大利想象中，代小峰是那种戴着眼镜、身材稍显柔弱的科技人才。事实上，代小峰没有戴眼镜，体形颇为挺拔，并非文弱书生。

秘书泡茶之后便退出办公室，代小峰坐在李超和侯大利对面，道：“请问两位警官，是不是有了新线索？”

李超道：“我和侯警官在办理陈凌菲案，需要了解情况。”

代小峰脸上露出失望之色，道：“为什么又换人？换来换去，每次我都得重新讲一遍。还是没有什么线索？”

李超面对事主时态度很严肃，道：“警方一直在追查，有时调整人员很正常。我有几个问题想来核实。”

侯大利暗自观察代小峰，想从其脸上表情看出异常。在回答问题时，代小峰陷入痛苦的回忆中，低头，双手撑脸，回答问题时，不时有泪滴流下。

半小时，调查结束。代小峰所言与重案大队记录基本一样，没有新线索出来。当代小峰抬起头时，眼睛红红的，满脸泪水，哽咽着道：“我愿意配合警方，随时欢迎来调查。但有一个请求，你们的人别换得太多，每换一次人，又得让我回忆一遍。这让我很痛苦。”

两人出了门，李超问道：“你怎么看代小峰？”

侯大利回想起当初杨帆出事后自己的心情，道：“痛苦是真实的。”

李超道："你观察了半天，就这么一个傻结论？"

侯大利耸了耸肩膀，道："只能得出这个结论。"

李超抬手看了看手表，道："再走一家，找一找陈凌菲的同事。"

傍晚时分，侯大利和李超从陈凌菲同事家走访出来。陈凌菲的同事居住地与陈家不远，李超又看表，道："去吃饭。走了半天，还真饿了。今天晚上老兄请客，到滨江路小喝一杯。"

侯大利道："在外面吃饭怎么能让师父破费。师父真别跟我客气，国龙集团的钱取之于民，用之于民。"

李超呵呵笑道："有个富二代徒弟真好，吃吃喝喝，没有心理负担。"

两人来到商业气氛浓厚的滨江路小吃城，找了一家环境最好的小店，点了烤河鱼和啤酒。

侯大利选了一个背朝江州河的位置，尽量不用目光与河水相接。

江州河是季节河，在枯水期河水只能到膝盖，后来在城区马背山打了隧道，将城外马溪河的水流引进城，为江州河补水，城区河道这才变得水流充沛。水量大，流速快，江州河顿时变得清澈起来，成为居民们夜间流连忘返之地。

河水在身边流过，微风拂面，旁边食客们高谈阔论，构成一幅特有的画面。李超接到妻子电话，立刻拿着手机站在一边，点头哈腰地解释，隔着手机赔笑脸。

回到桌边，李超这才解释坚持到河边的原因，道："你嫂子和侄女到这边练琴，我让她们两人一起过来，回家煮饭也麻烦。"

得知李超老婆要来，侯大利赶紧又点了两个硬菜。他在刑警支队里关系最亲密的便是眼前的话痨师父李超，李超怕老婆在朋友面前根本不掩饰。侯大利一直都好奇这个"河东狮"到底是什么凶悍模样，所以当一个模样清秀的小个儿女子带着一个同样清秀的小女孩走过来时，他很惊讶。

"你就是侯大利？我家大嘴经常在我面前提起你。"李超老婆叫胡秀，名如其人，说话声音都细声细气。

“嫂子好，我早就想到师父家拜访，时间总是不对。”侯大利很客气地道。

胡秀让女儿坐在身旁，将硕大的琴箱放在椅子上，道：“家里乱得很，都不好意思请同事们到家里来。李琴每天要学琴，作业也多，大嘴这人办起事就不顾家。我在教初三，毕业班，每天也早出晚归。有时真不想让女儿去学琴，可是大家都在学，女儿没有一点特长，也不行。”

侯大利注意到胡秀眉角有细细皱纹，而且和李超一样都挺喜欢说话，道：“嫂子，我这几天都和师父在一起，办起案子实在顾不了家。”

李超道：“老婆，我徒弟才来都晓得累，真不骗你。”

侯大利望着殷勤照顾女儿的李超，忽然理解了他为什么如此耙耳朵。耙是由于爱，并非怕，更是对自己因为工作而将所有家里事抛给妻子的愧疚。

吃过饭，胡秀和丈夫、女儿沿着河道回家。

“老公，侯大利一点都不像富二代。我实在想不通，他为什么要当刑警，又累，又危险，又赚不到几个钱。当初不懂事，才被你那身警服骗了。若是能穿越，我肯定不会找警察。”胡秀知道侯大利是国龙集团老板的儿子，作为一个被生活折磨得早衰的女人，实在想不明白为什么侯大利要傻傻地来当刑警。

李超牵着女儿的手，道：“他有一个绰号，叫‘变态’。不仅你不能理解，我也不能理解。我听到一个传说，但是未经证实。”

得知侯大利是为了给杨帆报仇才来当刑警，胡秀对侯大利顿生好感。

侯大利独自坐在河边，目光追随着一家三口的背影。

自从杨帆出事以后，他一直不愿意接近任何一条河道，每次看到河中波浪，往事便如刺刀一样狠狠捅进身体最柔软的地方，更严重的是身体会如生病一样眩晕。吃饭时，侯大利坐在河边一直没有直面波浪。当一家三口离开后，他转头面向河面，盯住波浪，很快就天旋地转。

背向河面，眩晕才慢慢解除。侯大利心情越来越灰暗，往日情景没有丝毫褪色，如密集的子弹一样，将灵魂穿出无数孔洞。长期以来缠在心中的毒蛇又钻出来："如果那天我不去喝酒，陪着杨帆回家，一切都不会发生。"

他黯然离开河道，钻入城市之中，密集的子弹被钢筋水泥阻拦，灵魂暂时得到安全。

回到高森别墅，侯大利没有开灯，打开音响，在书房静静听杨帆喜欢的《梁祝》。在他耳中，《梁祝》曲调充满忧伤，在黑暗中静静流淌。

陈凌菲的秘密

几天后，侯大利拿到了鉴定结果：鸭骨提取的唾液里检测出来的DNA与陈凌菲丈夫代小峰的DNA一致。

代小峰在案发当天四点多钟给陈凌菲打过电话，陈凌菲在五点十二分买了酱鸭，酱鸭骨头验出了代小峰的DNA。这一串事情连起来，谁是凶手呼之欲出。当初重案大队办案刑警见了现场以后，直觉上觉得代小峰杀人嫌疑最大。从现在的线索来看，老刑警们的直觉极具参考价值。

当前有一个障碍没有破解，有众多员工可以证实代小峰在单位的时间线，这个时间线非常有力，将代小峰排除在犯罪嫌疑人之列。

经过支队研究，报经主管副局长刘战刚批准，江州公安局决定对代小峰上技侦手段。

刑警支队长的事情繁杂，可是无论事情再多，朱林每天都要抽空到二大队资料室走一趟，看一看最新进展。到市局开会之后，朱林回到办公室，没有进门，直接到了二大队资料室。

资料室办公桌上摊开了一张江州地图，地图上有铅笔所画的路线图，侯大利咬着铅笔，对着路线图苦思。

"有没有新发现？"

"支队长，还是卡在时间上。我和师父再次询问了代小峰公司员工，吃饭前和吃饭后中间的五十分钟时间不足以让代小峰从西城到东城，又从东城到西城。”

朱林眉头紧锁。虽然鸭骨头上面检出了代小峰的DNA，可是代小峰是陈凌菲的丈夫，在家里吃饭很正常。酱鸭小票只能证明在这个时间点买了酱鸭，但是不能证明代小峰吃的酱鸭便是五点十二分所购买的酱鸭。更为致命的是陈凌菲胃里并没有发现酱鸭，更准确地说她那天晚上根本没有吃饭，只吃了一点苹果。

“如果是代小峰作案，那么作为一个从来没有犯罪记录的人，选择杀妻肯定有重大理由，而且，不论他伪装得多好，总能找到破绽。”朱林离开资料室前，和丁浩一样，重重地拍了侯大利的肩膀。

从理论上确实如此，可是要找到突破口，确实很难。

侯大利再次看了一遍作为物证的监控视频。当天下午进出小区一共有一百零七人，重案大队工作很细，案发时花了大量精力去调查一百零七人，与一百零七人全部见了面，没有发现线索。

一百零七人的调查材料厚厚一堆，工作很扎实。

放下资料，侯大利找到李超。

“又去现场，跑了无数遍了。走吧，坐在办公室也难受。”李超其实挺喜欢与侯大利做调查，调查以后，时间就相对灵活，可以抽空接女儿，或者回家做饭。

两人来到案发现场，里里外外又走了一圈。在抓住土孙的小巷道里，侯大利道：“凶手肯定是进了小区，这一点毋庸置疑。整个小区有四条通道，唯独这条小巷道没有监控，是一个大漏点。”

两人沿小巷道来到小区院墙。

院墙有三米高，墙顶有监控。望着这个监控，侯大利叹息道：“当初有一个重大失误，只是调取了大门外的监控，其他几个点没有留下来，现在想查都没有办法。”

李超道：“你不能用上帝视角看问题，任何一个侦查员都是普通人，不能预知案件细节，必然会犯错。每个案子倒推时往往都会发现一些问题，办公室的人上下嘴唇一碰，就说侦查员工作失误。实际上当初查案时侦查员会面对一团乱麻，每一条有用线索从破案后来看很清楚，最初却隐在乱麻里。”

这个理由无法说服侯大利。他将自己带入当初案发现场，无论如何不能理解当时的办案民警为什么不调取其他几个监控点的视频。不调取，这确实是重大失误。

高中同学金传统约了饭局，侯大利稍有犹豫，还是同意参加饭局。杨帆案最有可能还是情杀，杀人者或许就隐在当年同学之中。这是他愿意参加同学聚会的最大动力。

某些同学想通过侯大利搭上国龙集团的关系，或是做生意，或是想帮助亲朋好友找工作，对于这些事情，侯大利几乎都给予了关照，所以侯大利在同学圈子的名声还是不错的。唯一让几个漂亮女同学不满意的是侯大利对感情问题很死板，根本没有给予女同学任何机会。

“这是王永强，五班的。你还有印象吗？”金传统将一个戴眼镜的同学介绍给侯大利。

“我们做操时经常排在一起。”侯大利回想了一会儿，脑中有了眼前之人在高中阶段的印象。他在高中阶段没有太多特点，是很普通的学生，放在学生堆里毫不起眼。唯一印象总是穿一件灰衬衣，走路低着头。其实说灰衬衣不准确，应该是一件白衬衣，只是穿的时间太长，渐渐变成了灰衬衣。还有一点，他和杨帆曾是初中同学。

“王永强是我们当中最早参加工作的，如今是培训学校校长。他没有读大学，比我们读大学的还有出息。”金传统介绍道。

侯大利读了四年大学，出来后是菜鸟刑警。王永强没有读大学，在四年时间里创下一所培训学校，还是挺厉害的。

“具体培训什么？”

“最初是电脑培训，后来搞成综合培训，现在还附带开了一个驾校，生意还行。当然和国龙集团相比，就是大象和蚂蚁的区别，甚至更大，根本不能放在一起比。”与多年前相比，王永强褪去青涩，肚子明显凸了出来。

王永强说话时也打量着侯大利。与读书时代相比，成为刑警的侯大利几乎换了一个人，完全没有了富二代纨绔子弟的样子，说话很沉稳。

“你们别站着说话，坐下来。”杨红挺有组织能力，安排同学们纷纷坐下，然后顺势坐在了侯大利身边。在喝酒之时，她一直在照顾侯大利，还不时帮侯大利挡别人的敬酒。

侯大利当然知道杨红的想法，只不过杨红虽然漂亮，却不是他喜欢的类型，且曾经是杨帆的好友。他就一直装傻，对杨红暗示不予回应。

晚上九点，王永强打开包间电视，调到江州电视台。

侯大利很少看电视，更别说江州电视台。当看到江州电视台的画面时，他觉得电视台的播音员实在做作。

杨红道：“王永强，把电视关了。”

王永强道：“等一会儿，我看看新闻。今天江州搞了一个龙舟比赛，我们学校组了队，今天还不错，第三名。”

新闻很快就播出了比赛片段。

在江州河出城段有一个人工湖，是新城区标志性区域。从去年开始，每年在人工湖上搞龙舟比赛，热闹得很。由于湖边配套设施好，湖区成为江州地价最高的区域。六条龙舟并排而列，每条龙舟上坐了二十人，前面站了一个敲鼓的壮汉。在鼓点和呐喊声中，龙舟飞速向前。挂有“永强学校”旗帜的龙舟获得了第三名，岸边拉拉队也挥动着“永强学校”的大旗帜。

喝完酒，杨红主动与侯大利一起离开饭店。她借着酒劲，主动握了侯大利的手。侯大利被握住手，身体略为僵硬，正要从杨红手中将手抽出之时，恰好手机响起。接完电话，侯大利借口有急事，匆匆而去，将杨红留在饭店门口。

回到高森别墅，侯大利到卫生间重新洗了一次手。当初江州一中一班有两个杨的传说，一个是杨帆，另一个是杨红。杨红能和杨帆并称二杨，颜值也不低，至少在江州算得上中等以上水平。

尽管漂亮，杨红却没有进入侯大利心中。他独自在房间发了一会儿呆，打开电脑随意浏览，最后又回到陈凌菲的QQ空间上。陈凌菲遇害，动态停止，往日画面仍然保留。知道内情的旁观者读到这些内容，更会嗟叹。

QQ空间的内容是一扇门，通过这扇门，可以进入一个年轻女孩的内心世界和日常生活。陈凌菲颇有生活情趣，对新家充满了爱和遐想，很多相片都与新家装修有关。

突然，一个模型进入侯大利视线。

书房里有一个别致的小船模型。陈凌菲在QQ空间说道："单人皮划艇模型放在书桌里，可以纪念老公当年水上搏斗的日子。"

侯大利感觉头脑中某根弦被拨动。这根弦被拨动以后，持续在脑中响起，让他不得安生。

从地图上看，江州城区被马背山分成了西城和东城两部分。准确地说，是西城和东城被马背山分开，由一条马背山本身的峡谷地带连接。从西城到东城容易出现交通拥堵的原因除了车辆增多以外，与地形有关。车辆必须绕行到马背山一处峡谷地带，峡谷地带无法多修公路，自然成为堵点。

除了马背山以外，城区原有穿城而过的江州河。江州河是季节河，淡季水量少。为了解决江州河水量在淡季水量少的问题，市政府花巨资在马背山打了一个隧洞，城外另一条河水能过隧洞进城。

侯大利开车来到陈凌菲所在小区，走过抓土孙的小巷道，小巷道有一个口子与引水工程的河道相通。他拿着手电，走到河边，又沿着植被茂密的河堤，步行五分钟就来到了隧道口。

夜晚的隧道口格外安静，能清晰地听见水流声。侯大利强忍着眩晕，用手电仔细观察隧道口。

隧道有一个车道宽，水面距离隧道顶部约有一米五，足够皮划艇进出。若是代小峰真有划皮划艇的本事，从西城到东城的时间就大大缩短了，至于能缩多短，则要做实验。

他在水边久留一会儿，阵阵冷汗冒了出来，还想呕吐。

"我是一名刑警，必须克服不能到河边的问题。"

侯大利为了治愈这个暗疾，坐在河边。黑色夜晚、微微河风、淡淡水腥味，直接将他带入河边行船三天的至暗时刻。他身体如在船上晃晃荡荡，头脑昏成一片，坚持了一会儿，呕吐出来。

侯大利无法抑制住身体和精神的双重痛苦，离开了河道口，独自走到城区，孤单单的背影在街边拉得很长。

“谁？站住。”街边的巡防队员发现了这个可疑之人，追了过来。

侯大利头脑还在旋转，胸口沾满呕吐物。巡防队员指令从耳边滑过，没有进入脑中。一个巡防队员性急，上前拽住侯大利衣领，道：“别走，做什么的？”他感到手中滑腻，举手看了顿觉恶心，用手电照住侯大利的脸，骂道，“喝了多少酒？傻掉了！”

侯大利被踢了两脚以后，突然间似乎穿过时间通道，又从晃荡的小船回到现实中。他躲开踢向自己的脚，道：“别动手，有话好说。”

“你是做什么的？”

“我是刑警队的。”

“你是刑警队的，我他妈的就是中南海保镖。”

几个巡防队员根本不相信眼前醉汉是刑警，推着他朝派出所走。侯大利哭笑不得，又不想与他们废话，便随着他们到派出所，中途想给师父打电话，也被制止。走到明亮处，他低头看着胸口，才发现自己确实一塌糊涂，难怪被人怀疑。

到了派出所，值班人员很快核实了侯大利的身份。尽管心有疑惑，巡防队员还是连声道歉。特别是动手打了人的巡防队员，更觉得不好意思。

侯大利彻底从河边情景中恢复过来，道：“这是你们的工作，我肯定配合。我真没有生气，中南海保镖。”

侯大利离开派出所时，自称中南海保镖的巡防队员追了出来，特意塞了包烟，表示歉意。他原本想给师父打电话，想起师父难得有一个完整的夜晚陪嫂子，便没有打电话。他没有回高森别墅，直接回到刑警二大队资料室，重新梳理自己的思路。

鸭骨头锁定了代小峰的DNA，皮划艇基本上能够解决时间问题，所有环节都打通，代小峰具有重大作案嫌疑。

代小峰的作案动机是什么？

陈凌菲一直在坚持发布动态，在遇害前一小时还发了一张新家相片，从QQ空间来看，她完全不知道有一朵乌云笼罩在自己头顶。陈凌菲母亲非常理智，没有对女婿有任何怀疑。

侯大利整晚都在思考这个问题，夜不能寐。

“侯大利，昨晚做什么去了？”朱林早上接到所长道歉电话，得知侯大利深夜独自狼狈地行走在街道上，担心其“纨绔病”发作，便直接上楼，询问其昨晚行踪。

侯大利神情平静，道：“我可能找到了突破点。”

侯大利、朱林、李超三人直奔渠道口。在路上，朱林打电话让具体负责此案的重案大队副大队长黄卫带两个人到水渠另一边。

白天，渠道口的情况更加清楚，从渠道口到岸边皆是厚实的绿化带，隐蔽性很好。渠道口约有三米宽，顶部距离水面有一米五左右。站在水边，侯大利胸口又有些烦闷，闭上眼，身体似乎也晃荡起来。

“你不舒服？”李超看到侯大利脸色不对，问道。

侯大利摇头，道：“昨夜有点受凉，不要紧，没问题。”

朱林看了看手表，道：“什么时候能来？”

话音未落，两个人出现在河道边，抬着一个单人小艇。下河时，朱林道：“你们不弄点保护措施？”

身材高大的汉子脸色黑黑的，笑起来露出白色牙齿，道：“我们就是吃这碗饭的，专业。”

小艇下水后，八分钟就收到对岸电话。随后逆水回东城，用时十一分钟。

做完实验，朱林将两个划艇人叫过来，详细询问省内购买小艇的地点。单人皮划小艇是体育用品，购买人都很专业。在这种情况下，以物查人是最简便的方法。

两个侦查员来到省城，很快在购买记录中找到了代小峰的名字，购买时间是陈凌菲遇害前两个月。

证据链条基本齐全，刑警支队依法对代小峰采取了刑事拘留强制措施，由三大队经验丰富的预审员进行审讯。

十四小时后，代小峰终于心理崩溃，交代了杀人经过。

侯大利和李超作为办案人员，在监控室里观看了审讯。

代小峰身体结实匀称，站立时气宇轩昂。当他心理防线被攻破以后，整个人就如被戳破的皮球，软成一团。

代小峰精神垮了，不停喃喃自语："我是爱小菲的，她是我这一辈子最爱的女人，我没有爱过其他女人。在我最困难的时候，她给了我很多支持。我现在事业有成，一年纯收入四五百万，公司业务蒸蒸日上。我和小菲买好了新房，也到民政局办了结婚证。"

当预审人员问起动机时，代小峰紧缩的身体又挺起来，道："我很幸运，创业成功了，又娶了陈凌菲。我以为人生已经走上了幸福的轨道，可谁知前面就是一个悬崖。我收到了一个匿名寄出的U盘，U盘里有三段视频。"

说到这里，代小峰脸上肌肉抽动，小声抽泣起来。

"什么视频？"预审人员等到代小峰情绪平静下来，不紧不慢地提问。

"是陈凌菲援交的视频，和同一个人，有三段。"说到这里，代小峰握紧双拳，狠狠捶打桌子。手铐连在桌上，手臂幅度很小，却打得桌面砰砰直响。

代小峰咬牙切齿，青筋暴露："我最初不敢相信，可是那个援交的女人真是小菲。屁股上的胎记、说话的声音，都一模一样，不可能是其他人。援交时，房间开着电视，里面还在放新闻，我从新闻里看到了当时的日期，是我创业失败、弹尽粮绝、求救无门的那段时间，我甚至几次想到自杀。后来，小菲不断给我钱，让我给仅剩的两个员工发工资。她说是借的钱，我真傻，居然就相信了，完全不知道她一直在用她挣的脏钱，帮我维持局面。"

代小峰号啕大哭。

侯大利和李超面面相觑。锁定代小峰后，他们一直在猜测其杀人动机。代小峰事业成功，陈凌菲全心全意为了新家，经过调查，基本排除仇杀、财杀，那最有可能就是情杀：代小峰有了新欢，为了摆脱陈凌菲，产生了杀意。

代小峰说出的理由居然与他们的猜测完全不一样。

李超惊得目瞪口呆，议论道："虽然妻子援交真心不能接受，可是事出有因。陈凌菲是好女人，为了丈夫愿意做所有事情。代小峰真不是个男人，就算不能接受妻子援交，也可以离婚，没有必要起杀心。"

"我实在过不了心理那一关，每当和她睡在一起的时候，总会想起她和其他男人做爱的各种姿势，特别是她的呻吟，每时每刻都在我脑里回响。好几次在做爱时我都想掐死她，还是下不去手。后来买了小艇，利用时间差，想制造不在家的假象。"

代小峰交代完作案动机，整个人的精神气完全垮掉，完全没有一丝社会精英的模样。

侯大利对眼前男人没有丝毫好感：代小峰是极度自私的男人，陈凌菲爱上代小峰是瞎了眼睛。

李超道："代小峰确实是爱陈凌菲的，爱到深处，便成了恨。"

侯大利摇头道："他是精心作案，作案以后，自己还要生活得好好的。若是爱到深处，那就会激情犯罪。代小峰心胸狭窄，爱自己胜过爱陈凌菲，远远胜过。"

陈凌菲母亲一直对女婿颇有好感，得知真相以后目瞪口呆，当着办案民警的面发作起来，大吼大叫道："我女儿绝不会卖淫，肯定搞错了，有人陷害！"她本是大学教师，一辈子最重面子，根本不相信乖乖女居然会卖淫，而卖淫对她来说是比死亡还要丑陋且不能接受的事情。

侯大利对陈凌菲抱有深深的同情，面对发疯一般的陈凌菲母亲，愤怒地对李超道："这也是一个自私的人，我看过陈凌菲QQ空间，她对母亲是敬而远之。陈凌菲母亲从小管理得太严，没有让陈凌菲感受到爱，所以遇到渣男就失去理智。陈凌菲出身书香门第，援交背叛了从小受到的教育，需要极大的勇气，这也是极大的爱。以我的观点，除死无大事，就算陈凌菲曾经援交，至少有活着的权利。另一方面，陈凌菲母亲太强势，强母弱女。陈凌菲宁愿援交也不向父母开口借钱，母女关系扭曲到这个地步，简直可悲。"

李超拍了拍侯大利肩膀，道：“你是刑警，不能过深陷入案子中，这对你的心理健康不好。破了案，将这件事忘记掉。生活还要继续，太阳明天还要升起，丧钟要为那些杀人犯而鸣。”

破了案，侯大利作为办案人员，和李超一起得到了市局和刑警支队的高度表扬。但是，侯大利很长一段时间没有走出得知案件真相后的阴郁心理。

夏末，侯大利来到江州公墓，给杨帆上坟。每年这个时候，他必须来给杨帆上坟。上坟结束以后，他会沿公墓小道慢慢行走。今年，他特意找到了陈凌菲墓。

由于看过陈凌菲QQ空间和纸质材料，侯大利打开了一个女孩子生活的窗户，知道陈凌菲很多生活细节，了解她的爱好以及梦想。陈凌菲已经由陌生人变成了他从未谋面的朋友，闭上眼，他脑中似乎能呈现出陈凌菲的面庞。

站在陈凌菲墓前，侯大利放下花束，惊讶地发现陈凌菲墓碑上的相片被砸出一道明显痕迹。他来到公墓管理处，亮出警官证，询问这是怎么一回事。

公墓管理人员道：“砸碑的人是死者妈妈。当时我们保安及时发现，还报了警。和我们管理真没有关系，她妈上坟突然砸碑，我们怎么管得了。”

侯大利离开公墓，最初还想要帮助重新弄一张陈凌菲的相片。坐在车上，这个想法烟消云散。生活就是如此，总会在不经意间留下伤痕，有的在心里，有的在身体，有的在墓碑上。

陈凌菲案历时一年，终于告破，刑警支队上上下下终于松了一口气。

朱林到老姜家里约了一顿晚餐。

桌上菜很简单，只有一大盆红烧鲫鱼。老姜拿了一瓶老酒，兴致勃勃地道：“今天我到江州河里钓鱼，下游一个回水沱，收获颇丰，半桶鲫鱼，全是半指宽的土鲫鱼。老朱今天有口福了。”

朱林拧开瓶盖，斟满了两杯，道：“陈凌菲案子破了，破得很精彩。侯大利确实不错，老天爷赏他吃这碗饭。这一个案子，他至少能得个三等功。”

老姜端着酒杯喝了一口道：“你还要准备实施计划？”

朱林猛地将一杯酒喝进嘴，道：“回顾刑警支队生涯，我有成功，也有遗憾。比如，在江州公安局历史上，绝大多数刑警支队长都是党委委员，我是少数不是党委委员的支队长。”

老姜傻笑道：“你还在意这些虚名？若真是在意，当年稍稍有点眼色，莫说党委委员，局长或许都当了。战刚是你的徒弟，如今是资深主管副局长了。”

朱林道：“在我任支队长期间，除了陈凌菲案，还累积了五件未破命案。虽然说不管是什么样的神探都有破不了的悬案，可是这也太多了吧。说实话，当官我不在意，对这几件未破命案还是挺在意的。我卸职是预料之中的事情，卸职就卸职，我不在意。我就要在离职前创造一个机会，让侯大利能够来抓这几个未破命案。”

老姜道：“有什么具体想法没有？”

朱林道：“这个安排很讲究，若仅仅是我安排的，人亡政息是大概率事件，谁也无法保证我的安排能够持续。就算我主动来出头抓这几个未破命案，就怕案子未破，我就退休，到时还是不能确保有人能持续抓这几个命案。”

老姜端着酒杯，盯着朱林看了半天，道：“论官职，你不如我；论境界，我不如你。几个未破命案的第一案是丁丽案，这是案发在我手里。我虽然觉得遗憾，但是退就退了，并没有太想这案子。从这一点来看，我不如老弟，敬你一杯。”

两人碰了一杯，老姜道：“别太执着，你也得想开一些。人力有穷尽时，每个刑警都有办不了的案子。等你退了，我们哥儿俩天天去钓鱼，多一个伴，更舒服。”

两人喝了这顿酒以后，朱林便到了卸任的日子。恰好在这些日子，一个千古难逢的良机从天而降，砸在朱林头上。

第五章
侯大利进入105专案组

市委书记牵头成立专案组

2008年，秋。

一辆豪车来到市委门前。早有一个市委工作人员等在门口，将来客带到市委书记小会议室。来客现身后，市委书记、市长和市委常委、市委秘书长依次与对方握手。

来者五十来岁，身材消瘦，穿白衬衣、西裤和黑皮鞋，干练，沉稳。

市委赵书记道："丁总离开江州有好些年了？"

丁晨光感叹地道："十四年了。"

市委赵书记道："上个月在榕城见面，我们基本达成共识，市委市政府真诚欢迎丁总能回到家乡发展。江州工业园是全省机械行业最强的园区，配套企业齐全，政策优惠。丁总是机械行业元老，以前在江州就是首屈一指，到了榕城更上了一层楼。若是你能回归，肯定能形成江州产品辐射岭西、岭东、湖东多省的局面。"

丁晨光沉默了一会儿，道："前次与几位领导在榕城见面之后，我思考了很久，每次想起女儿丁丽就觉得心里压了一座大山。女儿的案子破不了，我回来以后难以安心。真人面前不说假话，警察完全放弃了我女儿的事，专案组早就撤掉。我的要求很少，只希望至少要有人管女儿的事，不能让她不明不白就这样走了。”

海强市长曾经做过政法委书记，对政法上的事还算内行，解释道：“案子没有破，专案组肯定没有撤。只不过老案一直没有侦破，新案又会发生，所以人就被抽到新案子了。在破新案子的同时，只要发现了老案线索，立刻就要上手。”

丁晨光道：“道理是这个道理。但据我所知，专案组实质不存在了。没有专案组，谁还管以前的旧案？我想了解案情都不知道找谁。”

东部沿海正在产业升级，相关企业正在向中部和西部转移。这对江州来说是一个天赐良机。引来丁工集团，相关配套企业就会逐步转移到江州，这对江州发展来说具有战略意义。

赵书记道：“丁总放心，我让公安局老关过来，你有什么要求都可以提出来。”

关鹏接到市委书记电话后，立刻来到小会议室。

这一次谈话对于整个江州刑侦工作产生了深远影响。此为后话，暂且不提。

座谈会结束以后，赵书记再将公安局长关鹏叫到办公室，交代道：“丁工集团正在考虑搬迁，目前想挖丁工集团的省市挤破了头，丁晨光能够回来谈，还是看在家乡人的情感上。四百八十亿投资，三千个就业岗位，这对江州发展有多重要，老关你自己掂量。”

关鹏道：“在书记面前不说假话，丁丽的案子有十四年了，以前技术手段差，刑警水平参差不齐，没有留下太多有效证据。依靠以前资料，现在侦破的可能性很小，除非碰上死老鼠，由其他案子牵出来。”

赵书记挥了挥手，道：“你看问题还是局限在公安业务上，没有能够上升到政治高度。我再重复一遍，四百八十亿投资，三千个就业岗位，这对江州发展有多重要。命案必破本来就是对公安的要求，公安推脱不了责任。你回去立刻重新成立专案组。这个专案组要有专人负责，抽几个警察专门负责此案，定期与丁总联络，通报情况。至于如何使用专案组，如何调集人手，是你关鹏的事情。我知道公安正在全省搞清网行动，任务重，人员紧，但是人手无论再紧，专案组这几个人还是调得出来。处理好各方关系，不违规，又能解决事，这就考验你关鹏的水平，我相信你能够做好。”

关鹏领命以后，在车上想好了工作方案。

工作方案分为两步，第一步，刑警支队长换将。刑警支队朱林年龄偏大，在支队长岗位上时间长，有十几年。这几年江州出现了好几起没有头绪的杀人案，社会对此颇有非议。老朱作为老支队长必须离开岗位，这既是正常人事调整，又能给公众一个交代。

第二步，任命朱林为丁丽专案组组长。朱林是全省有名气的刑侦专家，从支队长岗位离开以后，可以让他做丁丽专案组组长。退居二线刑警支队长出任专案组组长，应该能对丁晨光有所交代。专案组民警可以从全市各单位抽调，这样既能把专案组架子搭起来，对市委有交代，又不至于影响各单位现有工作。

此工作方案在公安局党委会研究后，上报市委组织部和政法委，通过。

“朱支”这个称呼已经伴随朱林很多年。这个称呼是外界赋予，迟早要被收回，朱林对此有清醒认识。这一天终究到来时，朱林并不平静，甚至可以用百感交集来形容。

江州市公安局分管刑侦副局长刘战刚提着酒菜来到朱林家里，进入家门，立刻改变称呼，直接叫“师父”，不再称呼“朱支”。

刘战刚从公安大学毕业以后，便跟在朱林身后搞案子。

徒弟刘战刚官运亨通，先后担任刑警一大队大队长、支队副支队长、经侦支队支队长，然后成为局党委委员、分管刑侦副局长。朱林这个师父仍然在刑警支队长原地踏步，而且即将退出刑侦指挥员岗位。

朱林穿上围裙，在厨房忙碌。朱林爱人在一旁剥蒜，打下手。听到刘战刚声音，朱林拿着锅铲走到厨房门口，道：“我知道你今天要来，老规矩，吃红烧肉。”

“师母，我来剥蒜吧，要和师父聊聊。”刘战刚走进厨房，接过大蒜。他等到师母离开，开门见山地道："关局在开会研究前专门征求了我的意见。师父，这是大势，你要理解。"

"战刚，我没有这样脆弱。长江后浪推前浪，前浪死在沙滩上，这是自然规律。"朱林指了指围裙，苦笑道，"你看吧，我已经接受了现实。这些年忙案子，很少照顾家，从现在开始弥补。我退居二线，你嫂子笑得最欢。"

刘战刚道："今天我是受关局长委托，和师父商量一件事。"

朱林道："公事可以命令，我不当支队长，还是刑警。至于私事，我觉得没有什么私事需要惊动关局。"

刘战刚扯下一块蒜皮："这件事是公事。可是要把这事做好，必须做通师父的思想工作，若是心里有疙瘩，肯定做不好。我就直说了，市委准备将丁晨光的丁工集团引回江州，据说丁工集团将在江州投资几百个亿，能解决三千人就业。丁晨光提了搬迁条件，要建一个丁丽案专案组。关局想让你领衔这个专案组。"

这让朱林意外。他沉默了几秒钟道："这是你的建议吧？"

"确实是关局的想法。关局委托我来征求意见。我个人觉得师父会答应。"

朱林将手在围裙上慢慢擦着，道："从支队长位置退下来，距离退休又有几年。这几年闲在支队，我会非常难受。这个专案组是我人生最后一个舞台。在接受组长职务之前，有一个问题想问一问市局，只为丁丽设专案组，其他几个未破的案子怎么办？被害人家属知道了会怎么想？说不定会引起轩然大波。"

刘战刚用菜刀将几瓣独蒜压碎，道："师父是什么想法？"

朱林摘下围裙，对妻子道："老婆子，你来弄菜，我和战刚有正事。"

朱林老婆正在悠闲地看电视，享受丈夫回归家庭的快乐，闻言大声道："你都退居二线了，还有什么正事？"

朱林走到客厅，将围裙递给妻子，道："我是退居二线，又不是退休，还是刑警。"

来到书房，朱林和刘战刚相对而坐。

朱林道："我当了三十年刑警，破案无数，立功无数，这八个字真还当得起。但是，江州五起命案没有侦破，这是给我职业生涯最无情的耳光，让我这个支队长灰溜溜的，不管走到哪里都被人戳脊梁骨，害臊哇！若是破不了这几个杀人案，我这辈子刑警算是白当了。我建议成立专门负责这几个命案积案的专案组，专案组的名字就以丁丽被害那天的日子来定名，叫105专案组，将其他四个未破命案全部纳入专案组，这样对丁晨光能交代，对其他事主也能交代。"

"这事得请示关局。"

"我去帮你嫂子打下手，你可以在书房给关局打电话。"

朱林走出书房并没有给妻子打下手，而是在房间里焦躁不安地走来走去。他早就有退居二线的思想准备，一直在想办法让侯大利负责侦办五个未侦破命案。退居二线比预料中来得更快，他转眼间失去了对刑警支队的控制权，安排侯大利负责侦破未破命案的设想自然落空。

上午从关鹏局长办公室出来之时，他曾经把自己关在厕所里独自待了一个多小时。虽然从厕所出来以后便恢复正常，认了命，可是心里总觉得深有遗憾。谁知，山重水尽疑无路，柳暗花明又一村，天下突然掉下一个大礼包。

刘战刚从书房出来，道："关局同意了。他让我提醒你一件事，丁晨光的女儿丁丽被害多年，专案组是针对这件事情专设。"

朱林内心情绪原本低沉，此刻灰暗的心情一点点变得透亮起来，道："专案组真要将侦办其他几件案件的任务接过来，那么在管理上可以考虑将专案组作为一个近期都将存在的临时机构，算是一个独立单位。当然这个只是设想，最终要关局来定，在党委会上通过后才算数。从案侦角度来说，破老案谈何容易，十有八九会由新案牵出来。到时党委会讨论之时，还得多提一句话，凡是发生新的命案，105专案组都要作为辅助单位参战，与技侦支队和法医部门的职责类似。"

刘战刚笑了起来，道："师父还是有一颗火热的心。我原则上同意师父的建议。全局正在进行扫黑除恶大行动，各单位任务非常重。专案组的人员挑选，得和各单位商量。”

他还有一句话没有对师父说出来。

在书房里与关鹏通电话时，两人已经简单讨论了专案组人选问题。关鹏打心眼里对侦破十四年前的悬案没有信心，他的意思是精兵强将还是留在各单位，破积案固然重要，江州老百姓更关心的是最近发生的案子，各单位当前精力肯定要放在有线索的新案上。

朱林当了多年支队长，自然理解“不能荒了自家的地，肥了外人的田”的道理，只是涉及具体办案，还得提出要求，道：“专案组成员不能由我来挑选？全拿最弱的，我也没有办法搞。”

刘战刚道：“我的意见是各单位推荐两个人选，再由你挑选，专案组除了你，再定四个成员。”

朱林道：“不管调些什么歪瓜裂枣，只要让我继续搞案子，我也认。”

刘战刚打了个哈哈，笑道：“有的民警最多业务差一些，谈不上歪瓜裂枣。俗话说，一只狮子领着一群羊，这群羊也能变成狮子。师父就是那头狮子，肯定能带好这支队伍，关局和我都很有信心。”

“我只想调一个人，二大队的侯大利，新分来的政法大学刑侦系毕业生。他在侦办陈凌菲案时表现得很好，在重建犯罪现场上有特殊才能，放在专案组非常合适。”朱林前面做了明显让步，最终将自己真正的核心想法抛了出来。

“侯国龙的儿子算是奇葩，明明可以舒舒服服做国龙集团太子，非得过来当刑警，还当得不错，把当爹的气得半死。”刘战刚与师父达成共识，心情不错，道，“调侯大利之前征求一下他的意见，若是他不愿意，不要强迫。他是普通警察，又不是普通警察，局里得通盘考虑。”

“我会征求他的意见。另外，专案组想请老姜局长当顾问。”朱林知道侯大利当刑警的真实意图，所以有绝对把握说服他来到专案组。

“这个没有问题，我可以表态。”

两天后，105专案组正式组建，由朱林出任专案组组长，原分管刑侦副局长姜大铁为顾问。江州市公安局各单位都必须推荐两个民警给

105专案组，由专案组挑选。

专案组成立以后，市委赵书记特意请丁晨光来到市委小会议室，由关鹏当面讲解专案组成立的情况。

105专案组是以丁丽被害日期命名，用105为专案组名字，明明白白告诉丁晨光专案组的主要目的。以此为名同时还考虑了丁晨光的心理感受，不用丁丽名字作为专案组名字，免得刺激丁晨光。另外，用数字代替具体名字也不会引起其他受害者的强烈反感。

丁晨光感受到了市委市政府的诚意，等到关鹏局长讲完，取下眼镜，抹了抹眼角，道："市局成立了105专案组，能够破案最好，可以告慰可怜娃儿的亡魂。我也是理智的人，案子过了十四年，侦破很难，或许破不了。只要有人还在破案，我就觉得有所安慰。谢谢赵书记和海市长，谢谢关局。我同意与市政府签合同，集团大本营放在工业园区。"

具有重大战略意义的项目终于落地，赵书记和海市长自然很高兴。关鹏趁着两位大佬高兴，开口要装备。赵书记和海市长这一次爽快地答应了公安局购买装备的请求。装备就是钱，装备就是能力，能以一个专案组换来两千多万装备，关鹏大觉划算。尽管这些装备按规定应该装配，可是只要市委市政府推托一句没钱，想要的装备也就成为水中月。

关鹏回到公安局，特意将副局长刘战刚找来传达了书记和市长的意见，提出要将专案组条件弄得好一些，放在刑警支队原来的老楼，单独立户，独门独院。

专案组放在刑警老楼，专案组组长朱林和顾问老姜特别满意。

朱林拿到各单位推荐上来的"精兵强将"名单，尽管有心理准备，还是将名单拍在桌上，骂了娘。拍完桌子，骂完娘，望着老姜似笑非笑的表情，他才想起自己不再是朱支，而是一个卸任老刑警而已。

老姜道："人走茶凉，说话不管用，热脸贴冷屁股，这诸般滋味，老朱慢慢体会吧。我是轮番体会过一遍，现在很能适应了。"

朱林自嘲道："能继续办案，我知足。"

老姜戴上眼镜，重新拿起名单，道："诸葛亮火烧赤壁时，与周瑜一起在手掌心写了'火'字。我们两人分别挑三人，看谁的眼光好。"

推荐名单上有两类人，一类是各单位公认的能力偏弱者，一类是各单位公认的刺头。前者误事，后者坏事，都是各单位不喜欢的类型。

朱林考虑了一会儿，决定“宁要刺头，不要木头”，破案是战争，若专案组全是木头，绝对没有办法打胜仗。他当过多年支队长，有管理刺头的经验，刺头就算头上长尖角嘴里长獠牙，也要给他们掰断弄直。

刺头能进入专案组也得有条件，必须具有某一项特殊技能，能有利于专案组开展工作。关鹏局长作为一把手更多考虑的是政治和社会影响。朱林作为专案组组长更多考虑的是案侦工作。他当过多年支队长，长期跑基层，能叫出大部分老刑警的名字。名单上的刑警，他九成还有印象。

两人独自思考后，各自写下名字。

老姜对推荐上的名单稍稍陌生一些，认识其中五成，反复考虑后，写了两个名字。写完之后，他看过朱林写的三个名字，顿时哈哈笑了起来，道：“真是英雄所见略同！”

第一个名字是刑警支队推荐的女法医田甜。

朱林道：“田甜这个孩子以前真不错，家里出事后，工作态度就消极起来，也不太听指挥，和老谭吵过三四次吧。”

老姜道：“田甜这个女孩业务特别精，比起省厅法医也不差。只要能调动起来做事，是一把好手。我看着她长大，谁知老田出这事，想不到哇。”

田甜父亲曾是刑警，后来辞职做律师，成为江州大律师。去年涉案，被判五年有期徒刑。父亲出事以后，田甜好像变了一个人，失去了对工作的兴趣，经常找借口请病假，还为工作上的小事和部门头头吵架。所以，刺头田甜上了推荐名单。

第二个名字是樊勇。

老姜道：“樊傻儿做事敢下死力气，优点和缺点同样明显，就看如何使用。如果这几个案子真是系列杀人案，那么凶手必然狠毒，专案组弄一个能打的，更保险。而且他有丰富的一线办案经验，指挥得好，是一员悍将。”

樊勇以前是重案大队队员，后来被弄去禁毒。他最大的特点是能打，当初让他进一大队也就是看中其能打的特点。禁毒愿意要他，也是因为能打。

成也萧何，败也萧何，樊勇太能打，在一年前闯了大祸。当时，禁毒支队制订周密的对核心毒贩的抓捕方案。这个毒贩非常重要，是贩毒网络的核心人物。抓住这个核心人物，基本能够破掉覆盖江州的贩毒网络，甚至极有可能顺藤摸瓜，搞掉山南大半个贩毒网络。

省厅对这次抓捕相当重视，派出精干人员协调指挥。最开始一切顺利，在收网时候，禁毒支队长为了稳妥起见，将最能打的樊勇派到最前线，担任抓捕手。

这个毒贩是用枪好手，若是让他掏出枪打响，伤亡难免，最终还不一定能够活捉。当时计划是派两个侦查员进屋隐藏，等毒贩进屋开灯瞬间，樊勇抓右手，另一个侦查员抓左手，通过控制两只手，让毒贩无法用枪。

由于情报准确，前期工作扎实，樊勇和另一个侦查员顺利地将毒贩双手控制住。意外在于毒贩比预期的还要强悍，两个身强力壮的侦查员没有将其完全压住。毒贩拼死挣扎，咬住另一个侦查员的耳朵，用力猛扯。侦查员耳根处鲜血直冒，咬牙承受，牢牢按住毒贩的手。

樊勇看到队友受伤，怒火难以抑制，肘击毒贩头部。毒贩头部被肘尖砸中，后脑重重撞在地上，不省人事。

另一个侦查员的耳朵几乎被撕掉，只剩了一层皮。

毒贩脑部受伤，抢救回来后，变成了植物人。

樊勇作为一线民警，冒生命危险与毒贩搏斗，造成的意外伤害不应由一线民警承担。可是，樊勇肘击毒贩之后，一场战役级成果变成了战术级成果。原本是一锅好饭变成夹生饭，没有办法再吃。省厅和市局大失所望，闷了一肚子火，又发泄不出来。

这一次105专案组抽调人员，禁毒支队顺势将樊勇报了上去。

朱林问道："姜局少写一个人？"

老姜道："很多民警不认识了，没法再选。经侦葛向东，这是谁？"

朱林道："矮子里面挑高个儿，葛向东有特点。小葛美术专业毕业，素描功夫了得。他这人弱点和特点都是交际广，熟悉经济。丁晨光是企业家，丁丽之死十有八九与竞争对手有关系，小葛这种歪才，或许有点用。"

葛向东是经侦民警，在单位不惹事不捣乱，为人处世圆滑，就是工作不太上心，平平常常，主要精力都在帮助家里企业出谋划策。现任经侦支队长认为葛向东过于精明圆滑，不适合留在经侦，这一次成立专案组，将他报了上来。

五起未破命案

105专案组办公地点安排在刑警支队老办公楼。

刑警老办公楼是一幢四层青砖小楼，独门独院。以前作为刑警大本营时，非常嘈杂拥挤。专案组只有五个人，搬进去以后，每人都有独立办公室，楼上还有寝室。除了房子稍显破旧以外，条件还真不错。

报到当天，朱林开警车来到专案组驻地。车未停稳，侯大利开着越野车进了院子。越野车外形方方正正，底盘高，车身巨大，车头大灯气势十足，与旁边半旧警车相比显得霸气凌人。

侯大利在二中队实习之时，掩饰了国龙集团太子的身份。如今侯大利的真实身份不再是新闻，他就大大方方将平常使用的越野车开了过来，不再遮掩。

朱林下车，围着越野车转了一圈，啧啧两声，道："开会以后，你跟我出去一趟，就开这辆车。"

市局各单位上报的推荐名单中没有侯大利。朱林专门找侯大利谈话，不出所料，侯大利痛快地答应进入专案组，没有丝毫犹豫。

"好嘞！"侯大利跟在朱林身后朝办公楼走去。

"专案组是江州市公安局专案组，不是刑警支队专案组，直接由主管副局长刘战刚负责。专案组独门独院，我们得正规化管理，有个单位的样子。你要负责案件材料搜集和内部协调工作，主动与各部门对接。局里还要调一辆警车过来，到时你负责管理两辆警车。”朱林背着手，一边走一边交代。

半小时以后，一个精壮汉子出现在院内，此人结实匀称，肩宽腰细，正是下手“凶狠”的樊勇。

侯大利被任命了“办公室主任”的职务，到楼下接待樊勇。樊勇直愣愣地看着眼前的年轻人，道：“你的眉毛长得真是怪。”

侯大利微笑道：“这是天生的，你的发型也不错。”

樊勇头发挺酷，以耳朵为界，耳朵以下刮得干干净净，耳朵以上留着短发。他用力握着侯大利的手，试图施展握手大法，岂料侯大利手腕极为灵活，朝右轻翻，瞬间逃脱了樊勇的“毒”手。

樊勇咧开嘴笑道：“我听大嘴说你在擒拿上很有一套，果然不错。我要给支队长建议，在一楼设一个健身室，105专案组人少，必须个个精悍。”

侯大利将鼎鼎大名的樊勇带到二楼办公室。樊勇站在门口，夸张地笑道：“在刑警支队，只有大队长一级才有单独办公室，我提前享受到这个级别了。”

侯大利见到他的神情，提出一个尖锐问题：“你愿意到专案组吗？”

“我的绰号叫樊傻儿，但是不是真傻。只要不想当官，无论到哪一个单位都是工作。跟着支队长，专心破案，其实蛮开心的。”樊勇又道，“你这种才毕业的刑警，一般应该傻头傻脑，你与他们不同，富二代毕竟是富二代，见多识广，一点不菜鸟。”

“樊傻儿”的绰号在市局颇为有名，侯大利通过接触得到一个结论：此人面带猪相，心头敞亮，是个可以合作的伙伴。

一辆红色女式车出现在院内。田甜身穿青色西裤，淡灰色衬衣，留齐耳短发，抬头望了一眼站在二楼的侯大利，没有打招呼。

侯大利向其招手，指了指二楼。

“这是你的办公室，钥匙。”

“嗯。”

“寝室在四楼，钥匙。”

“嗯。”

“等一会儿在三楼小会议室开会，我打电话通知。”

“知道了。”

田甜还是和以前一样冷淡，没有因为即将成为同事而寒暄。

葛向东下车后，热情地向楼上侯大利招手。

最后到来的成员并非葛向东，而是退役警犬大李。大李刚从车上下来，顾不得年老体弱，瘸着腿，在老楼奔来跑去，跑得长舌吐出来，不停滴口水。

樊勇、田甜、葛向东到来，朱林都没有现身，但当他听到大李的声音，当即冲下楼，和退役老犬在院子里抱在一起。

葛向东上了楼，与侯大利站在走道上，道：“大李是一只功勋警犬，已经退役。我都以为它死了，没有想到还在。朱支当过驯犬员，和大李感情深。”

专案组第一次会议很简单，顾问老姜发烧没有露面，朱林主持见面会。朱林以前做刑警支队长时，在办公场所总是面带煞气，有关系好的老刑警戏称其为朱冷面。如今到了专案组，朱林脸上煞气突然间消失干净，变得和蔼可亲。他接过葛向东发的烟，津津有味地抽，还调侃道：“葛朗台也开始发烟了。”

绰号被无情叫出来，“葛朗台”顿时成为葛向东在专案组的流行称呼，就如“樊傻儿”代替樊勇一样。

葛向东自嘲道：“支队长，那是好多年老皇历了。当时才毕业，穷得叮当响，是真发不起烟。”

朱林微笑道：“以后别叫支队长了，叫我组长。组座也可以呀！”

葛向东、田甜、樊勇甚至包括侯大利都习惯了朱林不苟言笑的表情，听他开玩笑，极不习惯，格外别扭。

第一次会议没有讨论具体案情，朱林谈了设立专案组的目的、主要任务和管理制度，然后专案组成员自我介绍。

半小时，专案组第一次会议结束。朱林叫上侯大利，前往江州陵园。

侯大利接过警车钥匙，开车直奔公墓。朱林上车以后就闭目养神，一直不开口，恢复了支队长神情。车渐渐接近公墓，气氛越发沉闷。

车停稳，朱林睁开眼睛，道："你挺熟悉这条道。"

侯大利道："经常来。"

进入公墓石板小径时，侯大利被无形的压抑所笼罩，心情灰暗。

朱林背着手走在前，侯大利默默地跟在其身后。朱林在陵园内小山上绕了几圈，来到一座老墓，默默看墓碑。墓碑前有菊花和香蜡残迹，墓碑上镶嵌江州惯用的瓷质相片，相片是一个保持微笑的靓丽女孩。这个女孩与杨帆年龄相仿，青春洋溢，与公墓整体氛围形成强烈的反差。

"丁丽，丁晨光的女儿。"朱林轻声道，似乎怕惊醒墓中沉睡人。

侯大利胸中涌出一股闷气，顶在胸口格外难受。

"不管是否成立专案组，我们都有责任将凶手捉拿归案。每年都有新案子发生，在老案子长期不能侦破的情况下，只能暂时放下老案，有了线索再办老案，这是没办法的事。既然成立了105专案组，我们就不能混日子，全力以赴破案，哪怕在退休前能破上一个，这辈子刑警才没有白当。"朱林站在墓前，似乎是与侯大利说话，又似乎在自言自语。

在受害人墓前，与相片中的受害人目光相对，侯大利不由得想起了杨帆。丁丽其实比杨帆年龄大得多，由于其生命同样定格于青春岁月，这让侯大利产生两人年龄相当的错觉。

在丁丽墓前站了一会儿，朱林又带侯大利走了另外两个墓，皆是将要移交到专案组的几个未侦破命案的受害人。朱林熟悉这几个受害人在墓地的位置，总能找到前往墓地最便捷的小道。

"还有一个叫蒋昌盛的受害者，家在世安桥附近，没有埋在这里。"

听到"世安桥"三个字，侯大利浓厚的眉毛收紧。

朱林突然道："带我去看看那个女孩。"

侯大利惊讶地看了朱林一眼，没有多问，转身朝杨帆墓地走去。两人来到杨帆墓前。朱林默默地看了一会儿墓碑。墓碑上写着"爱女杨帆之墓”，落款是“父母泣立”。碑面很简单，蕴藏无尽悲痛。

两人在墓碑前并排而站，过了一会儿，朱林在心里对墓碑上女孩子默默地说道：“侯大利是好小伙，你的眼光不错。安息吧。”

墓碑上，杨帆一直在注视侯大利，两人目光在空中交织。杨帆所写情书再次如约而至，从脑海深处涌现出来，每个字都在深情地呼唤侯大利。

离开杨帆墓后，朱林道：“你明白我今天为什么单独叫你来看公墓吗？”

侯大利点头后又摇头。

朱林背着手，走在前面，花白头发让其平添几分仙风道骨：“专案组是临时机构，用得不好，这个机构屁用没有。用得好，这是一个可以办大事的平台。你要抓好专案组内务，把物证室、档案室和设备室等必要机构建起来，做好打大仗和持久战的准备。专案组，将以你为核心。你心里要明白这一点，承担更大的责任。”

“为什么是我？”

“只能是你，没有人能承担这个责任。”

“为什么？”

“你还是坚信小杨是被害吗？”

“虽然没有任何证据，但是我始终坚信，没有外力，杨帆无论如何也不会掉进河里。”侯大利指了指脑袋，道，“她骑车经过世安桥的画面在我头脑中形成了电影片段，一遍一遍放映。”

“刑警其实挺忌讳带入个人感情，带入过多感情，会影响判断，甚至导致严重后果。但是，人之所以为人，就是因为有感情。你要控制感情，不能因为感情妨碍案侦工作。如果，我说的是如果小杨果真是遇害，那也只能是从其他案件中牵出来。凭当时现场条件，无法破案。”

朱林说到这里，停下脚步，道：“这就是你能承担责任的原因，慢慢想，会明白的。”

车沿着小山坡向前，将无数丧葬用品小店抛在车后。朱林将想说的话讲出来以后，变成闷嘴葫芦，坐车来到专案组驻地后，没有再多说一句。

葛向东和樊勇一直在刑警老楼等着支队长和侯大利。

樊勇在一楼锻炼出来，散发极具雄性色彩的汗臭，道："奇怪呀，葛朗台居然想请客呀。"

"樊傻儿，拜托你赶紧冲澡，味儿刺鼻。"葛向东衣冠楚楚，身上尽是名牌，与眼前的粗警形成鲜明对比。

樊勇用毛巾擦汗，道："葛朗台，铁公鸡拔毛了。"

葛向东道："到了新单位，请老领导老同事吃个饭，算是拜码头。我自己掏腰包，不花单位的钱，你少在旁边说风凉话。"

葛向东做刑警之时，与樊勇一起执行过多次任务，还曾在一起蹲点三天。两人是老熟人，说话随便。

听到车响，葛向东到走道瞧了瞧。几分钟后，他来到侯大利办公室，进屋后拉着侯大利的手，热情地道："今天专案组开门大吉，晚上喝一顿。我请客。"

侯大利道："好。今天你请客，改天我请客。"

葛向东豪爽地道："那就一言为定，我去请支队长。"

朱林在窗台上种了盆文竹，正在修枝，葛向东走了进来。

"葛朗台请客，难得难得，去。"朱林以前在当支队长时，时刻板着一张脸，一副苦大仇深的表情，部下望而生畏。他来到专案组后变得和颜悦色，极有亲和力。

葛向东笑道："能请动支队长，我面子有光，晚上吃大餐。"

葛向东如此热情组织饭局自有其用意。他妻子的家族在江州做生意，还算不错。得知侯大利居然被调到专案组，顿时大喜，这是将家族生意带入国龙集团的绝佳机遇。

当晚聚餐相当成功，大家都喝了不少酒。唯一的遗憾是田甜没有参加，专案组不算聚齐。

有了侦破杨帆案的强烈动机，侯大利主动推动建设专案组任务。市局用钱不太方便，他就委托夏晓宇公司依照刑警支队设置对刑警老楼进行了改造，购买了一批塑料箱，用来放置物证，还购买了一批铁皮文件柜，用来装卷宗档案。

丁晨光派来专门联络专案组的常总得知侯大利以“警民共建”的名义拉赞助买设备，专门找到朱林，将后面的事情接了过去。常总按照购置单又采购了多用途现场勘查箱、现场强光搜索灯、足迹搜索专用灯、立体痕迹提取箱等市面上能买到的最好设备，赞助给专案组。

十天后，副局长刘战刚来到专案组，先是站在老办公楼前缅怀了青春，这才到二楼与朱林见面。两人在屋内谈完正事，又到三楼参观新建的设备室、物证室和档案室。

刘战刚感叹：“全局经费都紧张，唯独专案组日子潇洒呀！”

朱林道：“这是警民共建嘛。专案组不接受现金，共建单位送点办公用品，不算大问题。”

来到三楼会议室时，侯大利正拿着粉笔在黑板上写写画画。由于精神高度集中，他没有注意两位领导走到身后。

三楼会议室老黑板是原刑警支队研究案情所用。那些年，凡是重大案件都曾经在黑板上出现过，无数岁月里，粉笔写了又擦，擦了又写，见证了江州重大刑案的风风雨雨。

黑板上是移交到专案组五个未破命案的摘要。侯大利将发案时间、地点等最基本要素写了下来，然后站在两米外，抱手思索。

刘战刚故意问道：“这些要素在卷宗里都很清楚，你这样做有什么目的？”

侯大利听到说话声才见到两位领导在身后，打过招呼后，道：“破案类似于数学应用题，要将所有能找到的证据列出来，根据证据解出答案。我把所有卷宗要素列出来，是想找到一条线索能将案件串联起来，线索上附带的信息肯定会反映到最基本要素中。只不过，我们现在还无法识破锁定信息密码。”

刘战刚道：“刑警队尽量少用绕弯子的话，要用最简洁的语言表述你刚才的意思，不要有歧义，不要让大家在理解上费脑子。”

朱林不客气地道：“说人话。”

侯大利道：“我想找到串并案依据。”

刘战刚道："你是受支队长影响，总是认为可以串并案。"

朱林解释道："我压根没有和侯大利讨论过案情，他自己在琢磨。"

刘战刚今天是顺路来到刑警老楼，临时停车，准备看一看专案组运作情况以后便离开刑警老楼。他内心深处其实和局长关鹏一样，对专案组侦办五件未破命案积案不抱希望。专案组虽然未必能破案，由于牵涉到丁晨光这类大投资商，问题便复杂起来，上升到是否与市委市政府保持高度一致，所以专案组不管能否破案，至少领导要足够关心，这是态度问题，必须认识到位。

主管刑侦副局长检查专案组工作，这对朱林来说是一次可以借领导权威来凝聚人心的机会。朱林经历沉沉浮浮很多事，将人心看得很透，他此时没有了支队长职务，要想把队伍团结起来做点有价值的实事，还真不是一般的难，拉大旗，作虎皮，有时很必要。

专案组第二次会议随即召开，主管副局长刘战刚亲自参加。

六人聚于会议室，由侯大利介绍五个案件的基本情况。

第一个案件是丁丽案。

发案时间是1994年10月5日18时17分，当时正在下雨。

讲到第一条时，侯大利心里就咯噔一下，因为杨帆失踪那天，随后也下起暴雨。他暗道："这两者之间有没有巧合？"

遇害地点：江州市中山街道235-1号机械厂家属宿舍2楼左边房间。

案件经过：10月5日，丁丽被害于家中。受害人全身赤裸，颈部被切开，共有六处刀伤，有猥亵迹象，未发生性行为。

致死原因：锐器切开颈部致死。

进入现场：推测是尾随目标，进入家中（门窗完好，未有损伤，受害人有钥匙进屋）。

特征1：此案受害人手上有抵抗伤。

特征2：家中现金540元被盗，主卧衣柜和抽屉有翻动痕迹。

……

朱林道："大家谈谈对此案的看法，有什么谈什么，谈错了不要紧，没有谈到要点也不要紧，不要拘束。"

樊勇和葛向东来到专案组以后完全没有进入角色。

离开禁毒支队，樊勇如绷紧的皮筋一下放松，顿觉无聊，为了保持身体能力，天天在楼下健身和练拳。葛向东趁着专案组正在建设的相对空闲期，帮助老婆家族做生意。葛向东老婆多次感慨：专案组一直这样闲下去，那得多么幸福。

两人心思不在案件上，自然谈不出有价值的看法。

田甜是法医学专业毕业，在刑警队工作期间积累了丰富经验，她从专业角度道："总共六刀，颈部喉头有一处创伤深达气管，这是致命一刀；手掌有贯通伤口，这是抵抗伤。凶手体力比较好，最有可能是屠夫或者医生之类有经验的。"

樊勇反驳道："那可不一定。以我的力量也能形成类似伤口。"

田甜给了樊勇一个白眼。

樊勇很无辜地道："你不用翻白眼，支队长让我们随心所欲地谈。"

朱林道："这种命案积案就是需要跳出惯性思维。葛朗台，你也谈。"

葛向东昨夜熬了夜，接连打哈欠，道："案发时，市局抽调精兵强将，忙了几个月都没有搞出名堂。现在隔了这么久，再来弄，白费力气。这是我的大实话。"

朱林瞪了葛向东一眼，提高声音，道："你这种态度不对。如果我们放弃，那么这几个案子将永远都破不了。你想一想受害者家属，他们天天受煎熬，期盼案件真相大白。我们不能放弃，绝对不能。"

葛向东暗自腹诽："退居二线了，还在唱高调。明明让畅所欲言，结果又不让说真话。"

现场之人只有侯大利知道朱林不是唱高调。杀害杨帆的凶手逍遥法外，吃香喝辣，杨帆却在最美好年华永远离开人世，每次想到这一点，他的心就会痛得缩成一团。

田甜继续发问，道："卷宗为什么是用'切开'颈部，而不是'割开'？"

樊勇抬杠道："切和割有区别吗？就是当年写报告时选了一个字眼。"

"肯定不一样，下意识的用词往往能体现真实状况。"田甜道。

在侯大利印象中，田甜非常冷，说话很短。如今到了专案组，他发现田甜还是愿意说话的，她的话题很硬，和法医身份非常符合。

朱林非常熟悉丁丽案，大家议论之时，思绪飞向了1994年。

那时朱林是刑警支队副支队长，兼任一大队大队长。接到报警电话以后，他离开会场，迅速赶到现场。进屋，地面全是血，腥气浓重，在相对封闭的环境下，血腥气飞腾起来，冲进鼻子，依附到头发和衣服角落。朱林刚穿上夫人送的新衣服，进入现场后，便明白这新衣服只能丢掉，否则永远都有那个味道。

最先到达现场的一名年轻刑警转身跑出现场，翻江倒海地呕吐。

朱林对现场印象非常深刻：丁丽身体赤裸，喉咙被切开，头几乎断掉。凶手离开得很从容，作案后还洗过澡。在浴室喷头的铁栏杆上找到一枚不属丁丽和丁家人的指纹，还有几根头发。

警方首先将重点排查对象放在丁家的亲戚和熟人圈内，其次是丁晨光生意竞争对手，最后是有前科、劣迹的人。

丁丽遇害之时，丁晨光已经是江州发展得不错的企业家。其女被害，江州市公安局相当重视，成立专案组，调集刑警精干力量开展案侦工作。在侦破遇阻后，省厅刑侦专家来到江州，仍然没有突破。

专案组第一次接触具体案件，讨论并不深入，侯大利随后讲述后面四个未侦破案件的基本情况。

第二个案子，发案时间是2001年11月20日，蒋昌盛被人用圆铁锤敲破颅骨，跌落河中，溺水而死。性别：男；职业：农民，生产队长；年龄：46岁。

第三个案子，发案时间是2001年12月17日，王涛被人捅死。性别：男；职业：银行职员；年龄：32岁。

第四个案子，发案时间是2002年2月7日，赵冰如被割喉。性别：女；职业：教师；年龄：27岁。

第五个案子，发案时间是2006年12月23日，章红被扼颈窒息死亡。经尸检，死者体内有大剂量安眠药。性别：女；职业：大学生；年龄：20岁。

这五个案件没有并案侦查。并案侦查是指侦查主体就同一地区或相邻地区，发生的两起以上系列性刑事案件，经分析认定为同一个或同一伙犯罪人所为，并据此将这些案件结合起来，对其进行合并分析调查，找出其犯罪活动的规律特点，全面、统一组织实施侦查的一种侦查破案方式。

并案侦查要达到迅速破案的目的，必须有一个前提条件，即这些所并案件必须为同一个或同一伙犯罪分子所为，实质上就是对各案的犯罪分子做出同一认定的过程。根据能否直接对犯罪主体同一认定，可将客观事实分为两大类：第一类是特定并案条件，即能够直接、确凿地证实数个案件为一人或一伙犯罪分子所为的客观事实，它所反映的犯罪人的特征一般都是特殊的、独有的；第二类是一般并案条件，是通过对案件中相同或相似体貌特征、作案手法等综合分析比对，所做出的同一认定。

这五个案子明显不符合第一类，最早一个案子与最后一个案子中间相隔十二年，从痕迹物证、作案目标、作案手段、犯罪体貌特征等方面没有找到内在联系。朱林凭老刑警直觉，一直认为五个命案肯定有联系，可是直觉没有证据支撑，最终无法并案。

这期间江州发生的其他杀人案虽然还有犯罪分子逃脱未归案，但是能找出明确的犯罪分子以及作案动机，剩下的是何时抓捕归案。只有这五个案子扑朔迷离，成为积案。

侯大利介绍案情之时，田甜盯着其眉毛有几分走神。专案组这个小年轻儿整个眼皮上都是眉毛，看起来十分奇怪。若不是这个怪异粗眉毛，他应该很英俊。有了粗眉毛，英俊程度大打折扣，但却因此有一种怪异魅力，减少了新刑警常有的生涩感，增加了资深刑警才有的沧桑感。

介绍完五个未破命案的基本情况，午餐时间到了。刘战刚听完介绍就离开刑警老楼，对面中餐厅送来五人午餐。名义是工作餐，实则内容丰富。每天一道主菜，或鱼或鸡或鸭，或牛或羊或海鲜，食材好，厨艺佳，味道棒。五人筷子翻动，很是爽快。

若是按照标准，午餐绝对不能吃到如此品质的饭菜。之所以能品尝美食，与刑警老楼对面的餐馆有关。对面餐馆由联络员常总新近买下，重新装修，聘请了高级厨师。专案组按市局制定的用餐标准付费，餐馆则按照"标准"按时送来午餐。

今天午餐是红烧牛肉，大家正吃得香，田甜突然放下筷子，道："受害人丁丽脖子那一刀切得狠深，刀法利索，而且切的是静脉。侯大利，你是政法大学刑侦系毕业，多少学了点东西。让你下手，你能不能分清动脉还是静脉？"

"会不会聊天哪，什么叫多少学了点东西？我能够分清楚动脉和静脉。"侯大利没有放下碗，吃得香甜。

葛向东想起卷宗上的现场相片，干呕数声，道："别看我，我分得清楚动脉和静脉。"

侯大利毕业于政法大学，能分清颈部动脉和静脉很正常，葛向东分得清楚则有些出乎田甜意料："你为什么分得清楚动脉和静脉？"

葛向东道："我学美术，研究过人体结构。"

田甜道："学美术的，为什么当警察？"

葛向东胖脸上挤出一个恶狠狠的白眼，道："你这么如花似玉的女孩子，为什么当法医？"

樊勇大口嚼红烧牛肉，津津有味地听两人辩论，当田甜目光转来时，主动承认道："我分不清动脉和静脉。"

田甜道："樊勇警院毕业都分不清颈部动脉和静脉，更别说普通人了。从现场勘查报告来看，凶手非常从容，一点不慌张，从这点来说，极有可能是有意为之。所以我判断此人是医生、屠户，或者从事过相关行业。"

葛向东胖脸上肌肉抽搐，道："拜托，你们别在吃饭的时候讨论案子，要讨论案子也行，不要讨论得这么恶心。"

朱林默默吃饭，似乎没有听到大家讨论。

田甜原本存了在吃饭时间给大家添添堵的恶趣味，谁知只有葛向东略有不适，其他人都很淡定地吃饭，没有被“血腥”吓住，顿觉无趣。她停下说话以后，父亲蹲在监狱里吃大白菜馒头的场景在脑海中浮现，情绪顿时低落，食欲全无。

午饭之后，侯大利回到档案室。

档案室是里外套间。里间装有新门新锁，专门用来装档案。前间六张椅子和一张大桌子，专案组成员可以在此阅读档案。

侯大利进入档案室后，笑容消失，神情严肃地将四套卷宗装入柜子，留下蒋昌盛案卷。

杨帆遇害不久，蒋昌盛在世安桥附近落水死亡。法医发现蒋昌盛头部塌陷，落水前曾被钝器重击，然后掉入水中溺亡。

在小会议室讲述蒋昌盛案子时，侯大利表情平静，纯粹以专案组民警角度进行客观描述。此刻独自面对案子，他双手按住额头，脑中浮现出当年那一抹红色。

卷宗里有蒋昌盛尸体相片，蒋昌盛尸体在水中浸泡之后完全浮肿，与杨帆落水后状况非常相似。

出事地点接近，尸体状况相似，不同之处是杨帆没有受伤，蒋昌盛落水前受到过袭击。

长期以来，杨帆案丝毫没有头绪。侯大利到山南政法大学读书以后，随着水平提高，越来越认识到破案机会实在渺茫，几乎是一件不可能完成的任务。

他以前是在绝望中坚持，如行走在黑暗的隧道之中，前面没有任何光源，虽然努力向前，不免绝望。蒋昌盛案犹如前行隧道里依稀可见的光源，这个光源或许只是幻觉，但也让他感到希望。

下午，专案组继续开会。

朱林来到专案组以后迅速“蜕化”，端起保温杯，活脱脱一个标准消瘦版本的中年油腻男。当他放下保温杯，谈起案子时，这才恢复老刑警支队长的气质。

“现场，现场，还是现场，现场才是破案的源泉。五个案子是积案，并不意味现场全部消失，将现场和卷宗结合起来，才有可能在看似没有发生过的影像背后，找到隐藏的真相……专案组从人员来说相当于一个探组，分成两个小组，侯大利和田甜一组，葛向东和樊勇一组。从今天开始，读案卷，走现场，从头开始做调查。”

在退休之前哪怕能仅仅破掉一个命案积案，朱林也能求得心理安慰。破掉“仅仅”一个积案并不容易，因为命案发生之时，刑警支队汇集了全市刑侦最强力量，没有破案，说明案件有特别难度。

命案积案因为时间长久而少有人关注，加之这类积案又有特别难度，专案组是否破案都没有太大社会影响。在这种情况下，若专案组不能主动寻找任务，队伍将无所事事，无所事事的后果是队伍涣散。队伍若是涣散，专案组将成为真正的墙上装饰。

座谈会结束，葛向东和樊勇前往丁丽案发现场，侯大利和田甜前往蒋昌盛案发现场。

专案组暂时只有一辆警车，葛、樊小组将警车开走，侯大利开越野车前往蒋昌盛案件的案发现场。

“田甜，你不用开车，今天我当驾驶员。”

侯大利和田甜是搭档，前往现场若是用两台车，未免太隔离。

田甜稍有犹豫，坐上了E级越野车。

“豪车就是豪车，提速快。”

“还不错，加速到一百码只用六点一秒。”

两人在搭档前只是见过几面，完全不熟悉。聊了几句以后，田甜不再说话，靠在座椅上看风景。

车窗半开，风从车窗穿过，吹起了秀发。田甜身材高挑，模样靓丽，与法医身份形成巨大反差，常常引起初次见面者的震惊。追求者得知其职业后，必然落荒而逃。她来到专案组以后，除了讨论案件时说两句，其余多数时间都很沉默。

越野车将至世安桥，侯大利心情变得如铅一般沉重。关于世安桥的这部分记忆永久地烙刻在他的大脑深处，无法遗忘。“遗忘”是自然选择后出现的工具，是对大脑的有效保护，如今所有细节在侯大利头脑中栩栩如生，对心理受过创伤的人来说，如此鲜活的记忆是残酷的折磨。

进入秋季，河水的狂暴劲头完全消失，由恶龙变成观赏鱼，安静、温顺。河面能倒映天上的朵朵白云，优雅中带着慵懒。而多年前的那一个秋季，天气着实异常，电闪雷鸣，河水奔腾不息。

越野车停在世安桥上，侯大利下车。

田甜坐在车上翻阅蒋昌盛卷宗里的刑事侦查工作卷。她对其他材料兴趣不浓，直接依据目录找到法医鉴定部分。

侯大利在世安桥上站了一会儿，温顺河水悄无声息地向东流，让其产生眩晕感。他将视线离开小河，走回越野车，道："我们到案发地点。"

田甜拿着侦查工作卷下车，跟随在侯大利身后。

据卷宗记载，当年找到落水地点颇费周折。

第一，蒋昌盛家属找到村支书，反映丈夫进城卖菜后没有回家。村支书打电话给派出所。派出所还算尽责，提出几个问题：蒋昌盛与其他人有没有重大矛盾纠纷；有谁能证明蒋昌盛受到侵害；蒋昌盛是不是带了很多钱；其他可能导致出事的事。得到否定回答以后，派出所表示没有满足前列条件，劝家属再去找一找。

第二，两天后，河水下游发现了蒋昌盛尸体。

第三，通过尸检得出结论，蒋昌盛是颅骨钝器伤，具体来说是由圆形锤面打击脑部形成骨折。他受伤后，掉入水中以后并没有死亡，而是典型的溺水而亡，符合溺水死亡特征。

第四，通过细致搜索工作，在世安桥附近河边草丛里找到一根从自留地里摘下的黄瓜，又在距离此处约两米处找到扁担，从而确定此处为落水点。

"这是落水点。"侯大利双眼如高清相机一样不停拍摄，将落水点现场情况全部摄入脑中。望着河水时，他脑中又有些眩晕，于是赶紧将目光从河水中移开，尽量不紧盯河水。

田甜道："卷宗在我手里，你没有看卷宗，凭什么能准确找到落水点和捡到黄瓜的地点？”

侯大利道：“卷宗里的相片很清楚，落水点能看到世安桥，在这根电杆附近。准确来说，案发地点距离世安桥有四百一十七米，落水点有一根电杆。”

田甜扬了扬眉毛，道：“你记得相片细节？”

“相片很清楚，两个参照物明显，与以前没有任何改变。”侯大利环顾左右，双眼如探照灯一样巡视周边，努力将周边环境与脑中相片完全重合。

田甜将卷宗图片与现场进行对比，又追问：“大家都刚到专案组，你看卷宗次数也不多，凭什么记得这么清楚？”

侯大利没有回答田甜的问题。他站在落水点，环顾四周，似乎产生了某种强烈的超脱感，身体呈透明状，缓慢升空，从上到下俯视整个现场。

在俯视过程中，形成了一幅动态画卷：蒋昌盛挑着菜担子从世安桥方向走来，担子里剩有少量黄瓜。走到电杆处，凶手从对面灌木丛里跳出来，挥动钝器，敲在蒋昌盛头顶（偏右侧）。击打凶猛，蒋昌盛受到重伤，失去反抗能力，被凶手推进河里。

脑里形成画面之后，侯大利睁开眼睛，自言自语道：“蒋昌盛案和丁丽案有一个共同点，凶手体力非常好，动作灵敏。我怀疑有军警背景，或者曾经习武，或者有运动员背景。”

“这个共同点太普遍，很难构成同一认定。”田甜一直在观察举止怪异的搭档。这个搭档来到现场，两只眼睛顿时发亮，不停闪烁。

侯大利进入现场后，卷宗里信息和现场信息在空中交错、纠缠，发生化学变化，重新融合在一起。

“找到第一现场是蒋昌盛失踪三天后，现场没有发现血迹。我查过当时的气象记录，那几天没有降雨。卷宗特别提到在落水点没有寻找到滴落血迹。综上，我判断凶手敲了蒋昌盛头部以后，在第一时间将其推入河中。击打颅骨和推人的动作非常连贯，速度极短，挨打后的蒋昌盛直接摔入河水中，血迹才没有留在小道上，也没有留在河岸。当时河水流速不急，蒋昌盛被冲了约一百米后陷到河底，直至发胀后浮了起来才被人发现。”

侯大利语气平静地说到这里，内心一点点结冰：杨帆和蒋昌盛的遭遇非常相似，不同点在于蒋昌盛是带伤后溺水身亡，杨帆是没有带伤溺水身亡。有了这个不同点，前者立案，后者没有立案。蒋昌盛是做体力活的壮年人，还带有扁担，凶手不用凶器很难制伏，这就是颅骨受伤的原因。杨帆是体力一般的骑自行车少女，凶手完全可以徒手将杨帆推入河中。

他从蒋昌盛案联想到了杨帆案，觉得这个推理行得通。随即，他又提出另一个无法解决的问题：杨帆和蒋昌盛是截然不同的两类人，若真是同一凶手作案，动机是什么？从现有的材料看，无法推测其动机。

田甜见到侯大利突然间魂不守舍，道：“你为什么是这个表情？我们就是来现场走一趟，走一趟是破不了案的，你这个表情很奇怪。”

侯大利这才从“灵魂飞升”状态中回到现实，道：“凶手作案动机是情杀、仇杀还是财杀？他是菜农，没有钱，从作案现场分析，肯定不是为了钱。与此同理，可以排除情杀，大概率是仇杀。当年一大队侦查员也是如此判断。”

田甜道：“刚才你的说法也不严谨，血迹也有可能留在小道上。圆铁锤砸破脑袋，留下血滴概率很大。找不到血滴原因很多，比如血滴数量少，勘查人员忽略了血滴，比如来往行人经过，破坏了血滴。这是多年前的事，只能凭有限材料来重建现场，时间不可逆，没有谁能绝对真实地复原现场。”

在卷宗附后材料中有当时的案件研究记录，侦查员集中力量排查蒋昌盛的仇人。排查结果显示，蒋昌盛作为生产队长，为人正派，办事也公道，平时很少与邻居红脸，更没有深仇大恨。

在卷宗里，重案大队曾经提起过另一件事情：当时有老板想在生产队建厂，江阳区正在与镇村商谈征地拆迁之事。蒋昌盛坚持认为拆迁款太少，带着全生产队的村民坚决反对拆迁。

有侦查员将怀疑目光盯上了建厂的老板夏晓宇，后来经过侦查，排除了夏晓宇杀人嫌疑。夏晓宇是国龙集团下属的二级企业法人代表，实际负责国龙集团在江州的业务，与侯国龙一家关系极深。

“当时侦破此案的都是一大队办案高手，我是法医，你是新刑警，办案水平肯定低于他们。来一趟就找到线索的可能性为零，甚至永远都无法破案。”田甜发现侯大利脸色苍白，眼神有些恍惚，道，“你身体不舒服，脸色这么难看？”

侯大利用力搓揉脸上肌肉，道：“昨夜没有睡好。”

田甜用探查的眼光瞧着侯大利，道：“没有睡好是借口，你这是精神备受打击的神情。别忘了，我是法医，你瞒不了我。”

侯大利深深吸了几口气，努力调整情绪，道：“确实没事，一会儿就好。田甜，我第一次遇到你时，你基本不愿意和我交流，还以为你挺不喜欢说话的。与闷嘴葫芦做搭档应该挺难受，现在看起来你的话也不少，只是有点硬。”

田甜道：“你那次来技术室，我当时心情正糟糕，算你倒霉。我虽然不是闷嘴葫芦，平时也不太会聊天，聊点硬核话题还行，遇到闲聊就没劲。”

侯大利看了看表，道：“我们到事主家里走一走，或许还能捡到什么有用的信息。”

田甜微微点头，表示同意。她注意到侯大利的腕表与父亲的腕表是一个牌子，五万多一块，对一般人来说很贵，对于侯国龙的儿子倒也正常。

侦查卷第二页有受害人基本情况和户籍信息资料，蒋昌盛的家距离案发地点不远，步行约半小时。

蒋昌盛的家是平房，修建于20世纪80年代，没有围墙，坝子还是土坝，满是小水凼。世安桥这一块属于近郊区，周边农家以菜农为主，住房大多是两层楼，安装有推拉门窗，坝子是清一色水泥坝子。很明显，蒋昌盛遇害后，蒋家失去了顶梁柱，整体破落了。

蒋昌盛妻子五十来岁，头发全白，脸色灰黄，未老先衰。她在院子里洗红苕，见到来人进入小院后，抬了抬眼皮，继续干活。

侯大利介绍身份以后，蒋昌盛妻子喃喃道：“前些年你们经常来问，到底抓到坏人没有，娃儿他爹是个善心人，连蚂蚁都不愿意踩死，一直为生产队做好事。那些坏人硬是下得了狠手，天打五雷轰，生娃儿没屁眼。”

“你娃儿现在做啥子？”

侯大利对世安桥附近农户还算熟悉。这附近农户因为近郊优势，除了做生意、打工之外，还可以种菜，收入还行，比下岗工人日子好过。蒋家有儿子，今年也就二十来岁，从年龄来说应该能够自立，蒋家不应该如此破败。

蒋昌盛妻子表情麻木，道：“他被关到戒毒所了。”

“吸毒？”

“娃儿以前成绩多好，老师说能考上大学。娃儿爸死了，娃儿天天想爸爸，读不进书，出去打工，后来就吸那个东西。”蒋昌盛妻子干涸的眼里终于有些湿润。

杨帆意外身亡后，杨家父母精神完全被摧毁，不得不搬离世安厂。侯大利又见到因为家人遇害而遭到毁灭性打击的另一个家庭，心情沉重。

与侯大利相比，田甜纯粹从公安角度来看待事主，心情相对平和。她对蒋昌盛妻子道：“你不要嫌我们啰唆，我们能再来问案子，说明没有放弃，要给你老公一个公道。我们希望你能尽量配合我们的询问。”

蒋昌盛妻子就是典型的祥林嫂形象，反复强调老公死得冤枉，然后就是抹眼泪。

侯大利道：“我能不能进家里看一看？”

蒋昌盛妻子羞愧地道：“家里乱得很，待不得客。”

进入蒋家，侯大利双眼“嗞嗞”扫描全屋，转了一圈后，停在蒋家墙壁所挂相框上，道：“蒋队长平时戴帽子吗？”

蒋昌盛妻子道：“他头发掉得多，都成光头了，戴个帽子遮丑。”

侯大利追问道：“掉进河里那天，戴了帽子吗？”

蒋昌盛妻子道：“他是队长，好面子，天热天冷都要戴帽子。”

侯大利和田甜离开蒋家以后，又到周围邻居家调查。周边邻居说法相当一致，蒋昌盛为人挺正派，种菜水平高，家境殷实，是一个合格的生产队长。侯大利又问起当年征地之事，村里人都后悔当年闹得太凶，这些年城市向西发展，再没有老板过来用他们的土地。

田甜道："财杀、情杀、仇杀都大概率排除，如果仅仅是激情杀人，案子就不好破。"

"这就是精心策划的杀人案，绝对不是激情杀人。凶手事先踩过点，藏身草丛，蒋昌盛经过时，一跃而起，痛下杀手，非常冷静。为什么没有找到血滴也有答案，蒋昌盛戴帽，喷出来的血被挡在帽子里，帽子又掉进河里，没有找到。"

侯大利头脑中形成一幅连续的画面，画面如此逼真，无论如何与激情杀人不相干。

询问了周边几户邻居，到了十二点，农家灶火生起，飘出饭菜香味。侯大利和田甜步行回到世安桥，再开车回城。错过了午餐时间，侯大利直接将越野车开到江州大饭店，到三楼餐厅要了一个单间。

"这是国龙集团的产业，在这里吃饭，肥水不流外人田。"侯大利身份暴露之后，也不再掩饰。他喜欢美食，能吃苍蝇馆子，更喜欢回到江州大饭店的这家餐厅用餐。

田甜道："不用解释，我不矫情。"

饭店副总顾英很快出现在小餐厅。很长一段时间，侯大利都是独自在此房间用餐，今天居然带了一个年轻女孩，这正是老板娘李永梅需要的新情报。

"田警官，这是我的名片，欢迎到雅筑来吃饭。"顾英很热情地与田甜寒暄。

"田警官是我的搭档，以后到这里来可以签单。"侯大利到了江州大饭店就是回到自家地盘，不再是刑警队的新刑警，而是一言九鼎的国龙集团太子。

顾英很知趣，略为寒暄便离开，找安静地方给老板娘汇报"大消息"。

六道雅筑特色菜被传了上来，菜品不多，品质极高。

侯大利头脑中又浮现出凶手从草丛中跃出的画面，画面如此清晰，让人难受。他不断挤压太阳穴，想挤走这些太过逼真的画面。

田甜陷入惯常的沉默之中，思维处于混沌状，什么都在想，又什么都没有想。

两人在车上还偶尔有对话，此刻相对而坐，奇怪地沉默起来。侯大利强行将凶手的影子驱逐出大脑，举起筷子，说了一声："吃吧。"

自从父亲出事以后，田甜情绪受到极大影响，对外界的事情兴趣越来越淡。她家与警界有千丝万缕的关系，其实知道侯大利身上发生过什么事情。两人成为搭档以后，她觉得年轻刑警话少，不矫情，暗自庆幸，如果搭档是精力过剩的樊勇，或者油头粉面的葛向东，绝对让人难以忍受。

用过午餐，两人前往戒毒所。

蒋昌盛儿子瘦成竹竿，脸色灰暗。他走路缓慢，进门以后，用空洞的眼神面对两个警察。

"警官，我爸的事情讲过很多遍。他是郊区菜农，没有钱，什么都没有，谁会抢他？外遇，没有，谁肯跟他呀？"蒋昌盛儿子谈起父亲，没有悲伤，仿佛在谈隔壁老王。

侯大利皱眉道："你为什么吸毒？"

蒋昌盛儿子道："大家都吸，我就吸。"

田甜很讨厌眼前这个年轻人，转开眼，不看他。

侯大利道："你知道吸毒的后果吗？"

蒋昌盛儿子口气淡淡地道："能有什么后果？人这一辈子就这么一回事，无所谓。我爸一辈子勤劳，最后反而死得惨不忍睹。"

侯大利道："你父亲有仇家没有？换个说法，你父亲和谁有冲突？"

蒋昌盛儿子摇了摇头，道："我不知道，应该没有吧。一个生产队长，算个屁，想跟人结仇也结不了。"

离开戒毒所，坐上汽车，侯大利不停摇头，道："蒋昌盛儿子自暴自弃，算是毁掉了。他这个状态与蒋昌盛遇害有直接牵连。"

田甜对此不以为然，道：“生活不能假设。但是渣人就是渣人，条件好就是纨绔，条件不好就是烂滚龙。就算蒋昌盛不死，这人十有八九还是社会垃圾。”

聊了几句，两人相对无言，陷入沉默。

田甜所在小区距离刑警老楼不远，是以前江州市公安局的老家属院。父亲出事以后，田甜一直想搬到空置许久的别墅，只是母亲坚决不搬。她若搬走，剩下母亲独居于此，实在于心不忍。

父亲出事前，回公安家属院让人舒服，茶余饭后，在满是大树的院内聊聊天，散散步，心情便宁静下来。父亲出事以后，往日热情的人们笑容变得虚假，如戴上面具一般。她逐渐想明白，每个人都戴面具，见不同的人，使用不同的面具，如此而已。

在距离公安家属院还有五六百米时，田甜下了车。

侯大利望着田甜高挑的身影走进家属院，掉转车头，前往夏晓宇公司办公楼。看到卷宗以后，他就准备与夏晓宇私下谈一谈。今天走了现场，又与事主家人见面，正是恰当时机。

“你说的世安桥那边的事啊，我印象深刻。没有想到你居然会负责这个案子。”夏晓宇身材保持得挺好，人到中年，却一点不油腻。

“为什么印象深刻？”侯大利将衬衣从皮带的控制下拉出来，又解开衣袖扣子。

夏晓宇道：“当然深刻。你爸这人虽然不是搞技术出身，对技术还真是特别敏感。挖了世安厂几个好手，拆了十几辆摩托车发动机，硬是生产出新款发动机，效果好得很。当初市政府得知国龙集团准备建一个摩托发动机厂，杨市长亲自过来谈，要求新厂落在江州市区，新厂设在世安桥那一带。杨市长其实挺有远见，想依托世安厂和国龙集团，弄出一个产业集群来。用一句时髦的话来说，理想丰满，现实骨感，大部分拆迁地块都谈妥了，唯独有两个生产队抱团，要价很高。蒋昌盛就是态度最坚决的生产队长，这人在生产队挺有威信，简直一呼百应。如果为了这两个生产队提高拆迁价格，整个江州市的拆迁市场都要受影响，麻烦太多。所以，市政府不能开这个口子，一直通过各级做思想工作。征地这事和企业没有关系，市政府负责拿地出来，我们负责建厂。据我所知，蒋昌盛原本都松动了，谁知突然间就死掉了。这下捅了马蜂窝，社会上很多人都传言是国龙集团想拿地做房地产，找黑社会弄死了蒋昌盛。刑警支队找我核实过很多次。”

侯大利对国龙集团的大事情略知一二，却不了解这些细节，道：“发动机厂后来在阳州建成，规模挺大。难道就是因为此事才搬到阳州的？”

夏晓宇道：“媒体后来跟进炒作，网络上更是有很多人都公开说国龙集团杀人。呸，这些人懂个屁。我们有技术、资金和市场，不管到哪里都是当地政府座上客，用得着杀人？真是没有脑子。这事闹得挺大，杨市长都受了点影响，后来杨市长调到省里，发动机厂最终建在阳州。如今江州发展中心在西边，谁会到世安桥那边投资？那些人如今盼着拆迁，根本没人去。”

侦查工作卷宗里显示刑警支队很快排除了国龙集团夏晓宇的杀人嫌疑。侯大利和夏晓宇聊了一些细节后，明白夏晓宇确实没有任何杀人动机。排除情杀、仇杀和财杀，凶手到底为什么杀人？难道真是没有预谋的激情杀人？这是一个难解的谜，与杨帆案极其相似。

谈完正事，夏晓宇道：“晚上我要参加市政府一个接待，分管工业的副省长到江州。我有个新助理，她来陪你。”

“回国龙集团还要人陪，传出去是笑话。夏哥，你慢忙，我走了。”侯大利走到门口，又道，“夏哥，我需要安一台高清的投影仪，资料室使用。估计要到省城去买，你帮我处理，算是警民共建哪。”

夏晓宇笑道：“小事，我让助理宁凌处理。”

下楼，上车，侯大利在车里犹豫了一会儿，一时之间觉得无处可去，便开车到办公室继续看卷宗。刑警老楼早已门可罗雀，关上门后，专案组自成一体，是一个闹中取静的好地方。

侯大利端坐桌前，凝神聚气，受害人蒋昌盛的相片在脑中渐渐变得立体，能说能动，与现场实景结合在一起，如电影一般。在“电影”里出现的凶手相貌模糊，身体渐成实体，一米八左右，孔武有力，如此身材才能让身高在一米七四左右、长期劳动的蒋昌盛没有丝毫还手之力。

门外响起脚步声。

脚步声渐近，朱林推门而入。他脸微红，略有酒气，道："还没有回家？有什么想法？"

侯大利起身，给支队长拿了一瓶矿泉水，道："没有收获。我们能想到的，重案大队全部想到了。我们没有想到的，重案大队也做了。现场勘查、尸检、线索排查都非常规范。我听重案大队老刑警聊过，当时朱支队曾经提出串案侦查，我想问问理由。"

朱林接过矿泉水，喝了一大口，慢慢陷入回忆，过了一会儿才道："我到过五个案子的现场，几乎都是第一时间去的。蒋昌盛、王涛这两个案子的凶手下手凶狠，直奔要害，平净利索，风格相近。凭多年来的经验和感觉，我觉得是同一个凶手。很遗憾，没有能够找到并案依据。你可以重点先查看蒋昌盛和王涛案。"

一个好的刑警需要有专业知识、生活常识、灵敏直觉和直面现实的勇气，这是刑侦系教授反复强调的四大要件。这四点并列，同样重要。虽然朱林没有找到串并案依据，但是其老刑警支队长的直觉在侯大利心中的分量很重。

朱林离开后，侯大利拿起夏晓宇给的一张名片，给其助理宁凌打了电话。

105专案组经费得到充分保障，丁晨光代表常总随时会满足专案组要求，侯大利为了尽快拿到投影仪和扫描仪，还是给宁凌打电话。

宁凌声音甜美，接到电话后，开头第一句就是"大利哥好"。侯大利将手机放在眼前看了一眼，重新通话，谈了要求。

"什么时候要？"宁凌声音具有磁性，格外温柔。

侯大利又让手机稍稍离开自己的耳朵，道："越快越好。"

"一小时之内，工人就过来。"宁凌爽快地道。

四十分钟左右，两个工人在一个小美女的带领下，来到刑警老楼。工人们安装设备时，宁凌微笑道："大利哥，以后有什么事，可以直接吩咐我。我叫宁凌，是夏总的助理。"

宁凌二十刚出头，颇有几分神似紫霞仙子，活泼，漂亮，又带有几分天真。侯大利不觉多看了几眼，道："谢谢。"

宁凌莞尔一笑，脸上出现了两个小酒窝，温柔又可爱："不用客气，为大利哥服务也是我的工作职责。"

眼前女子颇合侯大利眼缘，性格温婉，活泼开朗。两人一直在聊天，直到工人安装调试完毕。宁凌拿起抹布，亲自擦了桌子，这才告辞。

侯大利是国龙集团的太子，如果不是执拗地要当刑警，此时定然会在国龙集团里成为重要角色，发出号令之后，整个国龙集团上万人都会闻令而动，其成就感肯定会远远超过在专案组当普通刑警。

但是，人生不能假设，这就是侯大利的宿命。

侯大利在走道上看宁凌离开。宁凌离开时，不停挥手。侯大利把宁凌的号码记在手机上，然后开始用新设备扫描五个案件的档案。凌晨三点，档案室前屋已经成为可以播放投影仪的多功能室。忙完之后，他没有回家，睡在四楼宿舍。对单身汉来说，高森别墅和四楼宿舍没有本质差别，皆是睡觉场所而已。

当晚，李永梅接到夏晓宇的电话。

夏晓宇道："大利在刑警老楼弄投影仪，宁凌带人安装的，九点半才回来。"

李永梅兴冲冲地道："宁凌怎么样？"

夏哥道："我是拿着杨帆的相片找人，宁凌最为神似。这姑娘家世清白，又是从985出来的，智商高，在大学里没有乱七八糟的事情。"

李永梅拖长声音叹息道："大利受过大刺激，我最担心他从此不喜欢女人，那就真是大麻烦。正常的大男人几年不找女人，实在太不正常了。我宁愿他是一个花花公子，到处逗猫惹狗，我给他擦屁股。现在他连让我擦屁股的机会都不给，真是命苦。"

夏哥安慰道："我仔细问过宁凌，宁凌和大利能谈得来，还送到走道上。"

李永梅道："那太好了，多创造机会让他们接触。"

第六章
又一桩溺水杀人案

侯大利和田甜成为搭档

朱林在分组时动了一番脑筋。葛向东和樊勇明显长的有猴子屁股，让他们长时间研究卷宗是强人所难，索性将他们分在一组，重点做丁丽案调查工作。侯大利年龄虽然小，却比葛、樊沉稳，与法医田甜搭档挺合适，重点调查蒋昌盛案和王涛案。

上班以后，葛向东和樊勇到刑警老楼转了一圈，到朱林办公室谈丁丽案。

侯大利和田甜在档案室前室看投影。

五个未破命案依照时间顺序出现在幕布上，与相片相比，投影仪出现的人像更接近真人，视觉效果好得让侯大利不忍直视。几条生命以如此惨烈的方式结束，逝者父母、子女的世界观必然坍塌，人生将失去意义和方向。杨帆之死让侯大利心灵受重创，过早思考“生与死”这个大问题，对逝者父母、子女、爱人的心境感同身受。

侯大利思维不断发散，如一束束射向黑暗天空的探照灯光线，照亮了光束附近的夜空。多数天空仍然被黑暗笼罩，隐藏着破解案情的谜底。在他心目中，有六个案子需要侦破，思考时必然要将杨帆案与其他五案进行比较。很遗憾的是“五加一”案是一团乱麻，真相犹如隐藏在黑洞深处。

田甜水杯上印有骷髅头图案，显示出不同于寻常女子的审美情趣。播放丁丽案时，她没有发表意见，不时喝一口咖啡。

播放蒋昌盛案件时，她叫停投影仪，指着受害者头部特写，道：“颅骨受伤位置接近头顶，伤口偏右侧。从伤口的位置、形状来判断，行凶者很大可能性是左撇子。如果其他几个案子皆不是左撇子，那么蒋昌盛案件在现有证据条件下不能与其他案件串并。”

侯大利道：“支队长恰恰判断蒋昌盛案和王涛案最有可能是一个凶手所为。我相信老刑警的直觉，这是无数案子锤炼出来的。”

田甜道：“迷信。”

侯大利道：“不是迷信。对于这种积案，我觉得一定要大胆假设，小心求证。”

田甜道：“既然大胆假设，小心求证，凭直觉，你认为五个案子中有哪些可能串并案？”

侯大利道：“蒋昌盛案、王涛案和赵冰如案，这三个案子里凶手都喜欢使用武力，手法相当利索。”

田甜道：“若真是连环杀人案，市局压力就比现在大十倍。若没有铁证，市局肯定会倾向于不并案。”

老姜穿着手工布鞋，轻手轻脚地来到档案前室，站在两人背后看投影。侯大利和田甜集中精力看投影，不时辩论一番，没有注意老姜局长来到身后。

老姜轻轻咳嗽两声，吸引了两个小年轻儿的注意力，道：“你们太小看局领导的境界了，不管是老朱、我、刘局还是关局，都以破案为第一要务。若是真能确定连环杀人案，大家都会高兴，毕竟又往下走了一步。到了这个时候，每走一步都很艰难。”

田甜道：“我和侯大利观点不一样。后三个案子都是女性，我觉得不会是偶然。社会上很多传言，传得最多的就是有变态杀人专门找落单的女性。”

老姜摇头，道：“我虽然退了休，但是一直在刑警支队做顾问，参加了几个案子的侦破工作。在开分析会时，我反对将章红和赵冰如并案，理由全部来自尸检，章红颈前部皮下出血，喉部及气管周围也有出血，为扼颈窒息死亡。据经验，一般情况下，往往还伴有喉软骨和舌骨骨折。但是章红没有出现喉软骨和舌骨骨折现象，说明凶手很有耐心，力量也不会太猛，从章红体内还检出了安眠药，说明凶手小心，甚至还有些变态，似乎挺欣赏杀人的过程。但是，赵冰如案与章红案有明显区别，此案凶手力量足，下手狠，一刀就切开了受害者喉咙，一点都不拖泥带水。从这点来推断，这是两个不同性格的凶手。”

“确实如此。”田甜本身就是法医，接受了老局长的推断。

“心急吃不了热豆腐，既要细致，又不能钻牛角尖。很多案子看似离奇，等破案时才会发现其实很简单，都在常识之内。最难的是从谜团一样的线索中找到平凡的真相。”老姜又道，“田甜，问你点事。”

田甜知道姜局长要问什么，心情从案件转到家里烦心事上，瞬间低落。老姜在走道上停下脚步，问道：“你爸怎么样？听说在里面出了点事。”

田甜眼睛有些雾水，讲了父亲在监狱生病的事。

老姜脸上分布了十几个老年斑，比同龄退休人员更显老，听了田甜的话，道：“没有想到会是这样，唉，你下次去看望你爸的时候，代我问声好。有什么事给我说一声，我在监狱还有几个老朋友。”

老姜和田甜的爸爸是前后期的警校生，同在刑警队工作过。后来老姜做了市局副局长，田甜爸爸成了大律师，是他们那几届警校生中发展最好的。谁知田甜爸爸在退休年龄出事，奋斗一生全部归零，这令老姜很是伤感。

田甜心情低落，不再到档案室。

侯大利继续重复播放卷宗，努力寻找五个命案中隐藏的信息。

重案大队为了侦破这几个案子，曾经掘地三尺，至今未有突破，说明案件本身有其特殊性。仅仅看一看卷宗就能破案，那是白日做梦。

侯大利深知此点，仍然反复播放卷宗。刑侦是科学，从某种程度上又是一门艺术，资深刑警指挥员的直觉绝对不能忽视。既然朱林和老姜都认为五个案件中应该藏有连环杀人案，那么自己掘卷宗三尺，如果运气好，或许能找出深埋其中的关键点。

连续看了三天投影仪，没有任何突破。

第三天中午，侯大利头昏眼花、心浮气躁，咬牙关掉投影仪，出去散心。他来到专案组以后几乎没有回家，今天走出办公室，坐在越野车里犹豫了一会儿，还是决定回省城看一看父母。

“稀客呀，儿子居然主动回家，太阳从西边出来了。胡子也不刮，头发乱糟糟，你在专案组如果太累，干脆辞职。家里这么多工厂，你挑一个去当老总。”李永梅看见儿子挺高兴，忍不住又嗔怪。嗔怪以后，又觉得儿子瘦得不成样，心疼得紧。

侯大利摸着硬硬的短胡须，道：“没事，洗个澡就容光焕发了。”

侯家有单独一个大院子，每个家庭成员都有独幢小楼，总体布局与六号大院颇为相似。李永梅习惯世安厂宿舍格局，觉得让儿子单独住一幢小楼是不可忍受之事，宁愿让儿子的小楼空着，也要让儿子住在主楼里。主楼三层，儿子住在二层右侧卧室。卧室里有装修豪华的卫生间，圆形浴盆靠窗设立，躺在浴室里可以伸手碰到窗外的香樟树叶。

侯大利从来没有使用过圆形浴盆，想起圆形浴盆里面水波荡漾，大脑就会晕眩。他喜欢用旁边的淋浴，闭着眼接受从天而降的热水，听窗外麻雀叽叽喳喳的吵闹声，总能暂时让大脑完全空白，什么都不想。

李永梅想起了宁凌，躲到房间给夏晓宇打电话。夏晓宇恰巧带着宁凌在国龙集团总部开会，接到电话后，放下手中活，直奔侯家。

洗浴之后，侯大利刮干净胡须，换上宽松套衫，来到一楼主客厅。主客厅除了母亲之外，还有夏晓宇和助理宁凌。

李永梅兴高采烈地道：“儿子，陪老妈打麻将！”

侯大利平时难得陪父母，虽然对打麻将兴趣不大，还是答应了母亲的请求。

四人聚在一起打了几小时麻将，凌晨一点才结束。在李永梅的热情挽留下，宁凌住在别墅二楼东侧客房。

宁凌相貌气质皆佳，谈吐文雅风趣，神情还与杨帆有几分相似。最后一点对侯大利极有杀伤力，他在打麻将时便与宁凌聊得不错。

李永梅洗漱上床后，给夏晓宇打通电话：“你觉得宁凌和大利能成吗？”

夏晓宇道：“嫂子，心急吃不了热豆腐，慢慢来，创造机会让两人接触。大利荷尔蒙呼呼往外冒，宁凌又是一等一的大美女，迟早会擦出火花。”

打完电话，李永梅到楼下儿子房间，儿子房门紧锁，里面没有声音。她转身又到宁凌所住的客房，客房房门虚掩，里面传来轻声哼唱声，歌声婉转悠扬，缠绵悱恻。

二楼主卧，侯大利陷入梦乡。梦中最初是卷宗，随后杨帆出现在梦境。杨帆骑自行车的身影与几个受害者相片混杂在一起，构成一幅残酷画面。这幅画面出现以后，侯大利咬紧牙齿，不停磨牙。磨牙的咔咔声在黑暗房间中打转，撞到墙上四处反弹。

早晨起床，侯国龙、侯大利、李永梅、夏晓宇和宁凌一起吃早餐。宁凌头发蓬松，随便扎了根头绳，肌肤如雪，吹弹可破，清纯如邻家小妹。她主动给侯家长辈端来了牛奶，还给侯大利拿了些糕点。

“谢谢，我早上吃馒头，夹豆腐乳。”侯大利将糕点端回去，又道，“你也来个馒头，我们家是老面馒头，味道不错。”

在放回糕点时，他拿了一个大馒头过来，放在宁凌面前。

这个大馒头有点类似矿井工人吃的大馒头，十分壮硕。宁凌轻声笑，道：“我好久没有吃这种大馒头了。”

侯大利道：“吃多少就掰多少。”

宁凌道：“我没想到你爱吃大馒头，夹豆腐乳，这个早餐有点原生态。”

侯大利指了指李永梅，道：“我的胃口是我妈养成的，这个改不了。早餐不吃大馒头、不吃面条、不吃豆花，根本不算是早餐。”

宁凌在大馒头上抹匀豆腐乳，味道还真不错。

儿子愿意和宁凌说话，李永梅心情着实不错。她在餐桌上做起了白日梦：儿子和宁凌结婚，结束可怜巴巴的单身生涯，也不再当刑警，成为年轻的青年才俊，还当了省市人大代表。

早餐结束，侯国龙道："到书房来。"

侯大利受到昨夜梦魇影响，表面有说有笑，实则心情不佳，到书房，与长成胖脸的侯国龙相对而坐。父子俩到了今天有了不小的隔阂，侯国龙觉得不劝儿子离开刑警队便无话可说，侯大利对国龙集团的经营活动兴趣不大。聊了十来分钟，父子都觉不对味。

从书房出来，侯大利下楼，准备开车回江州。

宁凌正在院子里转圈，见到侯大利出来，便走了过来，道："今天后悔了，把一个大馒头全吃完了，至少长五两肉，得赶紧运动。"

侯大利道："腰只有一把，减什么肥呀？我先回江州了。"

宁凌眼睛亮晶晶的，微笑道："有什么事需要办，给我打电话。"

汽车发动，父母、夏晓宇和宁凌都被侯大利丢在身后。来到江州，侯大利驱车前往世安桥。

梦魇之后前往世安桥，这是多年来的习惯。

与暴雨季节相比，桥下河水如温驯羔羊，低眉顺眼地往东流走。侯大利背对河水坐在石桥墩上再一次回忆杨帆落水前的画面：杨帆从城区方向骑车而过，沿着往日固定行驶的路径，骑行至世安桥时，被人拦住。来人欲行不轨，最终导致杨帆落水。

想到这个画面，那条毒蛇又钻了出来："如果我不和省城哥们儿喝酒，送杨帆回家，就不会出事。"毒蛇钻出以来，沿着血液流动，让侯大利苦不堪言，强行将注意力转到案侦工作上。

从杨帆出事到现在，侯大利一直坚信行凶之人肯定有预谋，肯定是杨帆的爱慕者，占有不成，因爱成恨。警方实际上也持相似态度，所以才排查了五个杨帆的爱慕者。只是，排查没有结果，最终未能立案。未能立案，到现在连一张书面资料都没有，这给侯大利深入调查杨帆案带来了极大阻碍。

他在石桥墩上坐了一会儿，慢慢步行来到蒋昌盛遇害处。

杨帆和蒋昌盛落水之地相距不足五百米，如此近的距离发生两起落水事件，侯大利不敢相信是巧合。他将卷宗中的遇害相片在脑中回放，形成了一个完整画面：行凶者身高至少一米八，左撇子；从隐蔽处跳出来，猛击受害者头部；一击得手后，没有停留，将受害人推进河里。

这个画面在侯大利脑中反复推演，熟悉到忘记了是脑中推演，仿佛是亲眼所见。

刑警老楼，朱林带着大李在院中散步，将刚进院的侯大利招到身边。大李与朱林在一起之时，便不再理睬其他人，冷眼看了一眼侯大利，神情傲慢得很。

“我反复思考，有必要再次强调，你要将蒋昌盛案和王涛案结合起来研究，凶手在这两案表现出来的气质很接近。”朱林来到专案组，神情缓和不少，“朱冷面”这个绰号开始名不副实。但是在谈到案子时，他会不自觉地皱眉、锁额头，多少恢复朱冷面的风采。

侯大利道：“我觉得赵冰如案和蒋、王两案也接近。”

朱林停下脚步，随手摸了摸大李头顶，道：“蒋昌盛是郊区菜农，在卖菜回家途中被人杀害于世安桥附近，凶手使用铁锤敲破了蒋昌盛颅骨，致其死亡。王涛是银行职员，被人用刀迎面刺死。两个案子凶器不同，作案风格却相似，且发案时间只差一个月。发案之初，建民和黄卫都曾经将两案串并在一起侦查。至于赵冰如，与这两案还有些差别。”

侯大利坚持自己的想法，道：“赵冰如是女教师，为人温和，家境一般，家人否认有仇家。凶手割断她的喉咙，一刀致命，下手非常凶狠，风格与前面两案也相似。”

朱林认真地看了侯大利一眼，道：“你有自己的想法，这很难得。在侦办这几起积案的时候，你不必受我影响。”

丁丽案发生时间更早，凶手作案特点与后面几个案子有明显差异，朱林和侯大利都没有将丁丽案与其他案子串并侦办的想法。

上楼，侯大利坐在资料室，在黑板上画了一个格子，填上蒋昌盛案和王涛案的不同点和相同点。他原本准备一起研究蒋昌盛、王涛和赵冰如三个案子，可是在不知不觉中还是受了朱林影响，便将注意力集中于发案时间只差一个月的蒋、王两案。

不同点：从排查情况来看，王涛和蒋昌盛在生活中没有任何交集；凶手作案手段略有差异，在蒋昌盛案中凶手只用圆头锤打了一锤，没有其他动作。王涛案中，凶手迎面捅刺受害者，再割掉了受害者的生殖器；蒋昌盛案的凶手是左手持圆头锤，王涛案的凶手是右手持刀。

相同点：目前来说唯一的相似点很牵强，朱林和老姜都认为凶手体格强壮，心狠手辣。这个判断只可意会不可言传，自然不能作为串并案证据。

卷宗里的材料将侦查员之间的分歧记录得清楚，侯大利将材料吃得很透，可以说是烂熟于胸。

从世安桥回到城区已经是下午一点，侯大利在资料前室坐了一会儿，开车到江州大饭店，进了三楼私房菜馆雅筑。

这是他独自一人时的饭堂，除了服务员和顾英外，没有外人干扰。他随手打开电视，电视在播放鉴宝节目。鉴定一幅书法作品时，老专家拿起放大镜看了一会儿，断言此画是假画，理由是该书法家写“秋”字时最后一笔习惯内收，在这幅书法时“秋”字最后一笔明显往外走。

破案和鉴宝有相同之处，都是用有限条件推断真相。很多人受水平限制，有限条件摆在面前，却总是视而不见。能够从大家都能接触的条件中发现关键点，那就是高手。仿佛黑云中透出一条光线，侯大利重新检视自己的研究工作。他原本以为自己研究案卷相当认真，事实上，他对卷宗的研究还没有达到鉴宝专家的细致程度。

吃过午饭，侯大利买了一个更大号放大镜。

刑警老楼空无一人。侯大利在档案室里拿出卷宗，一页页慢慢翻看。每逢有相片时，便用放大镜仔细观察。增加放大镜倍数只是一个微小改变，却发生了意想不到的作用。

翻到王涛卷宗时，侯大利拿放大镜对准相片局部细节，一点一点移动。王涛遇害后，生殖器被割下，这是此案与蒋昌盛案极大的不同，自然成为侯大利重点观察对象。割下的生殖器旁边放着一段尺子，标示生殖器长度。

由于从身体割下，生殖器就由身体重要部位变成一段肉条。他拿着放大镜仔细观察这一段肉条，一点一点观察。以前在刑侦系学过法医学教程，教材里对生前伤和死后伤有非常细致的描述，从眼前的生殖器来看，创口皮肤裂开，但是收缩不明显，创口不太宽，应该是死后不久形成的创口。用更通俗的话来描述：凶手先将受害者刺死，随即割下了生殖器。

这是卷宗里有过的结论。

反复观察多次以后，侯大利将放大镜放回桌上，闭眼休息。一闭上眼睛，那种类似摄像机回放功能的独特能力自动启动，脑中清晰地浮现出蒋昌盛头部伤口画面，随即又出现被割下来的生殖器画面。

两个图像在脑中并排，不停旋转，演变成大学时期很热衷的《超级找碴王》节目。《超级找碴王》是从数万块魔方中找出不同点，难度远远高于两个图像找异同。两处伤口在头脑中反复转换位置，突然间，侯大利睁开了紧闭的双眼。

他打开投影仪，放大受害者身体和生殖器相片，终于发现一点微小异常：生殖器留在身体部分左侧比右侧稍稍少一些，也就是说伤口并非平行，而是从左到右略有一点倾斜。拍摄时伤口血肉模糊，若非有细致入微的观察，很难发现微小区别。侯大利再放大被割下的生殖器相片，确实有不明显斜痕。

出现这种斜痕，左手持刀的概率很大。

蒋昌盛头颅上的伤痕显示凶手大概率是左手持圆头锤，如果杀害王涛的凶手也曾经用左手持刀，那么两案之间就有了至少一个共同点。

侯大利反复观察相片，确定自己判断不错，兴奋地给搭档田甜打电话。

田甜刚在监狱看过生病的父亲，情绪沮丧，冷冷地道："别给我谈案子，没兴趣。"

侯大利满腔热情被泼了一盆冷水，放下电话后，慢慢冷静下来，重新审视自己的发现。他克制住立刻给朱林打电话的冲动，到楼下转了一圈。大李一瘸一拐地跟在侯大利身后走了走，随即又回到小窝，趴着不动。

刑警老楼仍然只有一人，专案组其他成员不知去向。他走了一圈后，为了压住激动心情，到楼下健身房做运动。

“去看看。”田甜出现在健身房门口，神情还是冷冷的。

侯大利没有计较田甜在电话里的态度，擦掉汗水，三步并两步上楼。

田甜仔细用放大镜观察被割掉生殖器的细节后，道：“拍照角度有可能偏差，不能作为证据。现场拍照技术也一般，仅凭相片，很难准确判断。”

侯大利道：“我们可以还原当时的情景，凶手捅刺了受害者六刀，全部在当胸处。这六刀都是右手持刀，为什么在割生殖器时改为左手持刀？我认为凶手刺了六刀以后，情绪完全放松，下意识就使用了自己的习惯手，也就是左手。捅六刀是刻意控制，割生殖器是自然反应，这和使用语言差不多，有的人平时有可能长期使用第二语言，但是在最危急时刻，或者弥留之时总是会说母语，母语和左撇子一样，才是最本能的行为方式。”

田甜抄着双手，道：“仅仅是这张相片，你不能说服我。”

下午三点，朱林来到刑警老楼。听罢侯大利讲解，朱林站在投影仪前久久不说话。过了良久，他拨通电话，道：“姜局，你到老楼，似乎有点新发现。”

十来分钟后，老姜喘着气来到档案室，樊勇跟在其身后。老姜平日总是和蔼老头形象，站在投影仪前，变回一尊气势逼人的老神，眼神逼人，道：“什么发现？”

侯大利选出蒋昌盛颅骨受伤的相片和王涛生殖器被割掉的相片，指出两者之间的联系。

樊勇揉着眼睛，左看右看，也没有能够看清楚割掉生殖器那一刀细微的倾斜度，于是唱反调，道：“变态，你这种说法是乱扯。你说的倾斜度就算真实存在，凶手真是用左手割鸡鸡，也不能说明任何问题。凶手作案时往往会有各种意外情况发生，比如，右手捅了六刀，手酸手软，割小鸡鸡的时候换个手。再比如，右手在捅人的时候被割伤了，割小鸡鸡也可能换手。”

田甜补充道：“樊勇话糙理不糙，当前最关键的是实物缺失。若是当年保存了割下来的生殖器，那就好办了。”

老姜看了朱林一眼，竖起大拇指，道：“你当年赖在我办公室不走，非要买专用刑侦保管柜，确有先见之明。”

朱林道：“堂堂江州市刑警支队，没有像样的专用柜，丢脸。”

侯大利闻言一惊，道：“被割下来的部分还保留着？”

朱林点头，道：“命案未破，这就是重要物证，怎么能丢掉？全部在支队保管柜里。”

田甜没有料到还有保存至今的生物检材，喜出望外。这是发自内心的喜悦，冲淡了从监狱出来的沮丧。

众人到达刑警支队时，分管副局长刘战刚已经坐在支队办公室。大家也不寒暄，直奔物证室。

按照《法医学物证检材的提取、保存与送检》要求，法医学物证检材需要低温放置。江州市公安局物证保管室是整个山南最先进的，购置的双门物证保存柜控温精准，温湿度同时显示，里面存放着未破命案的法医学物证检材，除了王涛被割掉的身体组织，还包括其他案件的毛发、鼻涕等等。

分管副局长刘战刚参战，刑警各单位不敢怠慢，老资格李法医亲自检查受害人被割掉的生殖器。田甜主动戴上久违的手套，站在老法医身旁。

老法医亲自对保存下来的法医学检材进行分析之后，得出结论：凶手割生殖器时，左手持刀。

圆头锤敲头用的是左手，头顶只有一个伤口。

割生殖器用的左手，是在刺完六刀后以后发生的行为。

这是蒋昌盛案和王涛案在目前最大的相似之处。这个相似点对于确定侦查方向很有用。真实的侦查工作并非如小说电影中那么波澜起伏，侦查员会做很多枯燥和无趣的工作，这些枯燥工作往往无趣，却能直接剥去犯罪嫌疑人的伪装。

侯大利向朱林提出建议："蒋昌盛案和王涛案有可能是一个凶手所为。我建议如果有新发命案，105专案组应该参战，通过新案或许能挖出老案的线索。"

"105专案组当然可以参战。我给刘局讲一讲。"

侯大利在努力寻找"杀害杨帆的凶手"，所以努力将105专案组与新发命案联系起来。朱林对此心知肚明，恰好这个建议也正是自己曾经提出过的建议，于公于私都有利，没有否决。

主管刑侦副局长刘战刚同意此建议。为了进一步提振士气，刘战刚还特意到专案组小会议室召开较为轻松随意的讨论会。

刘战刚开门见山地道："专案组工作卓有成效，发现了蒋案和王案存在的疑似相似点。万里长征往前走出第一步，凝聚了所有参战侦查员的心血。但是距离破案还早得很，大家要有心理准备，绝不能懈怠。大家在案子里有什么想法，可以随便谈。"

樊勇脱口而出，道："如果真有一个连环杀人凶手，肯定还要作案。换句话说，他继续作案，我们才有破案机会。从破案角度来说，我还真希望连环杀人犯继续作案。"

"樊勇，住嘴。"朱林打断了樊勇。

樊勇说的是真话。在生活中很多真话只能意会，却不能明确说出口。明确说出口，那就是政治不正确。

樊勇是老刑警，心直口又快，却并不愚笨，知道说了错话，赶紧挥手道："呸，呸，我收回。"

消失多年的凶手又出现了

周日，《江州日报》副社长朱建伟起床后就接到好消息：市委常委会在周一要讨论人事，报社社长在讨论之列。说得更直接一些，常委会之后，他将由副社长变为社长。

刮胡须之时，他回想起七年前来到《江州晚报》再到《江州日报》

的点点滴滴，很是感慨。

七年前，朱建伟从县级报社调到晚报当普通记者，开始了一场新的人生之旅。在这七年时间里，他是报社最勤奋的人，所有心思都扑在工作上。付出总有回报，七年时间，他通过辛苦工作，从一个普通记者爬到江州报社副社长位置。

早饭前，朱建伟到书房写了一幅字：有志者，事竟成，破釜沉舟，百二秦关终归楚；苦心人，天不负，卧薪尝胆，三千越甲可吞吴。

这是朱建伟最喜欢的一幅字，每当工作上遇到挫折之时，总会在心中反复默念这幅字，这幅字成为他重新鼓起勇气的精神寄托。

人逢喜事精神爽，朱建伟很满意今天早上的书法作品，用镇纸将作品压好以后，来到厨房，对正在弄早餐的老婆刘红道："今天这幅字写得不错，你去裱起来。我搬了办公室就挂在新的社长室，这将是《江州日报》所有员工都要记住的格言警句。"

刘红道："常委会还没有研究，你就这么肯定能当上社长？"

朱建伟骄傲地道："书记、部长都认可的事情，怎么会变？今天我去钓鱼，放松放松。当了社长，事情更多，唯一爱好多半要被剥夺。晚上我们要来一盘哪，热烈庆祝你的老公当上社长。"

刘红打掉伸进衣服里的大手，嗔道："我在做饭，别摸摸搞搞。"

"夫妻间不摸摸搞搞，那关系就到了崩溃边缘。"

与妻子说笑一阵，朱建伟喝稀饭，吃包子，而后背着渔具，下楼开车。

对钓鱼高手朱建伟来说，江州最好的野钓地点不是江州河。江州河流经城区，污染比较严重，里面的鱼有一股煤油味道，郊区李家水库上游才是野钓的最好地方。朱建伟带了面包和牛奶，准备好好过一把野钓瘾。

晚餐时间快要到了，朱建伟还是没有回家，手机也处于关机状态，刘红最初还以为丈夫又去喝酒，没有在意。

黄昏时分，一阵刺耳的电话声永远改变了刘红的生活。派出所打来电话：朱建伟溺水身亡。

刑警老楼，朱林接到重案大队电话后，整个人如同打了兴奋剂，打通档案室座机电话："通知专案组全体成员，前往李家水库。"

以前在当刑警支队支队长时，案子忙不完，朱林总想忙里偷点闲，过一过普通市民生活。到了刑警老楼后，他可以正常下班，天天过普通市民生活，最初还觉得不错，时间久了，闲得发慌，慢慢感到生活失去目标和意义。新案骤起，他感觉真如久旱逢甘露，身上霉斑一扫而空。

专案组平时透着几许散漫，两个小组各行其是，到了关键时刻居然没有掉链子，所有成员在十分钟之内到齐。

两辆警车来到李家水库，专案组五个人下车，来到第三道线外。

发生命案设立三道防线是当年朱林定下的铁规矩，第三道防线之外是无关人员；第三道防线和第二道防线之间的区域可供记者以及当地干部使用；第二道防线和第一道防线之间的区域可供警方指挥员、救援人员和后勤人员使用；第一道防线之内则只能是勘查人员、法医和骨干侦查员。

朱林来到第二道防线和第一道防线的指挥岗位。新任支队长宫建民正在发火，道："谁叫你们用粉笔画圈？粉笔是外来物质，能少用就少用！"

很多侦查员在案发现场都习惯用粉笔和白灰来画圈，这是朱林最讨厌的做法之一。朱林当了多年支队长，影响了一大批骨干，宫建民便是其中之一。宫建民完全接受了不用粉笔和白灰画圈的方法，发现从责任区刑警中队抽调过来的民警李超正在现场用粉笔画圈，便毫不留情地当场批评。

李超正准备将十来厘米长的粉笔线擦掉。宫建民又道："画上了，就别擦，越擦越糟糕。李大嘴，你虽然是老刑警了，到了重案大队得重新学。"

李超老老实实点头，见到徒弟侯大利，有几分尴尬。

宫建民道："朱支，进去看一看。"

朱林挥了挥手，道："我不去了，让小侯和田甜进去。他们的任务是查看这个案子是否和老案有联系。"

田甜是老法医，宫建民不反对其进入核心区。他对侯大利道："你勘查过命案现场没有？"侯大利道："没有。"宫建民眉头纹很深，道："那你别进去。"

朱林道："小侯刑侦系毕业的，水平很高，懂规矩。"

宫建民给了朱林面子，道："去吧，不要扰动现场，听田甜指挥。"

侯大利跟在田甜身后进入核心区。

手套、鞋套、口罩和帽子是江州刑警进入核心现场的标配。侯大利穿戴完毕后进入现场，眼皮上特殊的眉毛完全竖立起来，双眼如扫描仪一样，将现场情况扫描进大脑。扫描过程中，侯大利嗅到了与蒋昌盛案相同的味道，脸色越来越严肃。他脑中出现了一幅图画：凶手用凶器猛击受害者头部之后，用力将其推下水库。

湖边凶手"影片"与当年蒋昌盛案基本一致。

侯大利进入核心区以后，尽量不去看水边，免得身体发晕。可是，朱建伟是从小道摔到湖底，他必须从小道上边往下观望。

风吹过，水面泛起涟漪，远处管理房的灯光照在水面，随波乱动。这本是一幅美丽的图画，对侯大利来说就不太美妙。他为了确保不掉进湖里，抓住湖边小树，这才探出头，查看水边摔落点。

水面随风摇晃，侯大利头脑眩晕，胸口烦闷，差点吐了出来。

重案大队大队长黄卫一言不发地站在核心区观察周边环境，见到侯大利紧抓树枝，走了过去，道："恐高？"

侯大利仍然抓紧树枝，道："感冒。"

105专案组是辅助单位，侯大利和田甜看罢命案现场之后，回到第二道防线。

现场勘查和法医检测完毕后，参战民警借用水库管理房召开现场分析会。首先是现场勘查民警汇报，其次是法医汇报，最后是最先来到现场的派出所民警汇报发现尸体前后的情况。

湖边小道是开放的水泥路面，现场几乎提取不到有用信息。

法医经过初步检验，暂时明确四点：一是死者口、鼻部没有蕈状泡沫；二是立毛肌收缩，形成鸡皮疙瘩；三是尸体双臂骨折，符合高空坠落特征；四是尸体摔落在湖面，颅骨有两处明显骨折，一处是颅顶骨折，伤口较大，另一处在偏右侧有一处骨折，伤口稍小；致死原因是从高空坠落形成头部骨折。更准确的报告要等到对尸体解剖结束后才能形成。

主管副局长刘战刚问道："能不能确定为意外事故？"

李法医道："从现场检查的情况来看，朱建伟双臂骨折，说明摔到湖底时伸出双手护头，意味着摔下时仍然活着。若是摔下湖底时已经死亡，双臂不会护住头部。"

刘战刚听得很认真，道："如何解释颅顶有两处骨折？"

李法医耸了耸肩膀，道："水库底部有很多石头，摔下时，极有可能有两块尖石恰好在头部这个位置，形成了这处骨折。他摔落水面以后，头部浸在水中，这给我们尸检带来了一些难度。而且死者身体全部落下后，扰乱了尖石位置，加上水面干扰，现在无法一一复原当时现场情况。"

刘战刚道："首先我要判断是不是案件，老李，你从法医角度来谈谈，不要含糊。"

李法医苦着脸，道："从现场检查来看，暂时没有发现人为造成的伤痕。最终结果还得看更详细的尸检结果、毒物检验结果，以及痕迹技术员提取的衣物检测结果，这样得出结论才全面。"

既然极有可能为意外事故，所有参战刑警神情明显轻松。

当年杨帆落水以后，警方给出了意外落水的结论。由于给出了意外落水的结论，到了现在杨帆落水之事连卷宗都没有。这一次又出现了落水事件，侯大利深觉蹊跷。

法医汇报结束，刘战刚又转向派出所民警，问："今天是周末，钓鱼的人不少，有没有目击者？"

派出所民警道："最先发现尸体的是水库管理员，他们是从上游管理房回来，无意中发现湖边趴着一个人。这个地点恰好有一个拐弯，视线不好，通过我们走访调查，暂时没有目击者。"

当最先到达现场的派出所民警汇报结束以后，刘战刚道："朱支，

105有什么意见？”

一直默不作声的朱林道：“侯大利和田甜进入了现场，由侯大利来谈吧。”

虽然侯大利在陈凌菲案件中曾经表现出色，肯定要获三等功，可是在宫建民心目中这个新刑警在陈凌菲案中有运气成分在里面，他暗自坚持认为：“一个真正命案现场都没有经历过的刑警，绝对不会是优秀刑警，侯大利有潜力，那也得多经历几个案子才行。”

有了这个想法，支队长宫建民对老前辈朱林特意点名，由侯大利代表105专案组来谈案情颇不以为然。

在技侦、法医和派出所民警汇报时，侯大利将朱建伟落水现场所有信息都输入脑海之中，并且构建出一个三维立体图形，与蒋昌盛、杨帆落水现场进行比较。三个现场图形在他脑海中彼此重合、对比，让他很快就嗅到了一股熟悉的味道。

在蒋昌盛案中，河岸发现了散落的四条黄瓜，但是没有寻找到血滴，没有找到血滴的原因极大可能是蒋昌盛有戴帽子的习惯。侯大利来到专案组一直在研究蒋昌盛案，熟悉案件细节，在听大家分析朱建伟落水之事时，很自然地就以蒋昌盛案件作为参照来研究这次“落水事件”，特别是“朱建伟颅骨偏左侧处骨折”让他想起蒋昌盛案行凶人的左手。

面对众多老刑警，侯大利缓缓开口，道：“朱建伟离开家时有没有戴帽子？”

这是一个极为怪异的问题，参战刑警都皱眉思考侯大利问这个问题的原因。

李超隐隐为自己的徒弟担心。在场都是经验丰富的老刑警，虽然侯大利文凭硬，人也聪明，毕竟经验浅，若是在案件分析会上开了黄腔，以后绝对会被老刑警看轻，这很麻烦。

宫建民问道：“为什么要问这个问题？”

侯大利道：“我研究过蒋昌盛案，当时蒋昌盛头颅就被人用锤子敲过，没有在小路上找到血迹的原因极有可能是戴有帽子。如果朱建伟颅骨偏右侧处的骨折是在小道上形成，那么抛出血滴的可能性极大，我们应该在岸边树叶中查找血滴，找到血滴，那就是凶杀案，找不到血滴，就有多种可能性。”

让105专案组参战的主要原因是在新案中寻找老案的线索，侯大利以老案来推断新案，符合逻辑。

宫建民马上安排刑警调查此事。调查组刑警随即打电话给刘红，得到准确答案：朱建伟从来不戴帽子。

“侯大利，这可是六七米的悬岸，不是一件小工程。”刘战刚对眼前富二代小刑警很有些好奇心。此人除了富二代这个背景以外，还是师父朱林点名进入专案组的，以师父的眼光，富二代小刑警应该有两把刷子。

这是一个极为大胆的建议，也是花费时间、人力和金钱都极大的建议，最后很有可能是竹篮打水一场空。侯大利没有犹豫，用肯定的语气道：“如果头颅上只有一处撞伤，那我不会提出此建议。从伤口形状来看，其实有一处骨折很接近铁锤形成的伤口。”

李法医道：“我在现场只是大体上进行检查，具体情况还得等正式尸检结论出来。晚上我加班看一看骨折线，查了骨折线，就容易判断出来骨折形成的先后顺序。如果另一处骨折明显早于头顶处的大窟窿，那就有问题。如果是摔下来同时导致两处骨折，应该能看得出来。”

这是一个稳妥的建议。

侯大利当即提出反对意见，道：“如果岸边有血迹，晚上下雨，血迹就会被冲走。事不宜迟，立刻检查悬岸。”

他提出这一点是从杨帆案中得到的教训，杨帆失踪不久，天降暴雨，毁掉了所有痕迹。这是切肤之痛，他印象极深。

几个领导低声商量几句，最后刘战刚拍板，彻底调查六米高的湖岸上，寻找有可能出现的血滴。

宫建民有些迟疑，道：“若是放绳子下去寻找，极有可能破坏有可能存在的血迹。最妥当的办法是搭架子，尽量少扰动岸边树叶和草丛。现在天晚了，等到工程队将材料运过来，也得从明天开始。我建议先等待解剖结果，再说搭架子查血迹的事情。而且，局里财务审得严，这笔开支不小。”

“国龙集团江州公司做工程非常有经验，我让他们连夜派人来搭架子。”侯大利是国龙集团太子，由他发话，国龙集团江州公司肯定会尽全力。刘战刚是刑警出身，知道破案必须抢时机，略为思考，同意了侯大利的提议，并要求技术室派人守在湖边，架子搭起后立刻搜索悬岸。

侯大利打了一通电话以后，半小时，就有三个工程师来到湖边查看现场，商量方案。

工程队讨论搭架子时，李超将侯大利拉到一边，语重心长地道：“你娃太鲁莽了，完全不知道隐藏锋芒。”

侯大利道：“这是破案，我知无不言，言无不尽，和隐藏锋芒有什么关系？”

李超拍着侯大利肩膀，道：“这里面有点微妙，刚才那番话如果朱支来说，屁事没有，到时找不到线索，最多就是查否一条线索。你来说，若是找不到血迹，别人就会说你是青屁股娃儿，办事不牢靠，瞎扯。还有人会说刑侦系出来只会掉书袋，实际办事不行，没有真本事。下次别自己逞能，你有想法要通过朱支的嘴巴说出来。”

侯大利淡然地道：“谢谢师父。我只想当一个能破案的刑警，对当官没有兴趣，别人议论关我屁事。”

李超道：“你是鸭子死了嘴壳子硬，没有人生活在真空，当刑警还得会应付各种关系。我就是以前太耿直，话也多，到现在还是这个狗屁模样。”

工程队安了灯，准备好光源。天黑尽，灯光大亮，无数工人下到湖底，连夜施工。

侯大利给田甜打去电话，询问解剖结果。田甜正在给李法医当助手，取下沾满血迹的手套，拿过手机，道：“才开始，别打电话。”

脚手架从湖底往上搭到一米，没有找到血迹；搭到两米，仍然没有找到血迹；搭到三米时，还是没有找到血迹。搭到四米时，侯大利虽然暗自有些忐忑，可是面对现场技术民警怀疑的眼光，显得非常镇静。

现场弥漫起怀疑和焦躁气氛。

留在现场的李超在核心区外走来走去，替徒弟着急，急得手掌都抓紧了。

晚上十一点，田甜打来电话：“你的判断是对的，头骨有一处骨折是被钝器击打形成，通过骨折线来判断，早于颅骨顶端的骨折。”

这是比较好懂的道理，头骨受钝器打击会形成骨折线，其后再次摔骨折，其骨折线在前面形成的骨折线处将停止。通过观察停止点，就可以判断出受伤的先后顺序。

接到电话，侯大利松了一口气：通过解剖证明朱建伟死于钝器，那么此案就是凶杀案，并非意外事故。

李超得知此情况，指着徒弟道：“你娃运气好，否则真不好说。”

脚手架处传来一阵高呼：“在树叶上发现血滴！”

侯大利这才真正地舒了一口气，道：“老天有眼，找到血滴了。”

李超拍打徒弟的肩膀，道：“你娃撞了狗屎运，天大一个狗屎运。”

找到血滴后，还需要证明是从朱建伟身上流出来的血，才能最终确定朱建伟是否受伤后摔进水库。如果朱建伟真是受伤后跌进水库，那么就有了立案侦查的根据。虽然还不能确定发现的血滴是否来自朱建伟，但是发现血滴以后，凶杀可能性激增，重案大队神经紧张起来。

找到血滴不久，李法医做出了正式的尸检报告，虽然死者胸腔腹腔大量积血、肝脏脾脏肾脏破裂，符合高坠特点，但是其中有一条非常关键：颅骨是脆性物质，其遭受打击后产生放射状裂纹即骨折线，伤口较大的A骨折线在延伸过程中被B骨折线所阻挡而中断，所以较小的伤口出现在前。从伤口形状分析，是由圆头锤造成。

在岸边树叶上发现数量不少的血滴，结合李法医给出的报告，可以确定朱建伟坠湖非意外事故，而是被人谋杀。

刑警支队连夜在管理房处召开了第二次案情分析会。

第七章
连环杀手暴露踪迹

侯大利得罪了重案大队

105专案组作为辅助单位参战，侦办工作由重案大队具体负责。第二次案情分析会结束以后，除了朱林以外，105专案组成员纷纷回城。

侯大利开车，田甜坐在副驾驶位置。

“你虽然是新刑警，论本事不比重案大队老刑警差，应该全程参加。”车开了几分钟，田甜突然为侯大利抱不平。

侯大利在当时确实想继续留在现场，离开时略有几分不满。开车回城时，他已经调整了心态，道：“地球离了谁都转，更别说我这种新刑警。”

田甜哼了一声，道：“你虚伪！想参加就说出来，何必憋在肚子里。若是朱支队还在主政，肯定会让专案组全程参加。宫支队以前是朱支队的副手，多半不想让朱支领导的105在眼前晃来晃去。若不是刘局一直在挺朱支，说不定105专案组连今晚的机会都没有。”

“我有预感，这案和蒋昌盛案有关联。以朱支的话来说，凶手作案的味道很接近。所以，迟早有我们上场的机会。”侯大利之所以“冒天下之大不韪”选择当刑警，目的很明确，就是为了侦办杨帆案，这是最高目标，其他都是次要目标。蒋昌盛案、朱建伟案和杨帆案非常相似，如一根绳上穿起的蚱蜢，他发现了这根绳，对于侦办杨帆案便多了些信心。

车在夜色中穿行，很快就回城。即将进城时，在一处工地前被一个工人挡住去路，工人后面还有几十个工人。

侯大利摇下车窗，道："什么事？"

挡车工人神情激动，道："我的钱被偷了，警察要帮我抓小偷。三千块，好不容易才存下来。"

侯大利道："报警没有？"

工人道："我正要打110，警车来了。"

田甜原本以为侯大利会将这种小破事推给派出所或者责任区中队，没有料到看起来挺机灵的人总是办傻事，居然真下车管"闲事"。

侯大利在工人簇拥下走进工地，来到标准化住房前。一个经理模样的胖子见到侯大利，堆起笑容，正想打招呼，见到对方摆手，想起夏总在酒桌上交代，赶紧收笑脸。

丢钱工人激动地道："龙总，我真不是想给工地丢脸。我做了半年才存了这点钱，家里急着用钱。"

龙经理绷紧脸，道："让你们把钱存在银行卡上，卡丢了补办就是了，你们真是没有长耳朵，现在丢了钱，如果闹出去就要丢公司的脸。"

侯大利从小在世安厂长大，太熟悉相关场景，道："把房间里的人全部叫到会议室，我有话要说。"

丢钱工人共有十一个室友。这些工人被叫到会议室后，侯大利将警官证展示给大家，然后道："一个房间住十二个人，十二个人就是兄弟。我相信拿钱的人绝对是一时冲动，谁都有一时冲动犯错误的时候。大家出来打工，就是赚钱补贴家用。将心比心，若是辛苦做了半年，家里正等着急用，钱又被偷了，你们心里难不难受？"

他收起警官证，道："我是公安局的民警，今天遇到这事就要管到底。真要上技术手段，抓人是小菜一碟，到时事情就严重了，要蹲鸡笼的。"

年轻警官一席话让十一个工人面色凝重。

侯大利道："龙经理说得对，家丑不可外扬。现在你们轮流进入房间，每人给你们两分钟时间，想清楚以后再出来。"

龙经理很配合地大声道："谁拿了钱，这位警官给了最后机会。"

侯大利摆了摆手，龙经理声音戛然而止。

十一个工人轮流进入房间。最后一个工人出来后，丢钱工人这才进入房间，很快，他拿着钱走到门口，道："在衣服包里找到了我的钱。"

龙经理上前踢了工人一脚，道："自己放的钱都找不到，该打。"

顺利解决了问题，侯大利和田甜一起上车。龙经理屁颠颠地跟在警车前，不停表示感谢。等到警车离开，他赶紧给夏哥打电话，报告今天遇到侯大利之事。

侯大利处理这起盗窃案时，田甜一直无言旁观。警车重新启动后，田甜右手放在车窗处，任风将头发吹起。

"你处理这事很老练，很能洞察人心。"

"我熟悉工厂环境，了解工人处境，从他们角度想问题，自然能找到解决问题的钥匙。"

"这事太冒险，小偷还不还钱，纯属一念之间。如果不还，你就无法下台。"

"这样做当然没有绝对把握，其实绝大多数事情都没有绝对把握。我只是凭从小在工厂生活的经验，觉得还钱的概率比较大。"

聊了几句以后，两人习惯性地陷入沉默，各想各的心事。

警车来到田甜所住小区，互道晚安以后，侯大利将警车开回刑警老楼。他停好警车，在院子里犹豫了一会儿，觉得回高森别墅也没有什么意思，便上楼，准备再去看一遍蒋昌盛卷宗。

通过研究蒋昌盛卷宗，侯大利在朱建伟案上犹如神助，所料诸事都准。因此，他对研究蒋昌盛案件兴趣继续高涨，由此也判断蒋案和朱案必然是一人所为。

投影仪启动，蒋昌盛案卷宗逐页出现在幕布上。幕布犹如海妖，一出现就将侯大利彻底吸进去。

工作卷宗上的繁杂信息被大脑重新编辑，形成电影画面，他正在自己的电影世界徜徉，田甜出现在门口。

侯大利有些惊讶，道："你怎么来了？"

田甜略显沮丧，道："家里进了一只老鼠，我没法住，锁了门，明天请人捉老鼠，彻底消毒。"

侯大利惊讶得合不拢嘴，道："你是法医，怕老鼠？"

田甜给了侯大利一个白眼，道："我是女人，有哪个女人不怕老鼠？"

田甜办公室摆着一颗骷髅头，这让侯大利产生了田甜不是正常女性的错觉。得知田甜怕老鼠以后，他才意识到田甜是年轻的城市女子，城市女子怕老鼠挺正常。

"既来之，则安之，我发现蒋案和朱案很接近，凶手作案思路基本一致。"

"你还真是痴迷。"

"反正没事，看卷宗就是生活。"

谈起案子，侯大利兴致颇高，重放投影仪，与田甜一起寻找朱建伟案和蒋昌盛案件的相似点。

在刑警支队重案大队会议室，第四次案情分析会仍然在继续。

朱建伟是市管干部，且正准备提拔使用，市委对其遇害相当震怒，多次询问案侦结果，压力传导到重案大队每个队员身上，大家都绷紧了神经。

除了现场勘查、法医报告之外，走访组通过询问调查得到的线索同样重要。重案大队排除了情杀、财杀以外，将关注点集中到"朱建伟即将被提拔为报社社长"这件事上。按照一般逻辑，朱建伟死去后，谁获益最大则谁最有作案嫌疑。

重案大队将目光集中到另一个副社长蒋立清身上。副社长蒋立清素来与朱建伟不和，多次在半公开场合批评朱建伟既不学无术，又为了升官不择手段。朱建伟则批评蒋立清尸位素餐，占着茅坑不拉屎。

单位里的较量通常讲究斗而不破，两人矛盾激化，几乎撕破脸皮。

蒋立清在周六早上出门，晚上才回家。

对于全天的走向，蒋立清坚持说到办公室加班，为了集中精力，锁了房门；中午随便买了点面包，对付着吃了午饭，然后继续在办公室。报社明年才搬新大楼，老楼就没有安装监控，无法证实蒋立清是否在办公室。同样，蒋立清也不能证明自己全天都在办公室。

凌晨一点，市交警队传来消息，在出城的监控中找到蒋立清的车，在上午九点，能清晰地看到蒋立清驾驶汽车离开城区，恰好就是前往李家水库方向。

种种线索汇集起来，副社长蒋立清有重大作案嫌疑。

凌晨两点，朱林回到刑警老楼。以前出现命案，他通宵熬夜是常事，今天只到凌晨两点就觉得疲惫异常。老婆睡眠不好，若是被打扰将整夜无眠，他干脆回到老楼。到了老楼，意外看到三楼档案室还有灯光。他来到档案前室，见田甜也在，问道："你们都没有回去？"

田甜自然不愿意说怕老鼠不敢回家，默不作声。

侯大利道："我们回看了遍蒋昌盛案，作案思路和手法都和朱建伟案极度相似，怀疑是同一个人作案。朱支曾经多次提起案件的味道，我现在就嗅到了相似的味道。"

犯罪分子在连续作案过程中，得逞机会越多，作案的手段、方法的相对稳定性越持久，这是行为定式。持久并非一成不变，犯罪分子往往在保持主要特点的同时，作案手法会有微小的进化，有时是变得高明，有时是变得更残忍。

"明天上午还要开碰头会，侯大利参加。"朱林暂时没有提及蒋立清具有作案嫌疑，只是让侯大利跟着自己参会。

第二天上班时间，朱林、侯大利来到重案大队小会议室。参战刑警大多是熊猫眼圈和青黑面孔，不停打哈欠。为了提精神，绝大多数刑警都在大口抽烟。

副局长刘战刚进屋后，推开窗户，道："再熏几天，你们都会变成腊肉。案子要紧，大家身体也要紧。黄卫，蒋立清把去向说清楚没有？"

黄卫道："蒋立清咬定全天都在办公室。"

刘战刚怒道："死猪不怕开水烫！我向市委常委会汇报案情时，纪委段书记建议先双规蒋立清，控制住人，免得出意外。"

朱建伟遇害后，其妻子刘红认定是蒋立清杀害了丈夫，于是向纪委提供了蒋立清受贿的明确线索。朱建伟早就掌握了这条线索，原本准备作为与蒋立清竞争的秘密武器。朱建伟在竞争中获胜，这条线索便搁置起来。

黄卫自信地道："朱建伟的衣服上有血迹，我们已经提取了蒋立清的血液，今天上午就能出结果。若是对得上，那就是板上钉钉。"

刘战刚望着屋内众刑警，道："大家辛苦了。血迹对比结果未出来，有可能是，也有可能不是。还有什么想法，可以敞开谈。"

侯大利坐在师父李超身边，拿过来蒋立清相片，左看右看都觉得不对劲，当主管副局长刘战刚发话以后，道："我觉得有疑点。"

李超正想告诫徒弟"多想少说"，未料到徒弟又要发言，发言必是大炮。他用力踩了徒弟一脚，又给徒弟使眼色。

侯大利知道师父的意思，略有停顿。

在第一次案情分析会上，侯大利提出了两个观点，第一是朱建伟死于他杀的可能性大，第二是岸边有可能出现血迹。后来，这两个观点都得到了验证。宫建伟、黄卫等老刑警不禁对这个毕业于刑侦系的小年轻儿刮目相看，认真听侯大利说话。

侯大利出语惊人："蒋立清五十二岁，只有一米六三左右吧，是典型的文化人。他和朱建伟本身有矛盾，突然出现在小道上，朱建伟肯定会警惕。在这种情况下，蒋立清不可能干净利索地杀掉朱建伟。我可以肯定地说蒋立清不是杀人凶手，真正的杀人凶手就是蒋昌盛案和王涛案的凶手，这是系列杀人犯所作下的新案。"

侯大利得出的结论太过肯定，话说得太满，极容易被打脸。李超暗自捶桌子，又狠狠地踩了徒弟的脚。

重案大队长黄卫道："破案是靠证据说话，你这个推论没有证据支持。"

侯大利道："颅骨被捶击点在左侧后方。首先，受伤点在后脑，从背后袭击的可能性最大。其次，受伤点又在左侧，那么极有可能是左手持锤。这就和蒋昌盛案和王涛案串并在了一起。蒋立清不是左撇子，所以基本可以排除他。”

黄卫反驳道：“朱建伟头部受伤位置有可能是多种情况造成的，不能明确认定为左撇子。侯大利所有的推论只能算是一条思路。那我问另一个问题，朱建伟衣服上有血迹，脖子和脸上也有血痕，刘红明确表示不是在家里形成的伤痕。若是凶手是从身后袭击，那么这些伤痕是怎么来的？”

血迹和伤痕确实无法解释，侯大利一时语塞。

新刑警侯大利在陈凌菲案和此案中风头太劲，此时被黄卫驳得说不出话来，让老刑警们都觉得爽。这种感觉很真实，并非对侯大利有恶意，只是，他们心中确实有点爽。

分析会没有结束，市纪委打来电话：蒋立清主动交代星期六的去向，请刑警支队派员到双规地点。

黄卫带着侦查员急匆匆前往双规地点。案情分析会暂时中止，参战刑警就地休息。

李超将侯大利拉出来，道：“办了一个案子，尾巴就翘上天了。办案就和开车一样，越是老司机越不敢开快车，越是老刑警出言越谨慎。你跟我说说，血迹怎么回事？”侯大利苦着脸，道：“这一点，我也没有想通。”

经过侦查员多方核实：星期六，蒋立清到郊外的农家乐与情人约会，有明确的不在场证明。血液对比结果此时也出来，朱建伟身上的血迹与蒋立清不符。

侯大利在分析会上明确提出蒋立清不是凶手，虽然他解释不了朱建伟脸上的伤，却仍然很是神奇。

蒋立清不是凶手，主管副局长刘战刚、支队长宫建民、重案大队长黄卫等人肩上压力更重。案发后四十八小时是破案的关键期，若是在四十八小时内没有取得突破性进展，破案难度将呈几何倍数增加。证实蒋立清不是凶手以后，重案大队在下午再次开会。

大家坐齐，参加调查的侦查员汇报了对蒋立清的调查。

刘战刚主动点将："侯大利，你先说。有什么说什么，不要藏着掖着。"

侯大利在分析会上详细分析了蒋案和朱案的相似点，给凶手画了一幅像：年龄在四十岁以上，身高一米八左右，孔武有力；左撇子，平时也能用右手；有反侦查经验。

"葛朗台是学美术出身，我让他画了一幅素描，没有面部特写，就是一个背影。"侯大利将葛向东所画背影图打印出来，交给刘战刚。

副局长刘战刚嘴巴发苦：若侯大利再次说对，那么破案的希望就很渺茫。

他看了一眼素描，黑着脸，批评道："这是严肃场合，不要叫同志的绰号，这是对同志的不尊重。"

案件分析会结束，已经是傍晚六点，诸位侦查员根据分工，匆匆奔向各自的战场。侯大利和李超随意找了一家火锅馆，闭门谈话。

李超嗅到火锅发出的香气，夸张地咽口水，吃了两片毛肚之后，道："变态，你这两天出了风头哇，整个大队数你最牛。当师父的敬你几杯。"

侯大利道："师父，这是办案，难道说假话？"

李超道："你虽然是变态，也是聪明人。木秀于林风必摧之，这是古话，流行这么久，总是有道理的。你出了风头，重案大队这些老刑警脸面可是挂不住。"

侯大利道："这点人情世故我是懂的，但是，破案是科学，来不得半点虚假，我有自己的观点，不可能憋在心里。那不是人情世故，那是犯罪。"

李超哼了一声，又夹了一块毛肚，有滋有味地吃下去，道："你这样做，大家表面上都不会说什么。但是，每个人都有犯错的时候，你也不能例外。风头太劲的人，出错后，会被大家笑话，不容易得到原谅。捧得越高，摔得越痛。而且，你还有一个弱点，挂着二大队的编制，却被抽到专案组，没有和重案大队同事一起出生入死，他们从根子上还把你当成外人。这一点最要命。"

“师父，我不想当官，只想破案。路遥知马力，日久见人心，老刑警们应该有这种心胸，能接受我这种一心想破案的人。”虽然知道李超完全是出于好心，侯大利还是没有接受其意见，直截了当地表达了自己的想法。

“谁都不能说你做错了，但是，你这种情况可以用更聪明的办法，一句话，保持低调，有什么想法通过朱支的嘴巴来说。”李超放下筷子，道，“以前我还以为你有点官迷，所以在实习时表现得那么好。现在看起来你确实是变态，不当老总，偏偏来当小警察。不过话又说回来，只要是真有本事，没有害人之心，大家还是能接受的。我们当刑警的最怕那种嘴尖皮厚腹中空的人，这种人往往会踩着兄弟们的肩膀往上爬。”

侯大利道：“我不是那种人。”

“我知道你不是那种人，所以才给你费口水，若是一般人，我才懒得说这么多话。”李超说完了想说的话，能不能接受则是侯大利自己的事情。他运筷如飞，享受火锅的美味。

局长关鹏出差回来后，来到刑警支队，与重案大队全体谈话，谈话时，他指出了当前形势的严峻性，随后又表扬了105专案组，特别表扬了侯大利。

宫建民心情有些复杂。他是新任支队长，正是需要破大案树立威信的时候。若是侯大利是其直接管理的刑警，那是他领导有方。恰恰侯大利身份有些奇特，虽然是刑警支队二大队民警，如今却归于105专案组。他从内心深处更希望所有荣光归于重案大队，而不是由105专案组成为破案的关键先生。

关鹏局长离开以后，宫建民在重案大队小会议室拍了桌子，发了通火气，提出明确要求：大家把十二分精神打起，不破案，决不收兵。

刑案并非件件可破，朱建伟案如若真是连环杀手所为，破案难度相当大，宫建民提出“不破案，不收兵”的口号，老刑警们暗自替他捏了一把汗。

排除了蒋立清的嫌疑之后，重案大队继续加大摸排力度，很快另一条线索浮上水面：江州报社原职工张勇多次扬言要报复朱建伟，在近日脸上出现几条伤疤。

这是一条极有价值的线索，重案大队长黄卫亲自带人来到张勇家中。张勇妻子面对突然而至的警察，明显慌张，称丈夫失业，心情不佳，出去旅行散心，具体地点不详。

张勇的作案嫌疑骤然上升。

技侦支队很快定位了张勇手机，一组刑警直奔省会阳州，将张勇带回江州。

技术室很快有了结论，朱建伟衣服上的血迹属于张勇。

有了这个结论，张勇被刑事拘留，送入看守所。

张勇平时一副滚刀肉的模样，被关进看守所以后，吓得屁滚尿流。刑警讯问时，张勇不敢耍花腔，老老实实有问必答。

他很快就招认，在朱建伟死亡当天的确曾与他发生过肢体冲突。

刑警道："什么时候？具体是怎么发生的？"

"早上七点过一点，我到车库开车，准备到朋友公司去看一看。说实话，我就是去找工作，恰好遇到朱建伟，他曾开除过我，我就找他理论。朱建伟说开除我是纪委决定，和他无关。"

"为什么单位要开除你？"

"我就是找了个小姐，运气不好，被派出所抓了。朱建伟处分我，我认，但开除，这就太重了。"

"吵架过后，你又做了什么？"

"吵架没吵赢，我在车库里和朱建伟打了架。你们别看我胖，我经常熬夜，又不锻炼，其实是一个虚胖子。朱建伟喜欢爬山，身体很不错。说实话，我是个孬种，吵架没有吵赢，打架也打输了。脸上被抓了口子，很难看。为了免得有人说闲话，整天没有出去，在家里养伤。"

……

"小孩读大学去了，家里只有我和老婆。老婆看到我的伤口，还说我活该。她要上班，晚上才回来。"

……

"我是和朱建伟打了架，但是绝对没有杀人哪。"

……

“我是冤枉的。”

……

张勇虽然承认曾与朱建伟发生过冲突，但对于杀人一事，坚决否认。但根据讯问，张勇没有不在场的证明，也没有人能证明他的去向。这就意味着，张勇有前往李家水库的时间，有作案动机、有作案时间，朱建伟衣服上有属于张勇的血迹。

案情进展到这里，市公安局刑警支队确定张勇报复杀人，与蒋昌盛案和王涛案联系不大。宫建民在随后的案情分析会上，没有通知105专案组，也没有通知前支队长朱林参会。

侯大利曾经在案情分析会上明确提出朱建伟案与蒋昌盛案是同一个凶手所为，如今证据显示侯大利的分析出错的可能性很大。虽然案情分析会上谈观点本身没有任何问题，允许提出错误观点，否定错误观点本身就是朝着真相迈进了一步。

只不过侯大利作为一名刚毕业的刑警，否定朱建伟之死是意外事故，提出在草丛中可能存在血滴，并且成功找到血滴。如果这个菜鸟刑警再次站在正确一边，就会显得重案大队老刑警有些无能。确定朱建伟案的凶手是张勇以后，重案大队民警都松了一口气。

论经验和能力，侯大利并不比重案大队老刑警更强，其最突出的优点在于能够心无旁骛地研究命案，特别是抓住蒋昌盛案不放。有了这一条，让他比老刑警有更多发现。

张勇被拘留之后，重案大队开会就没有再通知105专案组。朱林曾经做过多年的支队长，能够揣摩宫建民的心思，所以准备从朱建伟案中退出，专注于105专案组原本任务。地球离了谁都一样能转，重案大队离开了朱林指挥一样能破案，这一点，朱林相当清楚，没有抱怨，更没有生气，召集专案组正常开例会。专案组原本人就少，又是临时组织，必须有例会等形式，才能让队伍不至于松松散散。

例会主题仍然是朱建伟案。

侯大利又放一炮，道：“张勇有可能说的是真话。他在车库与朱建伟打了一架，有可能将鼻血溅到朱建伟身上。”

葛向东道：“他为什么不出门？”

“脸被抓破，不出门很正常。”侯大利又看了一眼放在桌上的背影素描，道，“老葛，你能不能画凶手的模拟画像？你是美术专业出身，应该有先天优势。”

在专案组，所有人都称呼“葛朗台”，侯大利最初也称呼“葛朗台”，后来不知不觉中改口为中性的“老葛”。

葛向东盯着侯大利看了好几眼，才道：“术业有专攻，我没有画过模拟画像。”

朱林道：“如果学，能否学会？”

葛向东道：“我本来就是画画的，如果有师父带，应该能学会。”

顾问老姜道：“小侯陷入魔怔了，把所有案子都和蒋昌盛的案子联系在一起，心情能理解，但是要能钻进去，又能跳出来。”

“蒋昌盛案和朱建伟案确实有太多相似点，比王涛案的相似点更大。”侯大利又问了一个尖锐问题，“重案大队又开了一次案情分析会，我们没有参加。这种情况下，105专案组还能不能继续跟进朱建伟案？”

朱林道：“朱建伟案是由重案大队主办，105专案组是辅助单位。只要朱建伟案与五个未破命案没有联系，我们就要将精力集中转到五个未破命案，争取有所突破。”

开过例会，侯大利产生了有劲无处使的沮丧感。在其心目中，杨帆案、蒋昌盛案、王涛案和朱建伟案都是一个凶手所为。他开始慢慢触及凶手，却又被一道无形的玻璃墙隔开，无法深入。

田甜来到档案前室，见到投影仪关闭，桌上没有卷宗，道：“难得呀，投影仪居然没有开。”

侯大利捏紧拳头，砸在桌面，道：“105专案组是为了侦办未破命案所成立的，我们发现了线索，是不是应该查下去？”

田甜道：“按照我的理解，在朱建伟案中，105专案组的主要职责是核实朱建伟案与五件命案是否有牵连。现在查否了，我们责任也就尽到了，应该继续把精力放到五件未破命案上。”

侯大利态度坚决地道：“现在并没有查否，谁说张勇一定就是凶手？张勇当时才二十六岁，不可能是蒋昌盛案的凶手。”

田甜道：“姜局说得没错，你入魔了。没有任何证据能够支持杀蒋昌盛的凶手就是杀朱建伟的凶手，你是强行将他们拉到一起。”

侯大利道：“没有任何一个领导明确命令我们专案组退出朱建伟案，我们仍然要参战，否则就是失职。”

“朱建伟案由重案大队侦办，宫支队摆明了不想让105专案组继续参与朱建伟案，我说得再直白一些，就是不想让你参与，这是潜规则。你这人不知趣，厚着热脸贴冷屁股。”

随着相处日久，田甜戒备心明显下降，话也渐渐多了起来，而且能与侯大利聊一些工作外的闲话。她父亲曾经担任过刑警，又是江州名律师，相较侯大利更熟悉机关中的“小机关”。

侯大利道：“我只接受正式命令，潜规则不在我考虑的范围之内。我能将蒋昌盛案子背下来，熟悉每一个细节，在这个案子中我嗅到了蒋昌盛案子里相同的味道，几乎一模一样。”

田甜道：“你真不在意领导的看法？”

侯大利眉毛根根直立，道：“只要没有正式命令让我停止调查，那我就要调查下去，这在规则之内。”

田甜上下打量侯大利，道：“我突然发现你与支队的其他刑警都不一样，与支队刑警比起来，他们是真实的刑警，有勇有谋，有弱点有欲望。你生活在真空中，从来不考虑现实问题，不真实。”

侯大利道：“我没有不食人间烟火，只是每个人的处境不同。”

聊了一会儿，田甜起身离开档案室，走到门口时，回头道：“我们是搭档，如果你要行动，按规定我们要一起，到时通知我。”

侯大利大喜，道：“休息二十分钟，我们出发。”

侯大利和田甜来到胖子张勇家中。

张勇妻子接到电话后回到家。她蓬头垢面，神情憔悴，打开房门后，对两个年轻警官道：“我也是报社员工，出事那天正好要出差。我出发的时候，张勇已经和朱建伟打了架。他回家还在骂，说是鼻子被打破了，实在晦气，一天都不能出去。”

侯大利拿着微型录像机将房间情况录下来。张家非常凌乱，餐桌上摆着碗筷，地上拖鞋四处乱丢，桌上还有水果皮。

侯大利道：“你回来以后没有收拾房间？”

张勇妻子神情低落，道：“张勇被关到看守所，祸从天降，我回家就跑他的事情，哪里有心思收拾家？重案大队跟我说过，为了能破案，让我尽量不要住在家里，他们还会来探查。”

侯大利双眼如探照灯一样在屋里扫描，聚集在餐桌上的卤猪蹄，问道：“这是什么时候买的卤猪蹄？”

张勇妻子道：“我要出远差，中午没人给张勇做饭。张勇好面子，脸上有伤，不愿到外面吃。这个卤猪蹄是到楼下拐角买的，老邻居家做的。”

侯大利道：“卤肉摊一般什么时间摆出来？”

张勇妻子道：“十一点左右。你们的人问过这个问题，还到卤肉摊去问过。”

在陈凌菲案中，摆在桌面的鸭骨发挥了关键作用，侯大利在写结案报告时专门总结了这条经验。有了这条经验，他很重视检查不容易受人注意的细节。他蹲在垃圾桶前，戴上手套，小心翼翼地翻检其中垃圾，里面有吃过的猪蹄骨头，在骨头上面还有几张餐巾纸，上面沾满疑似男性喷射物。他将餐巾纸装入物证袋，问道：“你出差去了？”

张勇妻子道：“确实出差去了，这是机票和宾馆发票。”

张勇家住在报社老宿舍，一室一厅，对三口之家来说并不宽裕。侯大利看到放在客厅的电脑，道：“你老公平时上网？”

张勇妻子道：“被开除之前，他有时把稿子拿回来工作。被开除以后，没啥事做，平时打打游戏、看电影。”

通过查看房屋情况，到目前至少可以判断张勇午饭前后在家。至于午饭后的时间，张勇自称在家，没有人证。

侯大利判断张勇或许用电脑上过黄色网站，或者是看过黄色录像，所以才会在餐巾纸上留下精液痕迹。

田甜吃惊地道：“你的脑洞太大了，这样都能联系起来！”

侯大利道：“我是男人嘛，深知内情。这得交到物证室进行检验，才能证明是精液。”

田甜在脑中想起那幅怪异画面，脸上腾起一丝红云。

回到刑警老楼，朱林正和老姜坐在办公室喝茶。听到侯大利报告，老姜一口茶差点喷了出来，道：“大利，你还真是变态，这种脑回路都有。”

侯大利道：“作案人有行为习惯，破案人其实也有。上一次在陈凌菲案中，鸭骨头立了功。所以这一次我又搜垃圾，若纸巾上真是精液，说不定又找到宝。”

老姜夸道：“你这娃娃爱动脑筋，善于总结，很不错。”

朱林皱眉道：“你们这一次现场勘查，按照江州市局制定的规则，有几个明显问题。第一，没有我的授权，你们要勘查现场，应该报告我；第二，除了你们两个侦查员以外，还得有与案件无关的两名见证人，你们没有；第三，这种对现场进行多次勘验、检查的，在制作首次现场勘验、检查笔录后，要制作补充勘验、检查笔录；第四，你们只是查看了电脑，没有扣押。你们说一说，这次勘查犯了几条规？还有，侯大利应该没有省厅办理的刑事案件现场勘验检查证件。”

田甜道：“我有刑事案件现场勘验检查证。”

老姜道：“朱支说得对，手续没有办好，程序上有瑕疵，以后说不定会遇到大麻烦。”

侯大利冷汗下来了。

朱林冷着脸，下令道：“事不宜迟，我们再去张勇家，把所有手续补齐全，最关键是扣押电脑。”

完成了对张勇家的再次勘查以后，侯大利老老实实到朱林面前承认了工作中出现的失误。

帮助经验并不充足的侦破奇才擦干净屁股，朱林语重心长地道：“105专案组不是重案大队的对立面，双方本来就是一家人。但是，105专案组又有相对独立性，必须有应对复杂局面的本事。明白吗？”

侯大利道：“明白。”

朱林道：“那我们现在应该做什么？”

侯大利认真想了想，解答了朱林这道题，道：“应该把我们的发现告诉宫支队。”

朱林道：“侦查员，感觉和悟性很重要，小侯在这两方面不错，但是在处理人际关系上还需要锤炼。我们是警队，警队是集体，就得讲合作。我们讲集体主义，并不过分强调个人英雄主义。”

“个人和集体是辩证关系，你要好好理解这一点。”老姜退休以后变得洒脱起来，道，“话又说回来，我们这一代人就是顾忌太多，前怕狼后怕虎，所以干不成大事。侯大利和田甜有干劲，那就趁着这个劲好好干。老朱可以跟宫建民沟通，让重案大队根据侯大利和田甜的发现去调查张勇当天行踪。”

朱林讲完道理，打电话给宫建民。

市委政法委办公室正在开会。市政法委员会委员包括政法委书记和副书记、法院院长、检察院检察长、公安局长、司法局长，由于涉及江州日报社副社长遇害，市委分管政法副书记也参会。宫建民以支队长身份向市政法委员们报告案件进展，没有接电话。

市委常委、政法委章书记道：“关局，你怎么看？”

关鹏道：“证据链已经形成，零口供也可以定罪。”

章书记又问：“张检，你怎么看？”

张检察长道：“证据链条其实还有缺陷。作案现场是在李家水库，目前证据无法证明张勇曾经到过李家水库。从城区到李家水库有十来公里，张勇必然是通过某种交通工具前往。建议从各个视频监控点寻找张勇汽车的痕迹，如果张勇没有开车，那么就要调集公交车里的监控，或者寻找出租车司机。一句话，发动群众，找到目击证人。”

专题会议结束前，政法委章书记高度评价了刑警支队的工作，要求支队长宫建民根据会议精神，把案件办成铁案，给市委市政府以及全市人民一个交代。章书记说这番话是有所指，这些年来江州市命案破案率低于全省平均水平，有好几个命案找不到突破口，成为积案，换掉支队长朱林正是市委有看法的具体体现。若是朱建伟案仍然没有侦破，又成积案，那么公安局领导班子极有可能被改组。市委和省厅曾在座谈会上谈起过相关话题，省厅建议选派刑侦出身的领导过来担任江州市公安局一把手。

在这个背景下，如山一般的压力最终落实到了刑警支队长宫建民身上，再传递到重案大队长黄卫身上。

黄卫来到了宫建民办公室，关了门，商量了许久。随后，三大队最有经验的预审员来到小会议室，商量如何撬开张勇的嘴巴。

方案确定以后，预审员按照新方案继续审讯。宫建民和黄卫守在监控室。

到了晚上十一点，宫建民疲惫不堪地回到办公室。他关了门，躺在沙发上翻看未接电话，拣重点的电话回了过去。回了五个电话以后，已是凌晨，他的目光停在朱林两个来电上，由于时间太晚，没有给朱林回电话。

此刻，105专案组所在刑警老楼，侯大利和田甜正在制作现场勘查检查工作记录，包括勘验检查笔录、计算机辅助绘制的现场图、现场相片，整理了现场录像和录音。

忙到凌晨三点，侯大利和田甜才将卷宗制作完毕。田甜在老楼休息室里备有锅碗，还有些鸡蛋、面条和油盐等调料。侯大利饿得前心贴后背，吸溜着最简单的鸡蛋挂面，觉得比江州大饭店的山珍海味都要美味。

早上上班时间，朱林来到刑警老楼，翻看两个年轻人制作的卷宗，打着哈欠道："做得不错，赶紧按流程走。"

侯大利道："朱支昨晚失眠？"

朱林又打了哈欠，道："晚上基本没睡，回家就到了医院。"

田甜道："谁生病了？"

"外孙女发高烧。女婿小黄参加追逃，我这个外公的只能顶上。好不容易退了烧，又拉肚子，说是交叉感染，中了什么病毒。等会儿我还要到医院，再找宫支谈张勇的事。"朱林离开了支队长岗位，以专案组为主业，支队很多事情便不会再通知他参加了。他并不知道宫建民已经在市委政法委员会上汇报了案情，更不知道昨晚刑警支队将张勇提押到支队。一般情况下，此案还得有几个来回才能最终下结论，等到自己从医院回来再找宫建民谈意见也不迟。

处理了专案组的事，朱林再次拨打宫建民电话，仍然没有打通，便开车到医院。

宫建民昨夜忙了一晚，正躺在办公室补觉，手机被调成静音，放在桌边。

黄卫双眼挂满血丝，推门而入，道："张勇交代了，就是他作的案。"

宫建民精神大振，道："一个晚上，他就招了？"

黄卫道："这人是软蛋，几桶冷水上去，空调温度调低，很快就招了。"

听到"软蛋"两个字，宫建民闪过一个念头："软蛋敢杀人吗？"

世上的人形形色色，犯罪分子同样千奇百怪，软蛋杀人并不少见，宫建民很快就将隐隐的担忧扔到一边，安排重案大队带张勇指认现场，把材料做扎实，尽快移交检察院，给事主一个交代。

在重案大队吃过包子、稀饭后，宫建民来到市局，分别向分管局长刘战刚和局长关鹏报告了好消息。朱建伟是报社领导，其遇害在市委引起相当大震动，关鹏得到好消息以后，立刻向市委赵书记和海市长做了汇报。

折腾到下午，朱林外孙女终于完全退烧。这次高烧来得凶猛，其间还抽搐。朱林没有通知在外地办案的女婿，一直守在病房。

在床边和衣小睡，等到老伴提着食盒和外孙女换洗衣服进病房，朱林这才起身。他打开手机看了一眼，没有宫建民回电，愣了愣，苦笑数声。

朱林做过多年的支队长，宫建民是其手下大将，配合得非常好。以往遇到这种情况，即使宫建民当时不方便接电话，肯定会在方便接电话时立刻回电。

侯大利和田甜在张勇家里发现极有可能证明张勇不在场的证据，这事非常重要。朱林道："老太婆，我到支队去一趟。"朱林老伴气呼呼地道："娃儿还在生病，你屁股又被火烧了，你又不是支队长，不要总是指手画脚，会惹人烦的。"朱林低声道："娃儿退烧了，没有大问题了。这事挺急，我去去就来。"

老伴望着朱林匆匆背影，无奈地叹气。她知道丈夫只有多受几个白眼，才能真正明白自己不再是支队长了。

张勇交代以后，宫建民精神松懈下来，挨着沙发便沉入梦乡。朱林走到宫建民门口，正要敲门，年轻警察陈浩荡走了过来，低声道："朱支，宫支熬了一个通宵，刚刚躺下。"

朱林道："熬了一个通宵？"

陈浩荡喜滋滋地道："张勇撂了。"

朱林顿时锁紧了眉毛，道："撂了，真是他做的？"

陈浩荡神情坚毅地点头，道："撂得很彻底，就是张勇杀人。我写了案情通报，已经给市局送了过去。"

朱林这时真的愣住，举起手，想敲门。

陈浩荡用身体拦在门口，态度坚决地轻声道："让宫支睡一小会儿。"

朱林盯着陈浩荡看了半分钟，渐渐冷静下来，道："宫支醒了，马上给我电话，不要忘记。"

离开刑警支队，朱林既恼怒，又失落，直接回到医院。他离开医院时，外孙女已经退烧，回到医院时，外孙女的体温又升了上去，接近四十摄氏度。外孙女烧得如此厉害，朱林顾不得在刑警支队受的窝囊气。

下午，宫建民接到朱林电话。听闻105专案组从张勇家里提取新物证并送到刑侦支队技术室，宫建民如被踩着尾巴的猫，一下就跳了起来，道："还有新物证，怎么不早说？"

外孙女高烧，再加上在支队办公室遭遇尴尬，朱林火气顿时上来，道："我给你打了七八个电话，你不回。今天到你办公室，还进不了门。"

宫建民道："新物证说明什么问题？"

朱林道："张勇极有可能没有到李家水库，他没有时间。"

宫建民脑袋"嗡"地响了一声，道："老领导，朱建伟案是由重案大队主办，所有案侦工作都要在支队统一安排之下进行，105专案组为什么要绕开支队？"

听到宫建民语气不善，朱林口气强硬起来，道："根据局党委会纪要，凡是新发命案，105专案组都要参加侦办。"

宫建民在睡觉前通过电话向局长关鹏报告了张勇招供的好消息，紧接着又给政法委章书记打电话汇报此事。他看了看手表，章书记极有可能已经向市委做了报告。市委几位领导都知道破了案。如果真找到张勇不在场证明，那事情就闹得大了。

宫建民急火攻心，顾不得眼前之人是自己的老领导，道："专案组主要工作是几个积案。就算发现朱建伟案的新线索，也应该和重案大队沟通，由重案大队派侦查员办理，或者重案大队侦查员和105专案组一起办也行。你们违反程序，乱搞。"

朱林冷冷地道："昨天和上午我给你打了七个电话，你一直没有接听。专案组到张勇家进行补充勘查，提取新物证，从程序到纪律上没有任何违规之处。"

宫建民相信朱林的办案水平，明白十有八九自己把事情办糟糕了，急火一股股往上冒，道："重案大队到张勇家提取了物证后，现场已经被破坏，你们的现场勘验不合规。"

朱林冷冷地道："105专案组独立按程序办案，没有任何问题。"

打完电话以后，宫建民在屋里摔了杯子。摔完杯子，他开始后悔没有及时给朱林回电话，这极有可能导致自己踢了一个乌龙球，更严重的是昨夜黄卫上了些小手段，虽然没有留下任何伤痕，毕竟也用了些手段。若张勇不是凶手，所上手段有可能导致严重后果。他怒火冲天地踢开局办公室，指着陈浩荡道："上午朱支来找我，是你拦着？"

陈浩荡站起身，道："宫支太累，刚躺下，我请朱支晚点过来。"

若是早上与朱林见了面，或许还有时间挽回局面，宫建民气得脸青面黑，道："朱支是刑警支队老领导，到办公室找我，肯定有重要的事。你发什么神经，你算老几，敢把朱支拦在门外？”

朱林当了多年支队长，在刑警支队很有威信，办公室其他民警听闻陈浩荡将朱林拦在宫建民门外，都用看白痴的眼光瞧着陈浩荡。

宫建民随即将支队领导和重案大队领导叫到一起开会，讲明了当前面临的严重局面。

黄卫是直接当事人，怒火腾腾往上冒，道：“朱支是老领导，发现问题应该提前说一声。”

宫建民郁闷地道：“他一直在给我打电话。我和你在监控室，手机用了静音。上午朱支来找我，被陈浩荡那个兔崽子拦住，不让他敲我的门。”

政委洪金明端着与朱林同款的保温杯，解释道：“我跟陈浩荡打了招呼，让他帮你看看门，不要让其他人来打扰。这个娃儿心眼实，居然拦住老朱，没眼力。这个老朱哇，找不到老宫，可以直接找我，也可以找黄卫。唉，这下支队要坐在火上烤了。”

诸人都清楚老支队长的水平，朱林认为有问题，那多半就有问题。他们最初还是挺克制，随后大家话里话外还是指责朱林刚离开刑警大队就陷老单位于不义之中。指责归指责，刑警支队诸人皆没有干涉技术室的想法。

洪金明道：“大家也别丧气，技术室还没有出结果。也许，老朱是错的。侯大利这个小年轻儿真是个人才，支队任务这么重，把他放到105可惜了，应该把他弄到一线去。”

宫建民没有接话。

朱林是老领导，曾经与大家一起拼过命，就算今天这事做得不地道，支队所有人在内心深处也不会太计较。但是，侯大利是新刑警，资历浅，与在座诸君缺少战火之情，所以，诸人暗自将这笔账记在侯大利身上。

刑警支队技术室接到105专案组送来的物证以后，对餐巾纸进行分析。同时从技侦支队借来电脑专家，检查张勇使用的电脑。检查结果：一是这台电脑在下午三点二十三分到四十五分曾经进入黄色网站，下载了一个G大小的黄色视频；二是在垃圾桶里提取的餐巾纸上有精斑，是否属于张勇还得进行DNA识别。

虽然还没有证实精斑是否属于张勇，但是张勇妻子出差，这个精斑大概率属于张勇。

法医根据解剖尸体推算出朱建伟死亡时间在下午五点左右：一是朱建伟胃内食物全部呈乳糜状，仅存少量食物残渣，大部分进入十二指肠、空肠并进入大肠，可以推断进食后四小时左右死亡；二是朱建伟下颌骨出现尸僵，但是全身其他关节仍松弛可活动，可以推断发现其尸体距离死亡时间约二到四小时，与尸体胃肠道内容物消化程度推断出的死亡时间一致；三是尸体位于水中，尸斑不明显。

由此，基本上排除了张勇作案嫌疑：张勇在三点四十分在家里下载黄色视频，推断射出精液时间大体也在下载黄色视频期间。他要在射出精液以后，立刻通过某种交通工具来到李家水库，要在五点左右杀死朱建伟，基本上是不可能完成的任务。

这个结论与张勇在"撂了"以前的口供基本一致。

局长关鹏得知此结论，说了一句：乱整。

主管副局长刘战刚立刻召集各部门商议处理措施。

张勇拿释放证走出看守所时，面色苍白，整个人瘦了一大圈。

张勇妻子哭得稀里哗啦，抽泣着道："公安局乱抓人，我听杨律师讲，这种情况可以申请国家赔偿。"

张勇回头看了一眼看守所，摇头道："算了，我们惹不起躲得起。"

张勇妻子道："他们威胁了你？"

张勇摇头道："黄大队长特意找我谈了话，朱建伟身上有我的血，指甲上还有我的皮肤组织，在这种情况下我的嫌疑最大。支队还算仁义，依法办案，没有为了破案把我往死里整，没有把我当成替罪羊。"

说到这里，他打了个寒战，上车后就缩着脖子，披上所有能披的东西。

和张勇谈话的黄卫大队长陷入麻烦之中，市局纪委、督查来到刑警支队，分别找相关人员谈话，形成材料。很快，刚升迁不久的刑警支队副支队长、重案大队大队长黄卫被调离刑警支队，到远郊镇派出所任所长。黄卫一直在重案大队工作，从普通刑警做到大队长，三次二等功，五次三等功，有过两千公里的押解，曾卧底查枪，是刑警支队的老劳模。这一次在巨大压力下为了早日破案，用了些在以前来说完全不算事情的小手段，因此被调出刑警支队。

这次调离，黄卫上升空间基本被封闭。

离开刑警支队时，宫建民与黄卫单独喝了一杯。宫建民对此事挺自责，道："我太心急了，接过刑警支队的担子，总想着破案证明自己。"

黄卫倒很坦然，道："在刑警支队工作了二十年，换个环境也不错，多岗位锻炼吧。"

宫建民道："我这边正缺人。你走了，谁来撑起重案大队？"

黄卫给支队长倒了一杯酒，道："说实话啊，侯大利这小子还真是干刑警的料，等专案组结束，可以到重案大队锻炼。"

宫建民哼了一声，道："这人有本事，就是尾巴翘上天。侯国龙的儿子做刑警是兔子尾巴长不了。局里压力很大，省厅要派副总队长刘真过来调研，还准备让老朴留下来指导刑侦工作，这是打我们江州刑警的脸哪。我听了这消息，脸皮火辣辣的。"

侦办"杨帆落水案"的新方向

11月7日，省厅刑侦总队副总队长刘真前往江州市公安局进行调研，指导刑侦工作。一般情况下，副总队长进行调研时，市局一把手局长往往不参加调研，而只是在欢迎宴上出席。如今江州市公安局面临极大压力，政法委章书记、关鹏局长亲自参加调研。

刘真来调研见报以后，主题是：加大技术装备投入，逐步由过去的"小数据+大排查+大行动"的传统侦防体系向"大数据+大研判+小行动"的新型侦防体系转变；要抓好防控体系建设，确保对违法犯罪人员发现得了、控制得住、打击得了。

其实省厅派员到江州最核心的着力点还是在命案上。

刘真在小会议室与市委政法委章书记、关鹏局长、刘战刚副局长进行小范围谈话，传达省厅一定要侦破系列杀人案的指示，并提出将随行老朴留下来帮助案侦工作。

省厅派老朴来江州指导破案，关鹏有些头疼，随后积极表示真诚欢迎。老朴这种高手参加案侦工作，对朱建伟案侦破肯定有好处。若是省厅高手督战都无法侦办此案，那只能怪犯罪分子太狡猾。

老朴在省厅资格很老，与省厅分管刑侦副厅长是山南政法大学刑侦系的同学。他还是一个怪人，将破案当作生活唯一乐趣，不愿意做实职处长，以正处级侦查员身份屡屡参加省内大案要案侦破工作，功勋卓著。

老朴保持相当强的独立性，面对案件时，谁的面子都不给，经常弄得领导下不来台。由于他的特殊性格，省厅诸人都挺尊重他，没人当真计较其态度问题。

老朴比传说中要平和，与关鹏、刘战刚分别见面以后，在刑警支队要了一间办公室，旁听了重案大队两次讨论，还将朱建伟案的卷宗要过来研究了一遍。

看完卷宗之后，他不声不响地前往刑警老楼。

朱林还在医院照顾外孙女。

葛向东和樊勇根据朱林要求继续盯着丁丽案。

田甜暂时没事，在办公室发呆。

侯大利打开投影仪，继续看卷宗。

老朴站在略显陈旧的刑警老楼想了想发生在江州的老案，准备进入老楼。从老楼角落走出来一条体形硕大的老警犬，低声从喉间咆哮两声，随即嗅到老朴身上的警察味道，慢条斯理地回到自己的小房间。

侯大利听到大李与平常不一样的声音，走到三楼走道，见到坝子里一个微胖的中年人伸手抚摸大李。大李很有王者风范，趴在地上，昂着头，没有拒绝也不理睬来者的抚摸。

来者与大李交流了至少有几分钟，这才转身上楼。侯大利猜到来者是谁，退回资料室，等着传说中的省厅怪人。中年人来到档案前室门口，轻敲房门。

侯大利道："找谁？"

中年人道："你是侯大利？"

侯大利道："我是，你找我有事？"

中年人道："我是老朴。"

侯大利道："老朴是谁？"

老朴道："我是省厅的。"

侯大利不动声色，伸手，道："省厅来的领导？请出示警官证。"

老朴在全省刑侦系统名气极大，只要报了"老朴"两个字，便在各市刑侦部门畅通无阻。眼前这个年轻人毕业于山南政法刑侦系，凭着在朱建伟案中的表现，精明得厉害，绝对是故意重演列宁和卫兵的情景戏。他看透了侯大利的表演，道："如果我拿不出证件，你就不接待我？"

侯大利道："有困难，找警察，我怎么会不接待？没有证件，接待方式有所变化而已。"

老朴将警官证交到面前有趣的年轻人手里。侯大利看罢证件，干净利索地敬礼，道："朴老师，我曾经听过您的讲座，但是还得看您的证件，才能让您看卷宗，请谅解。"

"为什么用这种方式对待我，换成其他省厅领导会不会如此？"

"朴老师非同常人，是我佩服的人。我想给你留下深刻印象。"

"虽然有点刻意，但是在能够接受的范围之内。"

老朴落座后，没有寒暄，道："我看过朱建伟案卷宗，有一点好奇，你似乎有未卜先知的能力，说说原因。"

侯大利道："105专案组主要职责是侦办五个未破命案。我很熟悉五个积案的基本情况，不吹牛地说，倒背如流。朱建伟案和蒋昌盛案从作案手段上极为相似，我从蒋昌盛案推导朱建伟案可能会出现的各种情况，结果全部相符。在外人眼里，显得有未卜先知的能力。"

老朴是省厅刑侦专案，其精彩案例曾经在刑侦系课堂上多次公开讨论。侯大利在高手面前尽量说实话，这样最轻松。

“调出蒋昌盛案子。”老朴看上去细皮嫩肉，非常斯文，与寻常刑警队员从相貌上颇有区别，更接近刑侦系教授。他开口说话，简单明确，不打花腔，又是正宗侦查员说话的方式。

投影仪上逐页播放蒋昌盛案件资料，侯大利站在幕布前讲解。他着重谈几点：一是从受伤部位来分析，两案的凶手都是左撇子；二是两案的凶手体力很强，下手果断，只留下一个伤口；三是两案的凶手作案前踩过点，精心设计，没有现场目击证人，通过摸排没有确定犯罪嫌疑人，不能依靠直接证据认定案件事实。

他又提出疑问：如果蒋昌盛案、王涛案是一个凶手所为，那么说明凶手作案手段在升级。但是时隔几年之后，凶手作案手段又回到最初作案的状态，其中必然有原因。

老朴道：“这个很好理解，凶手因为某种原因停了几年，重新作案时，作案手法又回到最初状态。谈一谈对其预判。”

侯大利道：“我倾向于同一个凶手作案。凶手不停杀人必然有独特原因，从现在所掌握的证据来看，杀人原因藏得很深，我找不到规律。但是，既然重新开始杀人，估计收不住手。”

老朴道：“每次遇到新案子，对所有侦查员来说都是一次高考。尽管每个案子不同，归结起来，侦查破案是对人的行为轨迹和社会关系的调查。只要是预谋杀人，一定会从行为轨迹和社会关系中找到突破口。”

酒逢知己千杯少，话不投机半句多，侯大利和老朴第一次接触，交谈之后，便是王八看绿豆——越看越对眼。

几天后，老朴找到局长关鹏，提出三条加强105专案组的建议。一是由副局长刘战刚出任105专案组组长，朱林出任专案组副组长，日常工作朱林负责；二是为进一步加大案件侦查力度，各警种密切配合，需要进一步充实专案组力量；三是加强专案组建设，设抓捕组、外调组、证据审查组、综合协调组、后勤保障组等职能组。

设立105专案组有着特殊背景，关鹏局长并没有指望专案组真能破案。此时省厅老朴郑重提出建议，就令关鹏很为难。他稍微思考，同意了老朴的建议，经党委会研究以后再落实。正准备召开市局党委会，关鹏接到通知到省委党校学习，市局党委会便暂时推迟。

江州刑警支队根据多年来的破案经验达成共识，破案最关键期是在案发后三天，这是黄金时间，三天到七天是次黄金时间，超过七天仍然未能确定关键线索确定嫌疑人，命案破案概率急剧下降，成为积案的可能性大大增加。

朱建伟案早就超出黄金时间，仍然没有获得关键线索，侦办此案难度迅速增加。

黄卫被调离重案大队，不少曾经与之共同战斗的队员迁怒于105专案组侯大利，这导致105专案组和重案大队产生隔阂。侯大利是二大队编制，回到二大队办事受到同事冷遇，来到重案大队，更是无人理睬。

侯大利情商不低，只不过有自己坚持追求的目标，对同事们的误解不以为意，将所有误解当成沾在脸上的蛛丝，轻轻抹去。

他更关注建设性意见，将“行为轨迹、社会关系”这句简单的话做成电脑屏保，时时提醒自己要从这八个字入手寻找到五个未破命案的蛛丝马迹。

既然未破命案成为命案积案，所有摆在明面上的线索都被侦查员细细梳理过，熟悉卷宗仅仅是把明面上的线索重查一遍，并不能找到真正的突破口。

105专案组多次组织讨论是否存在隐藏在卷宗里的关键线索，没有结果。

葛向东打心眼里认为凭专案组几个人绝对没有破案的可能性，所以想方设法趁空闲时间帮助打理家族生意。最妙的是国龙集团太子居然在专案组，简直是天降大福。葛向东进入专案组以后便以极大的热情维持与侯大利的关系，成效极佳。凡是遇到局内民警表达对侯大利的不满，他必然会站出来反驳。他还经常设计饭局，借此巩固与侯大利的关系。

朱林在出任支队长之时，素来不参加类似聚餐，如今无官一身轻，参加聚餐没有心理负担。葛向东请客，总会欣然前往。

元旦刚过，2009年1月5日，葛向东又主动请客。

晚餐安排在江州食府，除了专案组以外，还有葛向东妻子的生意伙伴。葛向东宴请生意伙伴时，经常将公安局内有分量的人一同请来吃饭，这样的做法可以给生意伙伴某种“朋友多、关系宽”的暗示。用这种“拉大旗，作虎皮”的方法，葛向东的家庭生意做得顺风顺水。如今被弄到了专案组，葛向东没有被困难吓倒，将老方法发挥到极致，拉起侯国龙儿子的大旗。

果然如他所料，侯国龙儿子的招牌比起退居二线的朱林强太多。

朱林没有料到葛向东还请有不少外人，斜了他一眼，还是落座。专案组有纪律要求，有外人在场，自然不会谈论与案件有关的事情。可是剔除了案件，几个性格各异的专案组成员真没有多少话说。葛向东和其妻子两边穿梭，说着夸张笑话，尽量渲染气氛。

另一桌居然有培训学校校长王永强，侯大利当年在江州一中的同学。

“王校，你居然是大利的同学，怎么没有听你说起过？”葛向东抚着王永强肩膀，很惊奇地问道。

王永强道：“我们做点小生意，不敢随意攀国龙集团，干脆避嫌。”

侯大利道：“我和国龙集团是两码事。”

王永强道：“你自认为是两码事，可是对绝大多数人来说，这是一回事。个人观点，大利最终还得回国龙集团。”

王永强在场，葛向东不用主动介绍，另一桌客人都知道葛向东与侯大利是一个专案组的同事，关系走得很近。

打过招呼以后，侯大利、王永强各自回到自己座位。酒过三巡，在葛向东强烈邀请下，侯大利去另一桌敬酒。侯大利平时我行我素，并不意味着情商低，只不过是有足够资本我行我素。

葛向东是天天见面的组员，在是否敬酒这种不涉及原则的小事上，侯大利还是挺配合，傻乎乎地到另一桌敬酒。敬完酒，配合着葛向东说了一些场面话，侯大利回到自己的座位上。

田甜道：“我还以为你会拒绝敬酒。”

侯大利道：“我为什么会拒绝敬酒？给同事面子，你好我好大家好，这是一个凡夫俗子应该做的事情。”

田甜又道：“老葛是同事，重案大队也是同事，你这一回得罪了刑警支队太多人。”

侯大利道：“张勇之事是原则问题，退让不得。敬酒是俗事，退让一步无所谓。你不要把我当成怪物，我真是一个俗人。”

田甜道：“那人是你同学？你平时似乎很少和高中同学来往。”

“我们高中一个年级，其实没有太多接触。”侯大利扭头看了王永强一眼。

王永强专注地听同桌其他人讲话，两只手放在桌面，反复扭动。

侯大利看到王永强两只手的动作，只觉得其手指扭动的动作很熟悉，便在脑中朝王永强手指中间加上各类物体。当在手指间加上魔方之时，手指扭动显得格外自然：王永强两只手是在玩魔方，只不过手中没有魔方。

见到这个动作，侯大利心中莫名出现一片阴影。

杨帆是魔方迷，从幼儿园开始，书包里总是背着魔方，下课时间也常常玩魔方。侯大利在少年时代玩魔方就是受杨帆影响。他空间能力素来优秀，玩魔方水平远远超过杨帆，但是这不妨碍杨帆喜爱魔方。

今天他看到王永强手指在“玩魔方”，心里不禁咯噔了一下：王永强也喜欢玩魔方！

虽然魔方是经久不衰的益智玩具，玩的人挺多，可是王永强也玩魔方却让侯大利心有阴影。他和杨帆是恋人，知道所有给杨帆写过情书的“情敌”，这份名单中没有王永强。但是，没有写过情书，并不意味着没有暗恋过杨帆。

侯大利突然间意识到自己和当年的刑警支队都陷入思维惯性之中，没有调查高中阶段的暗恋者，更没有调查初中阶段的追求者和暗恋者。

斯人早已逝去，不可能再得知暗恋者名单。侯大利觉得很是懊恼，当年没有及时冲破思维的墙，或许这个小小失误会让杨帆沉睡河底。

突然间，他脑中有一道闪电：在杨勇要求下，杨帆一直都有写日记的习惯。杨帆出事后，公安机关只是调去了高中时期的日记，没有调查初中时期的日记本。杨帆在初中时期的日记里，能否发现端倪？

朱林正好坐在侯大利对面，见这个年轻侦查员表情在一刻间凝固起来，道："你在想什么？"

侯大利道："我要请一天假，办点私事。"

有了一个缺口，侯大利无法将思绪转到酒桌，匆匆告辞。

杨帆出事以后，杨家便搬离了世安厂。为了彻底与伤心往事告别，杨家一直未与世安厂老同事们联系，世安厂没有谁知道杨家到底在何处。侯大利查找杨勇的具体位置倒不费周折，在上午拿到杨勇家的具体地址以后，开了越野车前往省会阳州。

杨勇本是世安厂医院名医，从世安厂辞职以后，在阳州一家私人医院从事老本行。早上起床时，他眼皮不停地跳动，对妻子道："我的左眼一直在跳，是不是要发生什么事情？"秦玉正在给小女儿穿衣服，道："那得小心一点，小心驶得万年船嘛。"

到了中午下班时间，杨勇刚刚走出诊室，见到一个熟悉又陌生的年轻人。见到此人，杨勇双腿如灌了铅，无法提起，脸颊如进入冰箱，绷得紧紧的。

"你来了？"杨勇在女儿出事时曾经一夜头发花白，憔悴得不成人形。几年时间，杨勇精神状态才有所恢复，花白头发染成黑发，干净白大褂很合身，和正常医生一个模样。女儿意外离世以后，侯大利的表现让杨勇刮目相看。可是刮目相看又能如何，女儿与家人阴阳相隔，也与侯大利阴阳相隔。

侯大利心中翻腾着海浪，面容却很平静，道："我来了。"

杨勇没有多问，回屋换了衣服，带着侯大利到外面吃饭。他此时有私心，在摸清楚其目的之前，不愿意带其进入新家庭。他有些迷信，觉得不能让小女儿沾上一点来自江州的晦气。

"秦阿姨好吗？"

"还是老样子。"杨勇到了此时，仍然没有告诉侯大利自己有了小女儿。

两人在医院附近的小餐馆吃午饭。杨勇虽然不愿意沾上来自江州的晦气，但不由自主地来到平时经常去的江州风味餐馆，点了豆花饭、烧白和青椒炒肉，迟疑一下，又给远道而来的年轻人要了一瓶啤酒。

“你在做什么？在爸爸的公司？”

侯大利没有打开啤酒，道：“我在江州刑警支队工作。”

见到从小就熟悉的侯大利时，杨勇产生了强烈的陌生感，陌生感不是由于相貌发生了变化，而是气质发生了变化。以前的侯大利活泼开朗、大大咧咧，是一个帅气但是没有长大的大男孩；如今的侯大利依然年轻，年轻中又略有沧桑感，还有一种很锋锐的气质。

他自然明白侯大利当刑警的原因，心底有了浓浓暖意。

“今天有什么事？”

“我想看一看杨帆日记，包括初中日记。我在江州105专案组，这个专案组主要负责未破命案。”

杨勇眼神复杂地望着侯大利，然后拿着手机到了屋外，给妻子打了电话。他走进餐馆，道：“阿姨让你回家吃饭。杨帆有个妹妹，四岁，叫杨黄桷。”

黄桷树根系发达，生命力极强。杨勇为小女儿取这个名字，其中寓意不言而明。

杨勇所住小区就在市公安局办公楼附近，直线距离不过三百米。小区里住着不少警察，在中午时间，侯大利至少看见了三个穿警服的。一般情况下，警察在下班回家时都不穿警服，此小区距离办公楼很近，所以不少警察在中午回家之时就懒得换衣服。

进入家中，侯大利闻到熟悉的黄焖鱼香味。杨家这道黄焖鱼在六号大院很有名，当年做鱼时，香味飘出窗，引得无数小孩子流口水。侯大利闻到这个味道，仿佛时空出现一个空洞，又让其回到了往日的六号大院时光。

秦玉听到开门声，走到门口，还未开口，双眼泪水直涌。她上前抱住侯大利，泣不成声。杨勇默默地接过锅铲，到厨房做鱼。等到他将黄焖鱼端出来时，侯大利已经到书房看女儿杨帆留下来的宝贵日记。

秦玉神情忧郁地在坐在客厅，专心削苹果，见丈夫过来，低声道：

“大利是好孩子，没有变成纨绔子弟，还挂念着小帆，以前是我们错看了大利。”

杨勇坐在妻子身边，道：“我希望他是对的。如果小帆真是被人害的，我发誓要将凶手挫骨扬灰。”

侯大利专心看杨帆的初中日记本，逐字细读，试图查找遗漏的线索。在读日记之时，杨帆往日的音容笑貌如陨石撞地球一般在脑中炸开，将脑浆搅得天翻地裂。读到一半时，杨帆日记中出现一段话：“前面的眼光很那个……”往后翻了几页，杨帆又写了几句话：“魔方居然丢了。这个魔方很旧了，还掉了两块，谁会这么无聊。”

若是没有在餐厅发现王永强空手玩魔方的手法非常娴熟，侯大利读到这几行隐晦的少女日记时，十有八九会忽略。如今注意到王永强，他突然意识到当年的日记提供了某种可能性。

在杨帆遇难之后，侯大利一直在黑暗中摸索，虽然还是没有证据能支持杨帆是遇害不是意外落水，但是黑暗的远方似乎出现了一丝光亮，给了他信心。

他很感谢葛向东，若非他不务正业，自己或许很难关注默默无闻的王永强，或许不会想起查看杨帆的初中日记。

从杨帆遇难到如今八个年头，八年生死两茫茫，不思量，自难忘。侯大利反复思考杨帆案件的进展，如今找到方向确实只是万里长征走了第一步，甚至第一步都算不上。侯大利还是感觉振奋，以前的案侦工作完全陷入无边黑暗之中，连杨家父母都接受了警方观点，这一次王永强出现犹如在黑暗中开了一道口子，总算有了方向，就算是错误方向，也是方向，强于无路可走、无迹可寻。

这是属于他一人的案件，必须在不违法的情况下用合法且有力的措施将案侦工作推进。

吃过黄焖鱼，秦玉单独送侯大利下楼。她站在车外，隔着车窗望着侯大利，抹着眼泪，道：“大利，小帆的事情给你杨叔打击很沉重，过了这许久，他晚上总会做噩梦，不时会喊叫小帆的名字。但是，生活还得继续，我们还得养育小帆的妹妹。如果有确凿证据，你才给杨叔讲。

拿不定的证据，暂时别讲，否则杨叔会更加痛苦。”

杨勇提着送给侯国龙夫妻的土特产来到车前，又让妻子给侯大利装水果在路上吃，等到妻子离开，道：“大利，谢谢你为小帆所做的一切。只要你有任何消息，不管什么消息，都要马上告诉我。若小帆真是被害，不为她报仇，我死不瞑目。”

越野车缓缓离开小楼，侯大利从倒车镜里看到杨勇和秦玉身影越来越小、越来越模糊，越野车拐弯，两人身影突然间消失不见，就如当年举家搬离江州一般。

刑警老楼，老姜、朱林坐在小会议室，烟灰缸里堆满烟头。

“105专案组干得不错。老朱带队伍水平不差。”老姜又将一根烟摁灭在烟灰缸里。退休以后，他就被老妻严管，失去了抽烟的自由。如今回到专案组，可以随意抽烟，日子又爽快起来。

朱林额头上全是皱纹，道：“黄卫调离，现在专案组与重案大队关系弄得僵了，以后相处起来更难。大家伙还给我这张老脸几分薄面，侯大利成为替罪羊。”

老姜挥了挥手，道：“这事不必过于在意。重案大队总体都是一群好汉，虽然有本位意识，最终还是明事理的。我当时还有些担心宫建民作为支队长会给技术室某些暗示，宫建民没有，做得很好，说明此人大是大非上还不糊涂。黄卫也不错，虽然犯了错，以后也能用。”

两人正聊着，有脚步声传来。朱林道：“侯大利的脚步声。”

老姜道：“这个年轻人有好刑警的特质，可惜是富二代，估计会半途而废。”

朱林道：“他之所以当刑警，是放不下杨帆的事。”

老姜再次感叹道：“执拗正是一个好刑警应该有的品质，可惜了这样一株好苗子，偏偏是富二代。”

正在谈论，脚步声又响起，侯大利拿着《法制报》《山南晚报》等报纸进屋。刑警支队所在的居委会和街道每年都会摊派一些订报纸的业务，仅仅是支队办公室就有日报、晨报、法制报等多种报纸，朱支队不喜上网，每天靠报纸读新闻。朱林来到老刑警大楼，老刑警办公室就将几份报纸转到了这边。

朱林随口道："这些天又有什么怪事？"

"狗咬人不是新闻，人咬狗才是新闻，正能量很难发新闻，负能量最能吸引眼球。第四版有一个交通肇事逃逸新闻，肇事逃逸之后，受害者躺在斑马线上，很多人和车走过，都没有人停下，若不是有警车经过，肯定会发生惨剧。"侯大利想起以前见义勇为后无人问津之事，很有感慨。

朱林拿到报纸翻了头条，又直接翻到第四版，看完新闻，叹息一声，没有发表评论。

老朴出现在办公室门口。他是省厅留下来协助和指导江州市公安局侦办案件的，与一般省级机关下来的干部不同，不喜看文件，也不喜坐机关，在刑警支队要了一间办公室，与一线刑警混在一起。他坚决不住公安宾馆，在刑警老楼要了一个房间作为临时宿舍。

老朴和老姜非常熟悉，互相开玩笑，很快将谈话重点转向了案件。

"侯大利，别走，谈谈案子。"老朴主动点将，叫住侯大利。

他又问道："听说侯大利有个绰号叫'变态'？这个绰号很好，不变态者不能破大案。这两天又有什么新成果？"

侯大利抓了抓头，道："重案大队曾经对蒋昌盛和王涛的社会关系进行过反复排查，两者的社会关系完全不重合，而且从目前调查的情况来看，朱建伟的社会关系与前两者也没有任何重合。用简单的话来说，蒋昌盛是农民、王涛是银行职员、朱建伟是报社领导，三人八竿子都打不着。我在想凶手的动机是什么，是什么动机让凶手将三人联系在一起的？"

朱林道："若是遇到神经病杀人，动机很难用正常思维寻找。"

老朴道："我们假定此案是系列杀人案。系列杀人案必然有动机，国外有部片子叫《七宗罪》，虽然涉及宗教，但是思路可以借鉴。这三个案子应该隐藏着某种内在联系，只是我们还没有找到。割生殖器在国外有宗教因素，据我所知，山南省没有类似割生殖器的宗教问题。"

四人是在办公室进行没有正式记录的闲聊，这种闲聊由于没有正式记录，闲聊者不必有太多顾忌，反而对整理思路、确定侦查方向很有帮助。

“专案组将注意力集中到蒋昌盛案、王涛案和新发生的朱建伟案，总算有些进展。丁丽案完全没有推进，专案组不好向市委交代呀。下一步得让葛朗台和樊傻儿加大力度，深入调查。”

丁丽案时间更久远，当时技术条件和意识都差，收集的证据粗糙，要想依据现有材料破案，难度极大。朱林接手105专案组以后，实质上将重点放在后面四个案子。

老姜道：“日常工作，我们没兴趣，老朱自己安排。言归正传，继续讨论朱建伟案。我再提一个问题，大利来回答。若是连环杀人案，为什么他突然收手后又重新出手？”

这是侯大利曾经向老朴提出过的问题，老朴提出了“重新作案时，作案手法又回到最初状态”的观点。侯大利一直在思考这个观点，并进一步发挥，道：“既然他再次出手，那么极有可能会有新案发生。”

老朴道：“重案大队在这一点上与专案组有相同判断，凶手极有可能还要作案。”

此刻，宫建民正在召集重案大队开会。大队长黄卫被调离，严重打击了重案大队的士气，宫建民觉得有必要重开一次战前动员会，将低落的士气调动起来。

“我知道大家心里很憋屈，案子没有破，大队长被调走。出现这个结果首先责任在我，面对各方压力，我太急于破案，证明自己担任刑警支队长不是吃干饭的，对黄大队长施加了压力，在这一点，我是有私心的。”

如何鼓动士气，宫建民想了很久，基层刑警没有太多升官机会，刑警支队也没有擅自发奖金的权力，调动刑警积极性最终还得从职业荣誉感着手。要调动荣誉感，自己作为刑警支队长就必须承担责任。

在场刑警听到宫建民主动担责，表情凝重。

宫建民又道：“除了私心以外，更多是公心，将杀人凶手绳之以法，还逝者一个公道，是给事主最好的安慰。破不了案，刑警就一钱不值。我知道你们很多人都对侯大利有怨气，我最初也是如此。后来仔细思考，我们的怨气没有理由，关局狠批刑警支队没错。你们想想，侯大利到张勇家提取证据，至少有两组刑警去过张勇家，你们没有发现沾有精液的餐巾纸，没有想到检查上网时间，这就是重大失误。若是没有专案组及时找到张勇不在场证据，我们就要办冤案。从这一点来说，我们得感谢专案组，感谢侯大利。侯大利确实是人才，而且还是我们刑警支队的人才。”

李超是侯大利的师父，重案大队同事批评、嘲讽甚至责骂侯大利时总觉得浑身不自在。今天从宫建民嘴巴终于听到对侯大利的正面评价，暗自佩服支队长的胸襟和气度。

“责怪105专案组是最没有志气的做法，给重案大队正名的唯一方式是破案。若是105专案组区区几个人在重案大队之前破了案，那我真想买块豆腐撞死。

“大家打起精神，把所有线索重新摸一遍，确保不出现类似张勇家的情况。

“重案大队在破案的时候不能小家子气，资源共享，讨论案情时通知105专案组参加，我们应该有这样的心胸和气度。”

这次会议确实达到了宫建民想达到的效果，重案大队原本沉闷的气氛被打破，队员们重振精神，扎进案子之中。

105专案组仍然按照原有节奏推进工作。

“昨天你们才来，怎么今天又来？”朱建伟妻子刘红开门后，有气无力地对两个年轻警察抱怨道。

侯大利道：“重案大队昨天来过？”

刘红非常憔悴，有气无力地道：“来过，把老朱所有工作笔记、日记本全部拿走了。”

回到车上，侯大利下意识地拍了一下喇叭，道：“我犯了傻，早应该来寻找朱建伟的工作笔记，这是一个不应该犯的重大失误。”

田甜嗤笑了一声，道：“你就是一个菜鸟刑警，又不是福尔摩斯，没有必要自责。”

侯大利道："我到重案大队去借阅工作笔记和日记本。"

田甜用奇怪的眼神看着侯大利，道："你难道没有自知之明？黄卫被调走，重案大队如今见到你都是斜着眼睛。"

侯大利道："给我白眼又何妨，总得要试一试才行。你和我一起去吧，面对美女，大男人的态度总要温柔一些。"

田甜有自知之明，道："有一段时间，我没给支队大老爷们儿好脸色，恐怕陪你上去没用。算了，我们是搭档，一起去领白眼吧。"

两人来到重案大队。重案大队第一间办公室有三个人，原本正在热烈讨论，侯大利进来如爆炸了一个定时炸弹，定住了三人嘴巴。

侯大利说明来意，询问朱建伟的笔记本在哪个办案刑警手里。当侯大利开口说话时，定时炸弹突然失效，三人仿佛当侯大利和田甜是空气，开始各自忙碌，一人拿起手机开始打电话，一边打，一边走出门。一人撕了餐巾纸上厕所。另一人在键盘上敲得啪啪直响。

侯大利和田甜被晾在一旁。

田甜冷了脸，正要发火。侯大利拉了拉田甜的胳膊，径直来到敲电脑的民警邵勇面前，道："邵警官，请问昨天是哪位到朱建伟家里提取了笔记本？"

邵勇双手放在键盘上，道："这个呀，抱歉，我还真不知道。"

田甜原本想看一看这个富二代的耐心，结果自己的火气先上来了，拉着侯大利径直走到重案大队副大队长陈阳办公室。

陈阳目前负责重案大队工作，听完侯大利汇报以后，道："严峰昨天将朱建伟的相关材料提了过来，正在抓紧时间研读。要彻底读完，我估计还得有几天。这样吧，你们随时和严峰联系，等到严峰研读结束，提交报告以后，105专案组可以调阅相关材料。"

严峰办公室紧闭，敲门也无人应答。

在重案大队碰了一个不软不硬的钉子，田甜坐在车上发了火，道："侯大利，你这个富二代当得太软，一点脾气都没有，我怀疑你是假富二代。你这种脾气，怎么当得了刑警？"

侯大利道："发了火又怎么样？专案组是临时机构，我们最终还得回到刑警支队。再说，他们只是给我们碰软钉子，让我们难受而已，摆在桌面上，别人一点错都没有。是否怕事，不能用发火衡量。”

田甜做深呼吸，努力调整情绪，道：“你比我想象的要成熟。”

侯大利在这瞬间想到了落入水中的杨帆，声音低沉下来，道：“经历过生死，人自然就成熟了。我其实不想成熟，更想放纵自己。”

田甜再次嗤笑，道：“别装了。要论见生死，谁比得过法医。”

警车往前开了几百米，侯大利突然将车停在路边，道：“我又犯了错，思维老是出现误区，重案大队在研读朱建伟的工作笔记和日记。我们是105专案组，为什么不研究王涛和蒋昌盛的工作笔记？如果有日记，那更好。”

来到蒋家，蒋昌盛的爱人在家里翻了半天，找到一个黑色笔记本，记载生产队的一些琐事和现金流水账。

来到王家时已经到黄昏。

王涛爱人已经改嫁，又生了一个儿子。王涛爱人改嫁以后，重新装修原银行家属房，新房已经没有了王涛的任何痕迹。她不太愿意在后夫面前谈前夫王涛的事，回答说王涛根本不记日记，工作笔记本都在办公室，从来没有拿回家。

侯大利满怀希望而来，抱憾而去。

刚下楼，正要上警车，一个瘦小女孩子借着树荫跑了过来，来到警车前，道：“奶奶家里有我爸的东西。”

来者正是王涛女儿。王涛遇害时，其女儿还在读小学，此时已经读高中，变成了亭亭玉立的少女。妻子可以忘记丈夫，但是女儿永远不会忘记爸爸。她躲在房间里听妈妈跟警察说话，当警察离开时，便跑了出来。

侯大利道：“你奶奶家里有什么东西？”

少女眼角有些泪水，道：“那个人要来我们家时，我妈准备重新装修房子，要扔掉爸爸的东西，为了此事还和奶奶吵了一架。奶奶将爸爸的东西全部装在箱子里，拉走了。具体里面有什么东西，我不知道。”

少女递过来一张纸，上面写着奶奶的地址和一个座机电话。她说话时一直不停朝楼上望去，眼中有几分恨意，道：“我妈把我爸忘记了，我没有忘。爸爸很好，常给我买新衣服，周末都带我去玩。警察叔叔，你们一定要破案，给我爸报仇。”

侯大利接过字条，郑重地道：“你放心，我们不会放弃的。”

少女听了就开始抹眼泪。她给侯大利和田甜鞠躬以后，沿着墙角飞快地回到楼里。

侯大利和田甜没有耽误时间，便要直奔王涛母亲的家。

这时，侯大利突然急刹车。田甜身体前倾，又被保险带拉了回来，惊讶地道：“什么事？”

侯大利盯着窗外，道：“你稍等，我耽误几分钟。”

侯大利下车，站在“江州魔方俱乐部”的牌子前抽了半支烟，然后上楼。

俱乐部实则是一个茶馆，有十来人坐在长条桌上，每个人都拿着一个魔方，聚精会神地玩。

王永强抬头看见侯大利道：“侯大利，什么风把你吹来了？会玩魔方吗？”

侯大利僵硬的神情很快变成微笑，道：“以前玩过，后来不怎么玩了。我是第一次见到还有魔方俱乐部，有点好奇，上来看看。”

王永强把一个八角圆柱魔方递给侯大利，道：“我初中数学陈老师退休后组建的这个俱乐部。我玩魔方就是受陈老师影响，这些会员大部分都是陈老师的学生。”

聊了几句，王永强领着侯大利参观荣誉墙，荣誉墙上有陈老师的相片，以及魔方俱乐部到各地参加比赛的相片。

离开俱乐部，侯大利脸上不太好。他原本将王永强列入重要嫌疑人，可是从今天偶遇的情况来看，王永强喜欢玩魔方是很正常的事。他此时回忆起杨帆初中日记中曾经提起过喜欢玩魔方的数学老师陈老师，不过她在日记中对数学老师玩魔方水平有点贬低。

“有事？”田甜见侯大利脸色不佳，问道。

侯大利用力揉了揉脸，吐了一口气，道：“没事，走吧。”

十来分钟后，小车来到一个老旧小区。王涛母亲独居，七十来岁，身体状态不佳，看上去和八十岁的人差不多。

她接待两个年轻警察时，先骂凶手，再骂媳妇，然后数落儿子不该死得这么早，死得太早，媳妇带着娃儿改嫁，啥子都没有得到。她抱了两个大箱子出来，里面是儿子留下来的衣服和书籍。这些东西没有什么用处，她却舍不得扔，全部保留起来，想念儿子时就打开箱子看一看，闻一闻衣服的味道。

侯大利和田甜逐一检查每件物品，重点放在书和笔记本。王涛留下的笔记本全是工作笔记，主要是开会时所记，非常简单，皆是周一有什么安排、周二有什么任务等，且习惯用数字表达。

不知不觉检查到吃晚餐时间，王涛母亲给两个年轻警察端来了水煮的荷包蛋，汤水放了很多糖，甜得腻人。

王涛母亲满脸希望地道："警察同志，找到东西了吗？我儿是银行学校毕业的，成绩很好的，在单位是业务骨干，马上要提分理所主任了。"

王涛遇害多年，早就被大家所遗忘，唯有母亲记得儿子最骄傲的事迹，还记得儿子生活中的点点滴滴，这些事迹和点点滴滴成为母亲的精神支柱。

田甜父亲在监狱服刑，此事深刻地改变了她对人生的态度，也让其能够更深入地理解父母之爱。离开王涛母亲的家，她坐在副驾驶座位上，神情郁郁道："王涛死了，他的妈妈生不如死，他的女儿变成另一个男人的继女，凶手依然逍遥法外，这不公平。"

田甜一直都以冷静著称，不管遇到再糟糕的尸体都不会失态，今天到王涛妈妈家里走了一遭，被一碗甜到腻人的荷包蛋和少女单薄的身体戳中了内心深处的柔软处。

侯大利道："这个世界上不公平的事情很多，要学会理解。" 田甜赌气似地道："我理解不了。"

"理解不了也得理解，最终会习惯这个不完美的世界。"侯大利并非讲大道理，而是自己内心最真实的感受。每次看到杨帆跳舞的相片，想到如此漂亮聪慧的女孩子却在最美好的年纪惨死在河里，这是人世间最大的不公，而他却从高一就要开始忍受这样的不公。

第八章
一张剪报揪出幕后黑手

凶手终于露出了破绽

晚上九点左右，陈雷来到夜来香。他买了一部新手机，准备送给夜来香的一个小妹。说是小妹，实则是夜来香的妈咪。妈咪见惯欢场风云，最懂揣摩人心，哄得陈雷舒舒服服。陈雷知道小妹见人说人话、见鬼说鬼话，可是既然能哄得自己高兴，又何必计较其真实性有多少。

小妹挺喜欢新礼物，玩了一会儿，带陈雷到自己的房间。

激情之后，小妹回到工作岗位，陈雷继续睡了一会儿，这才下楼到停车场。

陈雷是江湖中人，下手狠辣，这些年得罪了不少人，走出夜总会时便不由自主提高了警惕。他走出门时并没有意识到危险，只是习惯性地警惕起来。刚拐过弯，离开保安视线，从黑暗中走过来一人。

陈雷在长期江湖暗战中形成的第六感发挥作用，停下脚步，还朝后面退了一步。

黑暗中，汉子挥动胳膊，袭向陈雷。

陈雷转身就跑，跑动中，左肩被砸了一下，钻心的疼痛瞬间传到大脑。他没有停顿，拼命往亮灯处跑，右手从腰带中扯出来一柄手枪，忍痛上膛，朝后面打了一枪。

打完这一枪，陈雷右手手臂挨了一击，剧痛之下，手枪掉在地上。他顾不得捡枪，望着夜来香保安拼命喊叫。

夜来香门口有三个监控探头，若是现身光亮处，必然会进入监控。袭击者捡起掉在地上的手枪，翻过停车场围墙，消失在黑暗的街道。

陈雷手臂骨和肩胛骨受伤，被送到骨科医院就诊。很快，陈雷就变成了部分木乃伊。几个揣尖刀、穿黑衣的手下守在门外。

陈雷抓破脑袋都没有弄明白谁想来杀自己。在监狱滚过一圈之后，他对犯罪的理解上了一个层次，决不会轻易砍砍杀杀，对威吓等手段运用自如。在这种情况下，他的对手都没有到派杀手除之而后快的地步。

他想起另一个隐患，自己的手枪被对方捡去，若是这把手枪以后犯了大案，自己还真有可能说不清楚。这是一个巨大的隐患，潜藏的危险远远超出私藏枪支有可能得到的惩罚。

侯大利接到陈雷电话，来到骨科医院。

陈雷开门见山地道："我被人袭击，手臂骨和肩胛骨被敲裂。"

陈雷是社会人，受伤并不意外，侯大利最初并不上心，道："你可以报警，通过正规流程办理，用不着把公事弄成私事。"

陈雷道："你就是警察，我也算是报警。我想说的是另外一件事，我平时带了一把手枪，仿五四式手枪，开了一枪，估计没有打着对方。现在，手枪被抢了。想杀我的那个人力量很大，动作利索，是老手，我担心他把我的枪弄去作出大案，那我就麻烦了。"

"枪里有几颗子弹？"

"弹匣原本有五粒子弹，上个月在野外打了两枪，练枪法。刚才打了一枪，还有两粒子弹。"

"那你更应该打110报案，有完整记录，以后这支枪出事，你就有说法。你现在受伤，又是主动投案，根据刑法，你这种情况要被判处三年以下有期徒刑、拘役或者管制，很有可能就是管制。反正你骨头断了，又是两劳人员，管制就管制。"

侯大利调侃了几句自己的高中校友，突然想起陈雷用了"敲"，脸色凝重起来，道："当时伤你的人是用的什么工具？"

陈雷道："他是从黑暗中突然出来，我看得不是太清楚，应该是一把锤子，肯定是铁锤，否则也不能一下就敲断我的手臂。"

侯大利眼皮突突狂跳，道："这人多高？"

陈雷道："和你的身高差不多，应该有一米八，孔武有力。我还算机灵，拼命朝夜来香大门跑，又跑又喊救命，这才把来人吓退。"

侯大利心情紧张起来，道："袭击你的人是不是左撇子？"

陈雷想了想，道："还真是左撇子。"

一米八、孔武有力、持铁锤、左撇子，这几样特征与杀害朱建伟的凶手很近似，若不是陈雷是老江湖，为人机警，这次说不定会被敲破了脑袋。

这条极有价值的线索，惊动了江州市局。

朱林带着大李来到现场。大李行动不便，走路一瘸一拐，鼻子上的功夫却没有丢下。但是，发案现场受扰动太大，它在发案现场嗅了一阵，来到停车场，失去踪迹。朱林当即给宫建民打电话，让其调查进出夜来香停车场的车辆。

在案情分析会上，刘战刚宣布三件事：此案是市局第一案，所有单位都要无条件支持案件侦破工作；刑警支队重案大队接手此案，由重案大队副大队长陈阳具体负责；105专案组参战，配合重案大队。

宣布政策以后，刘战刚虎着脸，道："还是我们刑警队的老话，刑警破不了案，屁用没有。我把话挑明，黄卫被调走那是他违反了纪律，和105专案组没有关系。重案大队要把劲用在破案上，谁敢因为个人原因影响破案，卷铺盖滚蛋！"

重案大队接手此案，派精兵强将勘验现场，查看周边监控录像，寻找可疑车辆。

凶手反侦查能力很强，没有留下指纹、毛发和脚印。有一辆面包车出现在监控里，车牌被蒙着。

老朴从省厅请来了模拟画像师，根据陈雷描述，画出一幅剪影。这幅剪影和葛向东前一阵子所画背影十分相似。

陈雷看了这幅剪影，十分认可。只可惜剪影无论再相似，没有面容，不能发协查通报。

陈雷最初只是担心丢失的那支枪作下大案，累及自己，没有料到给侯大利打过电话以后，市公安局如临大敌，众多刑警立刻扑了上来，轮番上阵，将陈雷挖了个底朝天。

侯大利来到医院时，病房前还有重案大队刑警守候。

侯大利进屋时，陈雷长吁了一声，道："大利，我们是同学，你给我透个实底，敲我的人到底是谁？"

侯大利坐在陈雷床边，道："如果我们知道，早就抓人了。你仔细想想，这几年你得罪过谁？"

陈雷道："你说这几年？难道这个杀手从几年前就开始杀人？"

侯大利算了算蒋昌盛被杀的时间，道："有可能在杨帆落水不久。"

陈雷惊讶地道："那时候我就是一个小毛贼，不可能惹到这么厉害的杀手！莫非，你们认为这个杀手与杨帆有关系？"

侯大利道："从杨帆落水以后开始，世安桥附近的菜农遇害，被铁锤敲了脑袋。一个月以后，一个银行职员被害，用刀捅的。前阵子，报社副社长被害，也是被锤子敲了脑袋。除了银行职员以外，菜农、报社副社长和你都被铁锤敲过。仔细想一想，你们三人或四人之间到底有什么联系？"

重案大队严阵以待，陈雷已经意识到砸自己的人绝对背负大案，听到侯大利介绍才明白砸人者到底背负何种大案，他倒吸一口凉气，抓破头也想不出自己和另外三人的联系。

"你再想一想，是不是曾经以某种方式联系在一起。比如，一起旅行过；比如，一起参加过什么组织；比如，有什么共同爱好。"侯大利不停启发，希望陈雷脑洞大开，破解掉这道难题。

"这人明显是要我的命，我也想把这人揪出来，否则他在暗，我在明，提心吊胆的，这日子没法过。莫非这个人与杨帆之死也有关系？如果与杨帆也有关系，那我更想不出来者是何方神圣。"陈雷想了半天仍是一头雾水，根本想不出自己和杨帆、菜农、银行职员、报社副社长有何种瓜葛。

杨帆是侯大利心中一块永远不能愈合的伤口，平时总是自己一个人默默舔伤口，此时听陈雷提起杨帆，疼痛依然强烈。疼痛归疼痛，侯大利还是很客观地道：“没有任何证据或者线索能将杨帆和这个凶手联系起来。凶手使用铁锤，这不应该是巧合。”

陈雷叹息一声，道：“杨帆太可惜了。每次看见电视里有人跳孔雀舞，我就会想起杨帆。”

侯大利不愿意多谈论杨帆，打断道：“警察不可能一直保护你，注意安全，想起了什么事情记得和我联系。”这时，手机响起。侯大利看了一眼电话号码，立刻站了起来，走到门口。

“上一次你到家里，想借小帆的日记本，我当时舍不得，没有同意。后来我和你秦阿姨商量了，将小帆的日记本、剪报本和学习笔记本都复印了一套，送给你做纪念。她虽然离开了我们，但是有我们几个惦记，小帆就还活着。只有我们全部将她忘记，她才最后消失。”

“我不会忘记杨帆的，永远不会。”

杨勇的话进入侯大利耳中，立刻引起身体强烈的化学反应。杨帆出事以后，社会上绝大多数人都认为杨帆落水是意外事故，并不支持侯大利的说法，社会上总体气氛让侯大利创伤无法排解，陷入体内越来越深。杨勇终于正面提起杨帆，侯大利这才找到一个抒发长久被压抑感情的口子。

这番对话在寻常人嘴里说出来，会让人觉得做作。可是杨勇和侯大利都很真诚，表达的是内心真实情感。

“杨叔，复印件在哪里？我过来取。”

“我坐车到了江州，等会儿到老刑警队办公室。”

侯大利急忙开车回刑警老楼，在刑警老楼的门口等了几分钟，杨勇提着箱子出现在楼前。他回江州第一件事情是给女儿扫墓，扫墓后，在墓地给侯大利打了电话。

陌生人踏入刑警老楼，大李喉咙发出低沉的吼声。它出现在侯大利身旁时，杨勇被其体形和凶相吓了一跳。

侯大利道："没事，这是专案组一员，有功勋的。"

大李用头靠了靠侯大利的大腿，摇摇摆摆回到自己的地盘。

上了楼，杨勇将十来本复印件交给侯大利。每本复印件都很厚，用牛皮纸包好封面，封面上是杨勇手写的内容提要。虽然这是复印件，可是打开本子，杨帆的气息还是扑面而来，浓得无法呼吸。

杨勇将复印件交给侯大利以后，执意要坐当晚长途客车回省城。在车站分手时，风吹来，两个大男人眼角都有些湿润。

侯大利先看高中那一本日记。日记本记得非常简约，文字优美。作为当时的亲历者，他读到杨帆写下的文字，还能感受到她当时的细腻心思，初恋时的甜蜜、甜蜜中的小小忧伤、对未来美好的期望，都跃然纸上。

日记中出现过陈雷、王忠诚、李武林和蒋小勇这几个人的名字。四人曾经用不同方式向杨帆表达过爱慕，或写信，或当面表白，或送礼物。杨帆很明确地拒绝了四人，作为少女，在日记中还是有小小的得意。

看完高中日记，和上次一样，侯大利没有找到线索，深埋心底的创伤倒被揭开，痛得晚上难以入眠。世界似乎特意为侯大利开了一个窗口，将部分时间完全停了下来，与杨帆在一起的一幕一幕如电影一样清晰，甚至杨帆脸颊上淡淡的绒毛都能数得清楚。

早上起床以后，侯大利身心俱疲，用冷水洗了脸也头昏脑涨。

来到刑警老楼，侯大利正在潜心研究王涛案时，来了新任务。

陈雷受伤以后，一直有手下守在病房里。由于持锤行凶者极有可能是连环凶手，刑警便进入病房，保护陈雷，同时也希望持锤行凶者自投罗网。

在工作例会上，重案大队副大队长陈阳建议成立相对固定的保护组，保护组由侯大利、樊勇、李超组成，侯大利具体负责。侯大利进保护组的原因是其最熟悉持锤行凶者，又和陈雷是高中同学。樊勇、李超两人在刑警支队中都算身强力壮的，正适合对付凶手。

开车进医院时，李超兴致勃勃地调侃道："变态，你真是变态，这么短时间就当领导。”

“师父别开玩笑，让我来当组长，原因很简单，我最熟悉这个锤子人。”“锤子”是山南特别的称呼，在不同场景有不同意义，侯大利用在此处，是对行凶者的愤怒和鄙视，也是故意调侃让气氛变得轻松。

李超又道：“变态，我到重案大队转了一圈，大家都对你有些意见。你虽然才华横溢，但也得低调一些。”

樊勇笑道：“变态是富二代，平时够低调了，没一点架子，唯独在案子上六亲不认。我觉得他这样是对的，只要不害人不整人，最终重案大队会接受他。毕竟我们都是刑警，破不了案子，有个屁用。”

李超道：“老樊，你说话很哲理嘛。以后谁再叫你樊傻儿，我跟他急眼。”

三人关系都不错，说说笑笑来到医院，接替了原来的警察。三人按照计划，病房随时保持有两人，另一人则轮换休息。持锤行凶者抢夺了陈雷的仿五四式手枪，更加危险，三人按程序领了手枪，以防不测。

陈雷一脸苦瓜相，道：“老同学，我到底惹到哪路神仙，一定要我这条小命？昨天和几个兄弟推敲了半天，至少在江州还没有哪位江湖人想要我的小命。”

侯大利道：“真要想通了原因，案子基本就破了。”

除了警察以外，陈雷女友小吴也在病房陪护。小吴是健身馆教练，身材前凸后翘，比例匀称。侯大利看到小吴觉得有几分眼熟，仔细想了想，这个女子的身材和相貌都与杨帆有几分相似，虽然不如杨帆，也算是很不错的美女了。

为了打发时间，陈雷便和侯大利一起梳理持锤人袭击自己的理由。两人从杨帆遇难前后开始，以年为单位，将有可能导致袭击的重大事件写在纸上，以便寻找行凶者的袭击理由。梳理了半天，密密写了两张纸，还是没有找到持锤人的信息。侯大利将两张纸的内容印在脑中，随时与蒋昌盛、王涛的经历进行对比，寻找隐藏的联系。

守护的日子枯燥，所幸时间不长，几天之后，陈雷出院，回家休养。李超和樊勇护送陈雷回家，保护组任务也就到此结束。

侯大利没有陪护陈雷回家，来到刑警老楼参加丁丽案的案情分析会。

在警车上，陈雷依然被固定着胳膊，道："你们就撤了？凶手再来，怎么办？"

李超道："你自求多福哇。我们三个铁血刑警保护你出院，这是什么待遇？超级待遇呀！客观来说，你老弟确实还存在一定的危险性，但是我们也不可能永远保护你，对不对？"

陈雷道："那你们早点把凶手抓住，否则我的日子没法过。"

李超笑道："我们的目的是一致的，有什么线索，请立刻拨打我们的电话。"

陈雷道："持锤人很凶，又在暗处，我得避其锋芒。明天出去旅行，玩一段时间再回来。"

小车来到陈雷小区。陈雷让手下从餐馆端了饭菜，开了珍藏的红酒，请两个保护自己的刑警在家吃饭，表示感谢。

李超和樊勇进入陈雷家里，几个人在家里边吃边聊。

晚上十点，李、樊两人离开陈家。警察离开后，陈雷将长砍刀放在卧室，又给防盗门上了天锁和地锁，这才和女友小吴进入卧室准备睡觉。

小吴正要拉窗帘，隐约觉得围墙之外的老楼有火光闪烁。紧接着，一道火光如流星一样奔腾而来，狠狠地砸在玻璃上，大火一下就蹿了起来。陈雷已经上床，见屋里起火，赤裸着从床上蹦起来，拉着吓傻的女友朝外跑。这时，又一道火光从玻璃窗冲进屋内，发出"轰"的一声响。火焰将陈雷和小吴包围，玻璃碴子在屋内四处乱飞。

第三道火光又冲进屋内。

小吴被大火包围，倒在寝室和客厅之间。陈雷后背上插满了玻璃，手臂、大腿在燃烧。他号叫着冲出寝室，扑灭身上的火，回头看寝室，女友陷在了烈焰之中。他冲过去用单手拼命扑火。等火熄灭时，女友已经被烧得不成样子。

陈雷爬到客厅的老式电话旁边，拨打110以后，又给侯大利打电话。打完两个电话，他用完了全身力气，瘫在地上。

侯大利正在高森别墅喝茶，手机猛响起来。

接完电话，侯大利扔掉茶杯，坐电梯到达车库，开越野车直奔陈雷所在小区。他冲进陈雷房间时，派出所也刚刚来到。作为最先到达的刑警支队刑警，他义无反顾地担当起保护现场的指挥任务。

物业和邻居已经进屋救火，现场环境遭受到严重破坏，房间到处是灭火器喷出来的泡沫，屋面还有积水。

120比侯大利稍早一些，已经给陈雷女友盖上白布。陈雷重伤，送到救护车上。侯大利拿着证件进屋，先是要求派出所民警拉起警戒线，不能让无关人员进入。

警戒线拉起后，侯大利小心翼翼地站在里屋，尽量不扰动现场。观察一会儿，通过损坏情况，他判断火源来自外部，是通过窗户扔进屋内的。现场情况确实符合陈雷电话所言。

做出初步判断，侯大利分别给105专案组组长朱林和支队长宫建民打电话，简要汇报起火现场的情况。

等到宫建民赶到现场之时，侯大利已经摸到对面的小区楼。小区居民大多已经搬迁，对面起大火，老居民只是在家里看热闹，没有出门。侯大利无法判断作案者是从四楼还是五楼将燃烧物抛向对面，便守在三楼楼梯口，保护现场，等待支援。

刑警支队来得很快，技术民警携带大灯，逐层开屋，小心翼翼地寻找蛛丝马迹。打开四楼一个已经搬迁的房屋后，他闻到空中的汽油味道，在窗前发现了凌乱脚印。多年以来，凶手无影无踪，除了根据遇难者遗体来推断凶手情况之外，再无任何与凶手有关的直接证据。眼前的脚印有可能是与凶手最直接的联系。

宫建民、朱林和侯大利等人皆站在室外，只有技术室民警进入最核心区域。警犬技术人员跟随警犬从房间出来，一路追寻脚印主人。

宫建民对眼前的富二代刑警感情很复杂，客观来说，这个富二代虽然是新刑警，其业务能力却非常出色，算是近些年来难得一见的刑警人才。他最先赶到，现场保护得很好，为以后侦办案件打下了基础。

宫建民道：“你接到陈雷电话，他还说了什么？”

侯大利道："陈雷当时受了重伤，只说有人把火从窗口扔了进来，从现场情况来看应该是燃烧瓶。一般人不会想到用燃烧瓶，这个凶手孔武有力，能从十几米远的地方准确地将燃烧瓶扔进窗子，肯定有特殊背景。这个凶手以前挺谨慎，作案后千方百计掩饰，最近不知道发生了什么事情，让他再次作案后变得不再掩饰，甚至有挑衅警方的意味。"

宫建民道："凶手下一步要做什么？"

朱林若有所思，道："很简单，他肯定要作案。作案就是命案，必须找出他作案的内在逻辑，否则根本无法防范。不过现在好歹有了脚印，这是与案犯最直接的联系。"

宫建民接到报告：警犬在街心花园失去了犯罪人员的踪迹。

这是不好的消息，另外有一个好消息：在脚印附近发现了几根头发。

案件有了突破性进展，杀害蒋昌盛、王涛的凶手在沉寂多年以后，露出重大破绽。虽然其DNA没有在数据库中比对成功，可是，凶手已经露出破绽，侦破此案的可能性大大提高。

勘查现场后，重案大队按照分工高速运转起来。

宫建民对于105专案组的态度发生了微妙变化，主动要求各组搜集到的情况要传一份给105专案组，专案组朱林和侯大利例行参加重案大队的案情分析会。

侯大利提出要查看朱建伟材料之时，宫建民满口答应，当即将副大队长陈阳叫来，特意做了交代。

有了支队和大队领导支持，绷着脸的严峰将朱建伟笔记本和其他物证用筐子装了起来，递给侯大利，让其点数并签字。

"没有报纸合订本？"侯大利点了数，提出疑问。

严峰翻了一下筐子，道："宣传处到我们这边找材料，借走了《江州日报》合订本，没有什么价值。"

侯大利在交接明细表上注明——报纸合订本被宣传处借走，然后请严峰签名。交接明细表一式两份，交接双方各持一份。严峰瞪了侯大利好几眼，在两张交接明细表签上"严峰"两个字。

侯大利抱着筐子离开。严峰对办公室同事道："老邵，侯大利简直不通人情，真他妈的是个变态。”

邵勇开玩笑道：“我现在开始欣赏侯大利了，明明是富二代，还不是一般的富二代，在山南属于顶级富二代。他背叛了本身的阶级，甘愿做一个普通刑警，这是什么精神？是真正的大公无私的革命精神。”

严峰道：“少要贫嘴。交接表是要将所有事情写清楚，可是，我看到他一本正经的样子就生气。他没有人情味，谁愿意在关键时刻将后背交给他？”

邵勇道：“我对侯大利真有好感，不贪财，不要官，肯钻研案子，是个好刑警的模样。”

侯大利将朱建伟部分资料带回刑警老楼，刚到楼下就被樊勇叫住，道：“头儿说这个对手很凶悍，给我们下了新任务，每天锻炼，还要抽空到靶场。”

侯大利将筐子放到三楼证物室，换了衣服，来到一楼运动室。田甜正在运动室与樊勇对打。田甜身高一米七二，在江州女孩中算是高挑个子，穿上运动装，双腿修长，肌肉匀称，颇为养眼。

樊勇拿起拳靶，喊着：“直拳，冲拳，勾拳，你用点力，别像个娘儿们！”

田甜忽然使用小鞭腿，意图偷袭樊勇。樊勇在打拳上颇有天赋，根本没有看鞭腿方向，根据田甜身体姿态，条件反射地将拳靶下移，拦住这一踢，夸道：“踢得不错，力道不足。”

“你说错了，我本来就是娘儿们。”田甜见侯大利进来，罢战，喝水，休息。

樊勇将拳套丢给侯大利，道：“李超吹嘘你是散打高手，来、来，我们较量一下。”

侯大利也不推辞，戴上拳套，和樊勇碰了碰拳头。樊勇双眼发光，稍加试探，发起进攻。侯大利散打水平在刑侦系排名靠前，当然，这是与普通学生相比，樊勇是武痴，水平在江州警界都鼎鼎有名。

交手之后，樊勇很快就占了上风，重拳不停轰向对手。

田甜慢慢喝矿泉水，在一旁观战。

侯大利挨了好几个重拳，被打得满眼星星。他取下拳套，擦掉嘴角的血，伸手摸了摸牙齿，道："门牙被打松了。实战不戴拳套，取了拳套再打。"

"戴拳套是保护你。"

"取下来打，不敢吗？"

在侯大利激将之下，樊勇取下拳套。侯大利主动伸手接拳套，笑眯眯地道："给我吧。"两人手指刚刚接触，侯大利出手如闪电，掰住樊勇中指，反方向扭动。樊勇冷不防着了道，空有一身力气使不出来，单手上举，道："停，停，手指要断了。"

侯大利放开手指，迅速退后几步，道："兵不厌诈，凶手不会让你摆开架势。先下手为强，一招制敌。"

"阴险。"

"不，不，这就是警用擒拿术。"

樊勇是武痴，被侯大利一招制住以后，觉得他所言很有道理，便独自在运动室习练擒拿术。

运动之后，侯大利和田甜继续到三楼翻阅朱建伟笔记本。档案室墙上贴着蒋昌盛、王涛、朱建伟和陈雷的相片，四个人中间有一个空白，空白之内有一个大大的问号。

从朱建伟的笔记本来看，朱建伟是一个标准官迷，笔记本里记载了许多对于各级领导性格的分析，还有如何接近和拿下领导的攻略。其中一页还提到了田甜的父亲田跃进，朱建伟对田跃进的评价是"此人冷静，水平较高，弱点是心气高，不圆滑变通，与同事关系一般"，最后还写了一句：田跃进老婆真他妈漂亮，一朵鲜花插在牛粪上。

看到这一句话，田甜将日记本丢在桌上，怒道："他该死！"

侯大利读了这页日记，道："罪不该死，只是欠揍。"

陈雷本人完全想不起与蒋昌盛、王涛和朱建伟有过任何交集。由于他在高中阶段就进了监狱，服刑之时，蒋昌盛和王涛已经遇害，通过这一点可以判断如果几人真有交集，那就必然是在进监狱之前。杨帆出意外是在蒋昌盛出事之前，从时间关系来说，他们五人还真有可能因为某件事情联系在了一起。

凶手露出尾巴，真要逮住并不容易，侯大利在翻阅朱建伟材料时，想起杨帆逝去多年，真凶还在继续杀人，心情罕见地烦躁起来。他拿起铅笔，在空白处用力戳了几下，笔尖断掉了。

田甜放下手中笔，打量眼前的年轻男子，道："我不爱管闲事，这你知道的。其实，我对你的事情略知一二。这么多年，你还没放弃寻找杨帆的死因。"

"杨帆"两个字如子弹一般打在侯大利胸口，他胸口不停起伏，问道："你知道这事？"

"很多人都知道。你爸太有名了，你这一段时间风头太劲，这些事自然会流出来。"

"真的吗？"

"嗯。"

"那我穿了一件皇帝的新衣，以为大家不知道。"

"别这样说，大家都挺佩服你的。"

"你相信杨帆是遇害的？"

"在一起工作这么久，你的判断一向准确，我选择相信你。"

田甜拿出一本旧教材，道："这是我在大学的犯罪心理学教材，这一段时间一直在翻看，临阵磨磨枪。按照经典理论，系列杀手选择被害人一般基于被害人的可获得性、易受攻击性和合意性，如果蒋昌盛、王涛、朱建伟和陈雷都是一个杀手作案，那么可获得性、易受攻击性这两条明显不符合。"

侯大利毕业于山南政法刑侦系，学过犯罪心理学，明白田甜是什么意思。

可获得性的意思说白了就是指两种情况：第一种情况，被害人生活方式使得他有机会被人诱拐；第二种情况，就是被人诱拐后或是遇害后无人牵挂。蒋昌盛、王涛、朱建伟和陈雷皆不属于这两种情况，所以，凶手考虑问题时并没有考虑"可获得性"。

易受攻击性，是指被害人容易受到攻击的程度。这四人都是成年男子，蒋昌盛是菜农，身体强；陈雷是社会人，随身带刀带枪；朱建伟个子高，喜欢户外活动；唯独王涛稍显文弱，也是唯一被刀捅的。从这方面来看，凶手考虑问题时没有考虑对手是否容易受到攻击。

合意性是指被害人符合凶手的偏好，可能涉及被害人的特征，或者其他动机，或者其他特点。

侯大利站起身，在四个姓名包围的空白处写下“合意性”三个字，道：“我们其实一直在寻找合意性，凶手是用什么方式将这四人联系起来，这是案件的牛鼻子，遗憾的是我们一直没有找到。”

田甜来到侯大利身边，道：“若是给刑事现场的犯罪心理画像，也有三个重要因素，一是惯技，二是标记，三是伪饰。”

侯大利脑海中浮现出四处案件的不同特征，道：“出现最多的凶器是铁锤，蒋昌盛现场出现过，朱建伟现场出现过，陈雷现场也出现过。但是王涛案略有不同，也就是王涛案有可能是同一凶手所为，也有可能不是同一凶手所为。”

田甜对案件也相当熟悉，道：“我反而相信王涛是被同一凶手所害。在第二个凶案中，凶手用种种手段想隐藏左撇子的事实，将被害人刺杀后，大概是松懈，或者是右手累了，他就换成了习惯手，用左手把王涛生殖器割了。其实这一刀隐蔽性极强，一般很难发现，你反复拿放大镜观看，又恰好支队保留了重要的物证，才发现这一刀是左手割的。”

“也就是说，凶手在作王涛案时，还是想误导警方。随后，凶手因为某种原因进入了冰冻期，这个冰冻期的时间还相当长。几年后，不知什么事情触发了凶手，他重新作案，而且不再伪饰，圆头铁锤是惯技，也是标志。”

侯大利说到这里，脑中奇异地形成一幅清晰的画面：凶手怀揣铁锤，站在陈雷住房对面，冷静地看着陈雷与女友，然后点燃燃烧瓶的线，对准窗户扔了进去。

他想到这里，道：“凶手肯定进过陈雷家，将陈雷家的房间分布情况摸得相当清楚。而且，陈雷刚回家就发动袭击，说明他一直在跟踪陈雷，或者说就守在附近。”

田甜紧跟侯大利思路，补充道：“凶手很小心，不会靠近医院。他守在附近的可能性最大。”

“勘查人员没有发现对面楼房有生活痕迹，所以，凶手还另有观察点。”侯大利将粉笔丢在地上，道，“马上到现场，我们极有可能找到他的观察点。如果我们分析得不错，他真有观察点。”

来到陈雷所在小区，侯大利先是直接进入陈雷房间，站在窗口四处张望。张望之时，侯大利浓厚的眉毛如相机一样不断闪烁，沿街景物被一帧一帧扫描进脑中，渐渐地组成了一幅完整的街景。脑中街景再与实际街景进行对比，细节也被补充进入大脑。

窗口正面是围墙，围墙外是拆迁房，凶手不会在此设立观察点。

从陈雷家来到小区门口，侯大利缓慢转动身体，眼睛如射灯一样照向四方，将所有景物纳入脑海之中。

通过这种摄取能力获得的影像如真实相片一样停留在脑海之中，当年杨帆在水中的遗体就持续刺激侯大利神经，景象如此鲜活，数年都没有褪色。任何事情都有好有坏，折磨他的能力也给他提供了帮助。侯大利最后将目光点集中到距离小区三百米左右的宾馆。若是凶手在宾馆开一套房间，可以完全监控到小区大门，如果角度合适，甚至可以看到陈雷房间。

“凶手肯定租用了宾馆！”侯大利指着宾馆，用非常肯定的语气道。他紧闭双眼，将自己融入凶手的世界，道：“这是在六到十楼的房间，面朝小区，从陈雷住进医院开始，到陈雷出事后退房。如果运气好的话，现在或许还能找到痕迹。事不宜迟，我们上去查一查。”

侯大利从警车里取出勘查箱，朝宾馆走去。

田甜人高腿长，也得加紧脚步，才勉强跟得住侯大利的步伐。

来到宾馆，侯大利要求宾馆调出满足“住宿三天以上、于昨天退房的单身男子、窗户朝北方向”的房间。由于条件限制得挺严，宾馆很快就找到能同时满足三个条件的两个房间。侯大利和田甜各守住一个房间，然后向朱林汇报。

朱林接到电话，以最快速度赶到酒店。

很快，宫建民、陈阳以及刑警支队技术室勘查人员出现在酒店。

勘查人员带有足迹灯，在五楼房间窗口找到大量足迹。经过对比，与留在拆迁房的脚印完全一致。而且还提取了窗台上二十几枚指纹，这批指纹里极有可能就有凶手的指纹。

宫建民道："案情分析会上，你没有提到这个想法。"

侯大利道："那时我还没有产生这个想法。我和田甜一起重新走访现场，觉得凶手应该有观察点，所以来查酒店。"

宫建民道："这家酒店服务水平一般，若是他们打扫卫生勤快一些，脚印就没有了。你以后有什么想法，不管是否得到证实，都可以提出来，至少是一种思路吧。"

侯大利道："这个凶手胆子大，很狡猾，极有可能用的是买来的身份证。我估计这个凶手通过某种途径买来一张与自己相貌相似的身份证。"

宫建民道："几个组都出去了，很快就会有结果。"

刑警支队重案大队邵勇带第一组前往身份证所有地。

第二组则调查服务人员，并配备了一名外请的能模拟画像的民警。

第三组则调取沿途视频。

第四组是警犬组。

当天下午的案情分析会上，侯大利拿到了两张模拟画像，一张正面，一张背面。

以前凶手都只是通过各种线索进行推测，如今终于有服务人员看到了凶手真面目。据服务人员描述："凶手一米八到一米八五之间，结实，不胖；戴一顶帽子和茶色眼镜，眉毛粗密，长有小胡子。"模拟画像民警画出模拟画像，确实与身份证上的相貌有几分接近。

第一组邵勇还在山村，打电话回来确定身份证真正拥有者是当地村民，一直在当地劳动，没有可能前往江州。

第三和第四组没有战果。

老朴在会上提出一个观点："目前，案件取得了关键性进展，有了嫌疑人的DNA，有服务员面对面见过凶手，以我们现有的破案水平，迟早会抓到凶手。当前我们要考虑另一个问题，这名凶手经过冰冻期以后，与以前作案心态明显不同，再次作案的可能性很大。我们要想办法阻止凶手再次作案。”

侯大利曾经提出过类似观点，但是，老朴是省厅派到江州市局帮助破案的正处级侦查员，身份不同，其观点沉甸甸地压在每个刑警身上。

案情分析会以后，老朴来到刑警老楼三楼，想再听一听侯大利的想法。他对这个新刑警有浓厚兴趣，屡次提出正确观点，除了勤奋细致以外，肯定有特殊能力，是天生做刑警的料，完全可以作为全省刑侦的重点苗子来培养。

刑警们渐渐逼近了杀害蒋昌盛诸人的凶手，侯大利这个新刑警在其间发挥的作用得到了大家的承认。

朱林回到刑警老楼，召集专案组全体成员开会，总结前段时间工作，然后将所有人带到商业靶场，进行实弹射击。

打靶之后，葛向东热情地请大家吃晚餐。他妻子家族的生意开始正式和夏晓宇合作，能攀上国龙集团，前途自然是死鱼的尾巴——不摆了。

餐后，侯大利独自回到高森别墅，直接进入书房。书房桌上摆着杨勇送来的复印件，复印件散发着杨帆的浓烈气息，让他每次打开都受到煎熬。

侯大利原本可以过上灯红酒绿的纨绔生活，杨帆之死彻底改变了他的人生轨迹。时至今日，他仍然能够极度清晰地回忆起河水中的细节。这些细节改变了他身体的激素分泌水平，且是永久性改变。

已经揪住了连环杀人案的尾巴，有了脚印、指纹、头发，凭现在的技术水平，破案是迟早的事情。但是，这个连环杀人凶手作案特点非常明显，就是要用凶器，不管是锤子还是刀，都是凶器。杨帆身上没有伤痕，虽然这只是一个极为细小的差别，可是在重构犯罪现场时，差之毫厘，谬以千里，这个凶手极有可能并非杀害杨帆的凶手。杨帆之死眼看着有侦破的机会，突然间又陷入无边黑暗之中。

侯大利陷入长久悲伤之中，面对杨帆日记，久久不愿意打开。终于，他将日记本放回桌上，随手拿起一本剪报本。

剪报本是杨帆用来收集写作资料所用，杨家订了多种报纸，凡是发现好文章或者有用资料便剪下来，贴在专用笔记本上。初中阶段的剪报本有厚厚几本，高一开始有一个新的剪报本，也收集了数十篇文章。侯大利前几天将注意力集中到初中和高中的日记上，还没有细看剪报本。

翻开高一剪报本，往日生活扑面而来。尽管剪报本皆是别人的文章，可是皆经过杨帆挑选，有些文章中还有批注，带上了杨帆的气息。这个气息被封闭在笔记本里，随着侯大利搅动，逐渐复活，变得生动。

第二十七页，贴着《江州晚报》的时事评论，杨帆在评论下面写道："记者不实事求是，断章取义，有违新闻原则。"她写这几个字时带着情绪，用笔很重。

侯大利知道这则时事评论的是当时他和杨帆从歌剧院出来，偶遇一起杀人案，一对谈恋爱的青年男女发生矛盾，男子将女生刺死。最初，周边市民被突发事件弄蒙了，一时没有反应过来。这个男子最终被市民抓住。记者在讲述这个事件之时，只是强调市民们没有反应过来这个事实，忽略了市民见义勇为抓凶手的事实。

当时，杨帆拿到这张报纸后很是愤愤不平。

事情过去了七八年，侯大利仍然记得杨帆生气时的眉眼。今天再次翻到这个剪报，让他无限唏嘘。侯大利正在感伤之时，突然之间，剪报本上的画面似乎发生了核爆炸，冲击波刺穿了侯大利大脑。在这一瞬间，他短暂地丧失了思维，声音、画面都远离身体而去。过了一会儿，声音和画面又失重般坠入地面，把地面砸出一个大坑。

画面上有五个人，除了一个女子，全是侯大利熟悉到了极点的脸孔，蒋昌盛、王涛、陈雷和赵冰如。在画面下面，摄影记者的名字是朱建伟。到了目前，包括摄影记者在内，死了四人，伤了一人，另有一个女子情况不明。

侯大利一直在苦苦寻找连环杀人凶手的杀人逻辑，这幅相片出现在眼前，连环杀人凶手的杀人逻辑顿时清晰起来：连环杀人凶手以相片中的人为目标，很有可能是报复当日面对凶杀“麻木不仁”的几个围观者。

他脑海中出现了当日与杨帆一起回到犯罪现场的画面，画面中，围观群众提到了受害者有一个哥哥是银行保卫科长。从现在的情况来看，如果不出意外，这个保卫科长便是连环杀人犯的凶手。

看到剪报以后，侯大利双手抱头，情绪激动。冥冥之中自有天意，杨帆用自己的方式帮助一直没有放弃追凶的男友。

见到剪报，基本能证明连环杀手确实不是杀害杨帆的凶手。想到这一点，侯大利又深觉悲伤。

朱林睡眠不是太好，在床上躺着数羊，眼见有了睡意，放在床边的手机突兀地响了起来。朱林老婆看了一眼手机，道：“侯大利的电话，接不接？”

“这么晚，肯定有事！”朱林睁开眼，伸出手，接过电话。电话里传来侯大利清晰的说话声：“我极有可能找到杀人凶手了。”

所有睡意顿时烟消云散，朱林翻身而起。

电话声此起彼伏，公安局长关鹏也被吵醒。一辆辆小车陆续来到刑警老楼，小会议室灯火通明。投影仪搬到了小会议室，每个到来的领导手里都拿到一份剪报复印件。

投影仪放出了五个未结案的卷宗基本情况，以及近期发生的朱建伟案和陈雷案。七个案子有五个人在这张剪报上，之间的相关性自然不言而喻。凭逻辑推断，杀人凶手最有可能就是当时被害人的哥哥石秋阳。重案大队已经掌握了连环杀人凶犯的脚印、毛发和指纹，只要与石秋阳相符，此案就算成功侦破。

介绍情况后，重案大队行动起来，调集精兵强将，连夜直奔省城。

蒋昌盛案、王涛案等诸案是困扰江州市公安局多年的命案积案，之所以成立专案组是另有原因，谁知105专案组剥丝抽茧，居然神奇地将三个积案和两个新案并案侦破。

关鹏将侯大利叫到身边，道：“小伙子不错，是干刑警的好料。”

侯大利在破案过程中立了大功，神情并不开心，道：“破这案有偶然性。”

关鹏道：“虽然你是从杨帆剪报本中无意中发现了线索，可是偶然之中有必然，若不是你对案子专心，就绝对没有偶然。”

刘战刚道：“小侯是搞刑侦的好材料，磨几年，江州也要出神探。”

一队队人马连夜出发，诸位领导到凌晨三点才各自回家。专案组成员们仍然处于兴奋之中，煮了一把挂面填肚子，在刑警老楼休息。

第二天，侯大利来到市局档案室。档案室按年分类，装满历年资料。

当年在街上被杀的女子叫石秋菊。石秋菊案案情简单：石秋菊是由大哥石秋阳抚养长大，中师毕业后在镇里当老师。因为感情纠纷，石秋菊被男朋友当街刺死，杀人者被群众当场抓获。杀人者对犯罪事实供认不讳。

石秋菊案发时，朱林是支队长。凭着对朱林办案水平的了解，侯大利推断应该有当时的视频资料。果然，他找到了当时作案现场的视频资料。

拿到这一段监控视频以后，侯大利将这一段稍显模糊的视频交给葛向东。葛向东妻子开了一个电脑公司，里面有不少高手。经过重新制作，一段更清晰的视频传到了侯大利手机上。

视频后面部分，侯大利和杨帆的画面清晰地闪了出来，侯大利勇敢地冲向了凶手，杨帆跟随在其身后，站在旁边大声喊叫。

侯大利反复看了视频二十遍，第一遍是看案子，随后全部在看杨帆。关了手机后，他望着图片墙出神，神情忧郁。

田甜在房间洗漱后，望见三楼有灯光，想到侯大利介绍情况时的奇怪表情，心生恻隐，来到三楼。她递给侯大利一杯清茶，道：“案子突破，你应该高兴才对。”

“这个凶手与杨帆无关，距离查明杨帆落水的真相越来越远，远到看不见希望。”

侯大利浓密的眉毛有点发白，眼中有点点泪光。

长期以来，侯大利在田甜眼里都是“心高气傲、桀骜不驯”的形象，在连环杀人案凶手浮出水面时，他却异常脆弱，如黑暗中迷路的孩子。

他的痛苦深深地打动了田甜，田甜道："你眉毛上挂了什么东西？"

侯大利用手抹了抹，白点依然在。田甜凑近，这才发现有几根眉毛居然白了。田甜眼睛有些湿润，道："人生不如意的事情很多，这才是真实人生。比如我们家，谁都不会料到我爸最终会进监狱，这让我很长一段时间怀疑人生，其实现在还没有能够走出来。"

父亲出事以后，田甜变成了冷美人，很少敞开心扉。她如今和变态刑警侯大利成为朋友，可以说一说心里话。

侯大利很快意识到自己的失态，强行将注意力转到工作上。他将赵冰如的名字拿到蒋、王、朱、陈形成的圈子里，这样一来就形成了两个圈子，一个是蒋、王、朱、陈、赵组成的圈子，凶手已经明确，是石秋阳。剩下未破命案是丁丽案和章红案。

田甜站到侯大利身后，看墙上的名字，道："我们以前陷入了思维怪圈，总想将所有受害者归于一个连环杀手。你刚才贴的名字给了我启发，是否可以这样理解，在江州有两个连环杀手，一个是石秋阳，另一个专杀女人，包括丁丽、章红和杨帆。"

说到这里，她自己否定了这个说法，觉得江州没有这么倒霉，不可能接连出现两个连环杀手。

"我没有想清楚。不过，陈凌菲是丈夫作案，赵冰如死在石秋阳手上，丁丽是更早的老案，存在两个连环杀人犯的可能性比较小。"

在档案室灯光下，田甜白皙脸上的冰块完全消解，有一种素净之美。这是侯大利第一次细心打量田甜。

田甜注意到侯大利的目光，并不觉得讨厌，道："重案大队兵分几路，我估计天亮就有消息。别熬夜了，早点休息。"

离开档案室，侯大利和田甜各回房间。

侯大利睡在被窝里，总觉得"石秋阳"这个名字似曾相识，应该是在破案前就听到过这个名字。他想了一会儿"石秋阳"这个名字，没有结果，慢慢进入梦乡，然后做了一串凌乱的梦，梦中与杨帆看电影，随后又来到世安桥边小树林，两人腻在一起，情绪渐浓，互相脱衣服，抚摸对方。等到脱下对方上衣的瞬间，杨帆突然变成田甜，在灯光下脸色素净，略为苍白。天空中传来广播声：石秋阳打破手榴弹纪录。

一声爆炸声响，梦醒。

梦境让侯大利想起当年在江州城市运动会上破纪录的正是银行系统选手石秋阳。他坐在床边，脑中记忆被打开，儿时与杨帆观看运动会的场景清晰得让他痛苦。当年这个叫作石秋阳的选手不做任何准备活动，几乎就是随手扔了一下，手榴弹如炮弹一样飞了出去，着地点远远在小红旗前面。想到这个场景，他顿时明白凶手为什么会选择在拆迁房对面用燃烧瓶猛轰陈雷，顿时暗自替参加抓捕石秋阳的刑警担心。随后又觉得担心没有必要，石秋阳到现在应该接近五十岁，不管当年投手榴弹如何厉害，也不是重案刑警的对手。

李大嘴牺牲

上午十点，各路情况会集到刑警支队。

技术室得出结论：在宾馆发现的指纹与石秋阳指纹一致；在石秋阳家中找到的毛发也与现场找到的毛发一致；在石秋阳公司所在的销售部住宿楼里，找到一柄圆头铁锤，铁锤上有血迹，正在对血迹进行检验，暂时未出结果。

抓捕组传来坏消息：经过连夜搜查，石秋阳下落不明。其妻杜丽交代石秋阳到茂云分公司要钱。茂云警方紧急出动，在其分公司没有找到石秋阳。

请示市公安局主管领导：石秋阳被列为纵火案嫌疑人，发出协查通报。

剪报上最后一名没有受到攻击的女子叫吴莉莉，高中毕业后参军，退伍后曾在江州体育学校工作，目前在山南师范大学当老师，极有可能成为石秋阳的目标。石秋阳携带了抢自陈雷的仿五四式手枪，他精通枪械，因此具有高度危险性。

省厅接到报告后，刑警总队副总队长刘真来到江州。

丁晨光得知刑警支队侦破了一个系列杀人案，心急火燎地找到宫建民。宫建民正在指挥抓捕石秋阳，忙得不可开交，还是让朱林来接待丁晨光。

丁晨光来到刑警老楼。大李嗅到了不属于刑警的气味，喉咙间发出低沉的咆哮声。丁晨光被大狗吓了一跳，拿出手机，指着大李，道："警告你，别过来。"大李不管这一套，瘸拐着，向丁晨光逼近。

"大李，是客人。"朱林站在走道上，喊了一声。

大李冷冷看了丁晨光一眼，回到自己的地盘。

"这只狗好凶。"丁晨光来到朱林办公室，仍然心有余悸。

朱林泡了茶，端到丁晨光桌上，道："大李不是狗，是战友。它立过大功，受伤退役。"

闲聊几句，丁晨光询问起女儿的案子。女儿丁丽遇害时间很早，破案难度肯定更大，他原本是抱着死马当成活马医的态度要求成立专案组，更多是求得一种心理安慰，谁知专案组侦破了好几个陈年积案，这给丁晨光带来新希望。

朱林打电话通知了葛向东和樊勇，到小会议室谈前期调查工作。

侯大利和田甜依然在资料室看卷宗，这一次卷宗主角变成了章红。章红的情况与蒋昌盛、王涛和赵冰如确实不一样，章红是年仅二十岁的大学生，被扼颈窒息死亡，遭受性侵，体内有安眠药。但是没有查到犯罪嫌疑人精液、体毛和血迹，也没有找到指纹。

看了一遍卷宗，田甜发起牢骚道："朱建伟有一个《江州晚报》剪报本，里面收集的是他自己的作品。如果当时我们拿到朱建伟这个剪报本，早就锁定嫌疑人了，也就没有后来这些事。"

事实确实如此，严峰将朱建伟物品交给专案组时，市局宣传处恰恰又将朱建伟收集的报纸合订本借走，阴错阳差之下，才让石秋阳侥幸逃脱。

侯大利道："过去的事情就过去了，世上没有太圆满的事情。"

田甜很想原封不动地使用这句话来劝解侯大利，让其打开心结。话到嘴边，她还是忍住了。侯大利相当于“重病患者”，用这种心灵鸡汤式的言语是难以解除病情的，只能用时间来治疗心灵的创伤。

丁晨光离开不久，朱林让侯大利和田甜到一楼锻炼。

自从开始抓捕石秋阳以后，朱林要求专案组所有成员每天必须锻炼，每周到一次靶场。葛向东想偷懒时，朱林骂道：“专案组有相对空闲期，这是难得的锻炼时间，其他侦查员天天忙得和狗一样，想锻炼都没有机会。”骂完之后，又苦口婆心地道：“石秋阳有特殊经历，不是一般人，攻击性很强，说不定我们所有人都要被抽去抓捕，谁都有可能遇到危险。你肚子上全是肥肉，跑几步都喘气，这样下去怎么能行？”

侯大利换了衣服到一楼运动室，没有见到练拳狂人樊勇和葛向东，只见到身穿老式运动装的朱林在活动手脚。

朱林道：“樊傻儿和葛朗台被抽去参加抓捕。”

侯大利惊讶地道：“为什么不抽我？我比老葛利索得多。”

朱林道：“丁晨光前些天回国已经找到关局，点名要求你和田甜参加丁丽案调查。”

侯大利道：“我和田甜本来就在专案组。”

朱林道：“丁晨光的联络人常总三天两头到专案组，知道专案组内部分工。石秋阳就算有三头六臂，被抓是迟早的事，你就别管了。从今天开始，你们两组人都把注意力调到章红案和丁丽案。你和田甜配合得不错，我希望还能创造奇迹。若是把这章红案和丁丽案都破了，我光荣退休，死而无憾。”

田甜换了运动装也到运动室。

朱林身穿以前刑警支队篮球队队服，人瘦，衣服宽，松松垮垮。田甜则穿新式紧身运动服，双腿修长，腰部相对髋部明显收紧，S形身材显露无遗。

刚刚锻炼一会儿，朱林接到关鹏局长电话，到市局开会。运动室只剩下侯大利和田甜。

侯大利道：“朱支让我们提前锻炼虽然是临阵磨枪，也看得出来老刑警真的很有预见性，这是经验使然。我建议你也学两个绝招，练得纯熟，想都不想就使出来，危急时刻好用。”

田甜道：“我从本质上来说是法医，轮不到我上一线。”

“你现在是专案组成员，说不定会遇到什么危险，艺多不压身。你要学的招数必须快、狠、准，以最强力量攻击对手最弱的部位，一点都不要留情。第一招就是被人抱住的时候，双峰贯耳。”侯大利做了一个双手打耳朵的动作。

田甜道：“我看过武侠小说，这是个老招。”

侯大利道：“大家都很熟悉这招的名字，可是熟悉名字没有用，得会用。这一招的要点并不是用拳头打耳朵，而是手心呈杯状向内，用这个动作轻则引起耳鸣、眩晕而丧失抵抗能力，重则耳鼓膜破裂，产生剧痛、休克，甚至死亡。所有的绝招其实都平淡无奇，关键是你要在危急时刻用得出来。”

侯大利陪着田甜练习了两招，一招就是被对手控制时的双峰贯耳，另一大招就是女子对付成年壮汉的踢裆砍脖。两人练习时身体必然接触，虽然这纯粹是练习，毕竟是青年男女，偶尔也会让两人产生旖旎想法。

练习结束以后，侯大利道：“我想到石秋阳家里去一趟。”

田甜道：“重案大队全面搜查过，这次绝对不会有遗漏。”

侯大利道：“我想探求石秋阳的心路历程。他曾经是一个疼爱妹妹的兄长，是什么让他变成杀人恶魔？这个原因很重要。研究了石秋阳的心理变化过程，如果以后有类似案件，就有一个样本可以对比。”

田甜道：“有一个连环杀人案都弄得全市鸡飞狗跳，若再来一个，江州就中大彩了。”

石秋阳家，石秋阳妻子杜丽面对再次来到的警察显得格外麻木。她看了一眼女警察的警官证，道：“你们的人来了好多次，还来查什么？”

侯大利道：“我们来了解你丈夫的情况。”

“石秋阳一直瞒着我，我也是最近才知道他杀了人。老石的爸爸妈妈走得早，妹妹石秋菊就是老石拉扯大的，心疼得紧。他多次跟我说，妹妹出嫁，就是我们家嫁女儿。”杜丽头发干枯，面相比实际年龄苍老得多。

侯大利本子上记了好些问题，原本准备逐一提出。杜丽打开了话匣子，便停不下来，基本上回答了侯大利想问的问题。

“妹妹死了，老石要辞职，为了这事，我们还闹了一场。他态度坚决得很，宁愿和我离婚也要辞职。若不是怀上了石蕊，我们已经离婚了。”

“什么时候怀上石蕊的？”

“石秋菊死了以后，我们很久都没有在一起。有一次他喝醉了酒，我们才在一起，那一次怀上了石蕊。石蕊可怜哪，这么小的娃，谁想得到会有乳腺上的毛病。我和老石吵架，怪他怀石蕊那天晚上喝了酒。”提起石秋菊之死，杜丽没有泪水，提起石蕊，她就不停抹眼泪。

聊了接近两小时，杜丽不知不觉中将两个警察当成了倾诉对象，当对方提出看看相片时，她就爽快地搬出了厚厚两本相册。

从石家出来，田甜几次欲言又止。

侯大利道：“想说什么？不用顾忌。”

田甜这才道：“我一点都不同情石秋阳。其实，你和他遇到相同的事，以后所有的一切都纯粹是个人的选择。你为了给杨帆报仇，选择了当警察，站在光明和正义的一边。他为了给妹妹报仇，选择疯狂杀人，站在黑暗和罪恶的一边。你是真男人，他是疯子。你把人性光辉的一面发扬了出来，他是将人性黑暗的一面展现得淋漓尽致。”

侯大利从来没有将自己和石秋阳放在一起对比，在其心目中，他和石秋阳完全没有可比性。当局者迷，旁观者清，田甜是侯大利搭档，接触久了，又对石秋阳颇为了解，所以敏锐地认识到侯大利和石秋阳在人生境遇上的相似之处，以及做出的不同人生选择。

选择决定了命运，这是田甜得出的结论。

石秋阳此时正躲在山上废弃的屋子里，直到后半夜才恍恍惚惚地睡去，一入睡，各种支离破碎的梦境纷纷扰扰地涌了上来。先是回到了秦阳第一人民医院，自己坐在病床前狠命地撕扯头发。

病床上躺着生病的女儿。女儿紧闭双眼，面无血色。

医生巡房以后，轻声交代他注意事项。然后恍惚间看到医生走出病房后摇了摇头。他心中一痛，知道情况不妙。

女儿小石蕊才六岁，居然患上了乳腺癌。年初，小石蕊接受了乳房切除手术，所有右乳房组织都被切除，以防止这种罕见的分泌性乳腺癌症继续扩散。

然而病情还是再度恶化，小石蕊又住进了医院。他抬起头，茫然看了病房，然后追出去，哀求道：“杨医生，我女儿的病怎么样？”

杨医生取下眼镜，道：“小石蕊病情凶险，等会儿要下病危通知书，你到办公室来。”

他来到医生办公室，双手颤抖，接过了病危通知书，道：“杨医生，还有希望吗？”

杨医生道：“我们正在与上海专家衔接，请他们过来会诊。”

这一句话并没有给出任何保证，但是他如同抓住了一根救命稻草，看到了生的希望。

小石蕊给处于破碎边缘的家庭带来幸福，融化了他如寒冰一样的心。谁知天有不测风云，小石蕊居然成为山南省有史以来最年轻的癌症患者。如此重症落在最心爱的女儿身上，让他的灵魂和身体不断沉入深渊，无法挣脱。

病床上，小石蕊安静地入睡，手腕戴着表明身份的带子，紧抱一只穿上衣服的可爱小熊。在床头柜子上放着图画本。

小石蕊平时躺在床上画画，很多画都是以老爸为模特。作为儿童画，以夸张手法抓住了父亲的典型特征，水平比起一般小孩子要高得多。他看到画上方写着的“我最亲爱的爸爸”几个字，泪水夺眶而出。

擦干眼泪，他的心中除了痛苦，更多的是愤怒：“女儿之所以这么小得癌症，肯定是因为老婆怀孕时自己心情特别糟糕，将坏东西带到了女儿身上。”

这个想法如影随形，无数次撕咬内心，让他痛苦不堪。

他双手抱头在病房里坐了很久，下定决心以后，对妻子道：“我去收钱。小蕊要用。”

他走出医院，场景一下子又变了，猛地来到了李家水库。

他没有从大坝进入水库，而是穿过一座小山，沿着青石板小路来到水库上游，隔了很远就见到正在钓鱼的朱建伟。他找了一处树荫坐下，安静地看着属于自己的猎物。

如果猎物的习惯没有改变，那么将在四点左右收竿，开车回城。从钓鱼点到大坝停车场皆是沿湖小道，有一段约十米的小道位于山体拐弯处，非常隐蔽，其他钓鱼人基本看不到这一段小道。此小道高出湖面有六七米，坡度很陡。如果有人从小道落下，必将摔在浅水中，浅水中隐有大量乱石，摔在上面不死也得脱层皮。

这正是下手的极佳之地。

他在几年前无数次推演过这个方案，觉得万无一失。这一次重启复仇计划，便依葫芦画瓢，捡起原来推演过的方案。

在等待猎物时，他又想起病重的女儿小石蕊，泪水模糊了双眼，胸中杀意汹涌。

四点十七分，朱建伟开始收拾渔具时，他擦掉眼泪，站起身，下山，穿小路来到湖边。朱建伟左手提渔获，右手用手机通话。

与猎物擦身而过以后，他右手突然举起圆头铁锤，猛击朱建伟后脑。“砰”的一声闷响，朱建伟鲜血从头顶迸了出来。

他动作连贯，捶击之后，猛推朱建伟。朱建伟被敲得晕头转向，毫无反抗之力，如米袋一样掉进水库。即将到达湖面时，朱建伟下意识地用双手护头。一声闷响，朱建伟如高台跳水一样摔下湖面，双手和头部重重地撞在湖底石头上。

他站在小道上朝湖面探头望了望，又观察小道路面，没有发现血滴，于是将铁锤和手套放进包里，不慌不忙地沿着小道走进山中。

刚走到山顶，接到妻子电话。妻子在电话里泣不成声：“你在哪里啊，还不回来？小蕊走了。”

他对女儿离开早有准备，可是当事情当真降临时，仍然觉得如五雷轰顶。他身体发软，站立不住，扑倒在山顶。他将头埋在草丛里，撕咬草叶，发出低沉的呜咽声。呜咽很快变成撕心裂肺的大哭，揪心的疼痛让他一下子从梦中惊醒过来。

他翻身坐起，脸上还隐隐带着泪痕，内心的疼痛并没有随着惊醒而消失，反而更加用力地撕扯着他。他坐了好一会儿，俯视着城市灯火，疼痛逐渐沉了下去，而杀机却狂涌上来。

医院，住院部。陈雷躺在病床上，一直睁着眼睛。只要闭眼，他就会想起破窗而入的那团火，想起被烧成一团黑的女友。

房间里守着两个警察，坐在屋门口轻声聊天。说是聊天，实则是李超在不停说话，老戴偶尔应答一句。这一次刑警支队原本还想抽调侯大利、樊勇和李超来保护陈雷。由于丁晨光的原因，侯大利没有被抽调，留在专案组参加调查丁丽案。重案大队陈阳特意点名要将最能打的樊勇弄到抓捕组。这样一来，以前保护陈雷的三人小组只剩下李超一人，另外调来一名从部队转业的刑警老戴与李超搭档。

是否调民警保护陈雷在市局内部有争论，有领导认为凶手这时最佳选择是躲藏，到医院行凶的可能性极低。分管刑侦副局长刘战刚坚持要派人保护受害者。经过研究，决定派四个民警，两人一组，二十四小时保护陈雷。

老戴只会“嗯、啊”，李超聊了一会儿觉得没劲。两人相对而坐，你望我一眼，我望你一眼。

老戴到卫生间方便时，一个穿白大褂、戴着口罩的高个子男人从病房走过。李超在病房感到无聊，见医生进门，问道：“陈雷还有多久能出院？”

“现在说不准，要看恢复情况。”高个子男人右手揣在白大褂衣袋里，非常自然地走向警察。

李超突然觉得进来的医生不对劲。此人虽然穿了白大褂，可是气质不似医生，还戴了口罩，而且这个年龄的医生查房时往往身后都跟着人，很少一个人单独出现在病房。他警惕起来，道：“你是哪位医生？

以前没有见过你。”

高个子男子见眼前警察开始怀疑自己，右手猛地从衣袋里抽出来，举起一把圆头铁锤朝眼前警察砸了过去。此人正是石秋阳。这一次到医院复仇，石秋阳带有铁锤和抢来的手枪，此刻面对一名警察，他决定用铁锤复仇。用铁锤不仅能增强复仇快感，还具有仪式感。而且手枪只有两发子弹，以后或许还有更重要的用途。

在执行任务之时，李超和老戴等人都清楚石秋阳是什么人，保持了高度警惕。可是，警方以及李超、老戴还是低估了石秋阳的疯狂劲。

李超头脑非常清醒，意识到对方有问题就朝后躲一步，伸手取佩枪。虽然李超反应很快，可是石秋阳动作更快，铁锤带着风声砸向警察头颅。

对方动作太快，李超没能闪开，被铁锤砸在右肩。铁锤力道十足，他感到右肩当即使不上劲，垂了下来。

石秋阳再次举锤之时，李超不顾右肩伤势，合身扑上去，左手抓住石秋阳衣服，拼尽全力，将石秋阳朝墙上顶，不让他再次砸下铁锤。

陈雷眼见危险，张大嘴，只能发出呼呼声。

李超大喊：“老戴，快来，石秋阳！”

石秋阳膝盖猛顶，将眼前甚为顽强的警察撞得弯了腰。铁锤砸在警察头顶，发出“砰”的一声闷响。李超摇晃两下，软倒在地。倒地之时，他身体向右转，压住佩枪。

被打倒的警察在喊人，说明还有另一个警察。石秋阳来不及夺取被打倒警察的配枪，来到病床边，举起铁锤，狞笑道：“陈雷，去死！”

陈雷在床上无法动弹，眼睁睁地看着铁锤高高举起。

房间内传来“啪”的一声脆响，老戴站在卫生间门口，对准石秋阳开了一枪。石秋阳听到枪声，没有砸下铁锤，转身就跑，丝毫没有犹豫。

老戴双手握枪，对准行凶者又开了一枪。他追到门口，看见一个白大褂男子跑向梯子。老戴虽然是刑警，可是当兵时主要工作是机修，除了在新兵连开过枪，整个部队生涯几乎没有再开过枪。到了公安局之后，训练不足，他对自己的枪法没有信心。

医院走廊里人来人往，老戴举枪对准凶手背影，不敢再开枪。白大褂男子消失在楼梯口处。老戴开枪少，办案经验却挺丰富，追了几步，又退回来，提枪守在门口，向支队报告。

支队长宫建民赶到医院，脸青面黑地问道："李超怎么样？"

老戴沮丧地道："还在抢救，没有脱离危险。"

宫建民道："事发时，你在做什么？"

老戴脸色苍白，道："我跑肚子，正在卫生间。听到外面响声不对，冲出来时，李超已经被打倒了。我开了两枪。凶手一直在运动，没有打中。"

"你回去把整个经过写出来，要接受调查。"

宫建民一肚子邪火没处发泄，狠狠用拳砸在墙上。这个凶手太嚣张，居然闯进医院，重伤一名警察，这是对江州刑警的公然挑衅。他咬牙切齿地来到手术室外，等待手术结束。

坐在室外的还有李超母亲。李超的女儿要去课外补习，每节课四百多，挺贵，若是自己原因不上课，学校不会退钱。因此，胡秀虽然担心老公，可是听到"被人砸了一下"，犹豫一下，还是先带女儿补课。浪费一节课，实在可惜。李超做刑警多年，受伤也算常事。家里人得知其受伤，担心归担心，也没有全家都守在手术室门口。

噩耗突发，一个头发全白的医生从手术室出来，神情疲惫，表情悲痛。

"经抢救无效，李超同志因公牺牲。"

消息传来，江州市公安局全局震动。

啪！局长关鹏重重地拍了桌子，道："我不管石秋阳是不是疯了，必须在他对下一个目标动手前将人抓住。抓不到人，我这个局长不当了，主动辞职！"

做到局长的人都不太愿意说这种狠话，关鹏得知李超牺牲的消息后，悲痛难忍，战友的情感超越了作为局长的谨慎。

侯大利得知噩耗，整个人完全呆住。他下楼开车，一路狂奔，来到医院。二中队刑警、重案大队刑警都聚集到手术室前。众多汉子经历过血与火，能够控制情绪，没有失态，只是面带悲怆，目中含泪。

胡秀和李超母亲抱在一起，痛哭流涕。李超女儿年龄还小，尚不能完全明白少年丧父对她意味着什么，表情呆滞地坐在长椅上。

从医院回来，侯大利心情极度灰暗。他经历过杨帆之死，明白生和死就是阴阳两隔，阴阳两隔就是再也无法见面，从此李超就到了另一个或许很冷的世界，再也无法照顾家人，与这个世界从此没有关系。

他对生和死了解得越是透彻，师父牺牲之痛便越是锥心刺骨。

参加追悼会时，侯大利穿上警服。与烈士告别之时，他耳中总有师父啰啰唆唆的声音，禁不住泪流满面。

刑警牺牲，全省公安系统震动，市局新成立的技侦支队对石秋阳亲戚、同事和朋友进行全面监控。但石秋阳如石沉大海，完全消失在公安的视线之内。

石秋阳已经暴露在警方视线内，仍然冒险进入医院袭击陈雷，说明此时的石秋阳已经陷入疯狂状态，在这个状态下会做出什么事情，谁都无法预料。

市刑警支队判断：以石秋阳目前的精神状态和执拗性格，肯定还要行凶，行凶对象极有可能就是相片中唯一没有受到攻击的吴莉莉。

吴莉莉在省城阳州一所大学工作，丈夫也是本校老师。在蒋昌盛案、王涛案和赵冰如案相继发生时，吴莉莉一直在部队当兵，目前刚刚转业来到山南师范大学工作。江州刑警陈阳找到吴莉莉，将那张相片摆在其面前，讲述了石秋阳作案经过。吴莉莉完全处于懵懂状态，理了半天头绪，才明白自己被列入了连环杀人凶手的黑名单。对吴莉莉来说，真是人在家中坐，祸从天上来。

吴莉莉苦笑道："当年那事我印象挺深，是第一次见到杀人。不对，是我这一辈子唯一见到过现场杀人。我当时在江州一中读高三，恰好放学路过，遇到这事肯定要发蒙。大家反应过来以后一拥而上，将杀人凶手抓住了，后来那个杀人犯被枪毙了。石秋阳迁怒于人，这么多年了还想杀我这个路人，脑袋有病吧？"

陈阳道："我估计石秋阳确实脑袋有病了。这是一个危险人物，攻击性很强，而且身体好，枪法准，还是投弹高手。"

吴莉莉丈夫紧张起来，道："我们怎么办？不可能时时刻刻防着。"

陈阳道："石秋阳就是定时炸弹，只有抓住他，才能消除潜在的危险。"

吴莉莉当过多年军官，挺镇静。她丈夫一直在大学工作，从来没有受到过生命威胁，不由得慌乱起来，道："这怎么办，有人时刻想杀我们，那我们怎么生活呀？"

陈阳道："有一个替代方案，你们夫妻请长假，外出旅行或是学习，我们派一组刑警来替换你们。"

陈阳在省城与吴莉莉夫妻接触之时，江州市公安局副局长刘战刚、刑警支队长宫建民和专案组组长朱林在小会议室开会。会议决定：派男女民警各一名去替换吴莉莉夫妻，做好周密防范措施，只要石秋阳出现，能抓捕就抓捕，不能抓捕就击毙。

在考虑具体人选时，侯大利和田甜被认为是最合适的人选，原因有两点：一是侯大利最了解石秋阳，本人毕业于刑侦系，综合能力强；二是侯大利和田甜搭档时间长，配合更默契。同时田甜是法医，懂医疗，能够应对一些意外情况。还有一点更重要，刑警各单位一线女警本来就少，而能在身高、体型、年龄各方面都与吴莉莉相近的就只有田甜。可是自从父亲被判刑以后，田甜工作和情绪便显得消极，这也是她调到专案组的原因。冒着生命危险去"钓鱼"，她是否同意是一个大问题。

但出乎他们的意料，田甜听完方案，沉默了一会儿，道："我同意。"

三位领导原本还准备了说服的方案，没有料到田甜根本没有拒绝。刘战刚望着模样俏丽的年轻女民警，强调道："你在专案组，能明白石秋阳的危险性，这是一个极度危险的凶手。"

田甜道："我知道。"

刘战刚道："我们准备派一个男警贴身保护你，以吴莉莉丈夫的名义。"

田甜没有等到刘战刚把话说下去，道：“如果可以选择，我想让侯大利保护。”

田甜的提议恰好符合预案，刘战刚心中有了底，却没有立刻回答，道：“这个任务具有极大的危险性，我们还得将任务亲自交代给侯大利。”

田甜在会议室等待，侯大利被带到刘战刚办公室。

刘战刚手里拿着一支烟，坐在办公桌后面。朱林坐在一旁，端着保温杯。支队长宫建民给侯大利安排任务。

侯大利作为最了解石秋阳行为轨迹的刑警，知道其下一个目标肯定就是吴莉莉，而且时间不会太久。他很平静地接受了任务，又问道：“没有发现石秋阳踪迹？”

宫建民道：“这人十分狡猾，技侦到现在没有任何线索。他有手枪，枪法准，极度危险。”

侯大利浓厚的眉毛动了动，道：“他虽有手枪，却是仿制的。我们是制式武器，我和田甜有两把。他是一把，没有必要怕他。”

宫建民道：“你不能这样想问题，我拿到石秋阳简历，他就是兰博式人物。”

侯大利道：“我没有低估石秋阳，也觉得没有必要神化他。若论单打独斗，石秋阳不一定是老樊的对手。他最大的特点并不是武力，而是对形势判断得特别准确，行事果断，计划周详，这和他经历相符。而且从这几次作案来看，他非常理智，若是没有得手，并不纠缠，立刻就离开。”

宫建民曾听朱林说过少年侯大利站在船头寻找杨帆的事情，此时心生感动，道：“我们会制定最妥当的保卫措施，学校保卫处、邻居都会换成我们的人，在你们活动范围内，二十四小时有观察哨，狙击手随时待命。”

侯大利道：“我希望他能来，我想亲手抓住他，或者击毙他。”

宫建民道：“田甜在隔壁小会议室，你和她聊一聊。”

等到侯大利走出办公室，朱林这才说话，道：“我最了解侯大利，他是一个非常优秀的刑警，一门心思都在案件上，没有富二代的娇、骄脾气。”

刘战刚道：“警察是纪律部队，任务交给任何一个刑警，他们都没有怕死不敢去的权利。但是，人上一百，形形色色，刑警也不例外。我以前多多少少对侯大利有所保留，现在可以明确地说，侯大利有种，是个好刑警。以后，大家都不要说他是富二代。”

在隔壁小会议室，田甜独自坐在房间内，面色沉静。“吱呀”一声响动，侯大利推门而入。两人面对面而坐，互相看着对方眼睛。田甜轻声道：“对不起，我选择你来扮吴莉莉的丈夫。”

“我是刑警，这是我的职责，”侯大利微微自嘲道，“听起来是大话，确实如此。我们本来就是搭档，选我是应有之义。”

田甜道：“这很危险。”

侯大利道：“你都不怕，我怕什么？”

“你是富二代，本来不必承担这些。我一直想问，难道仅仅是为了杨帆就选择了当刑警？”田甜一直以冷美人形象出现在大家面前，今天要奔赴“战场”，若是不紧张，那是假话，在紧张情绪下问了以前一直想问而没有问过的话。

“我爸多次追问这个问题，说实话，我不知怎么回答。或许，当最终揪出石秋阳尾巴时，很有成就感。”侯大利素来不喜无关之人询问这事，不知不觉中，田甜成为可靠的搭档，不再是“无关之人”。

田甜道：“仅仅是成就感，不能说服我。”

侯大利道：“人的生命是这个世界最宝贵的，谁都没有权利夺走别人的生命。我恨杀害杨帆的凶手，恨杀害师父的凶手。我要亲手抓到石秋阳。”

第九章
侯大利遭遇袭击

假扮夫妻的日子

省厅与山南师大进行了对接。校方很重视此事，成立了以分管副校长为组长的领导小组，采取外松内紧的策略，全力配合警方行动。

警方保护组由十五人组成，除了经验丰富的老刑警，还有技侦小组和狙击小组。

会议结束以后，田甜和侯大利前往山南师范大学。车开进教师楼车库，从车库所在电梯直接进入吴莉莉所在的十七楼。

吴莉莉身高一米七以上，和田甜几乎一样高。两人身材接近，发型也都差不多。吴莉莉为田甜准备了平光眼镜和耳环，还有常戴的围巾。

另一间屋，侯大利换上吴莉莉丈夫常穿的衣服。

侯大利和田甜换上对方衣服后来到客厅。

吴莉莉不停打量侯大利，迟疑了一下，道："你是侯大利？"

侯大利道："那天出事时，我也在现场。你怎么认识我？"

"你太有名了。当时你进校时，我们高三女生都来看谁是国龙集团太子。出事那天，当时我从补习班出来，恰巧就遇到杀人案。我还记得是你最先冲过去，还有其他同学也冲过去帮助，我印象特别深刻。真没有想到死者哥哥不仅没有感恩之心，反而迁怒于无关之人。”

若不是有个凶残杀手在外觊觎，性格外向的吴莉莉肯定会开开玩笑，如今在胆战心惊中提起当年事情，仍然觉得凶手不可理喻。

吴莉莉取了笔记本，写下自己的作息时间和生活细节，包括散步的时间地点、最习惯去的餐厅等等。写完之后，吴莉莉将笔抛在桌上，道：“我是懦夫，是逃兵，田警官年纪比我还要小吧，却要帮我承担这个风险。”

田甜道：“这是我们的职责，就如当年你在部队保家卫国一样。而且这次有保护组随时监控，不会有什么危险。”

吴莉莉退出现场之时，与田甜紧紧拥抱。她与侯大利握手之后，道：“拜托你，保护好田甜。家里东西随便用，一点都不要客气。”

吴莉莉和丈夫退出自己的家，保护组进入各自岗位。

侯大利腰间带枪，紧锁房门，在屋里转来转去，寻找可能被攻击的薄弱点。当初陈雷被燃烧瓶攻击，显示出石秋阳既有想象力，又有现实攻击力。侯大利绝对不允许自己有丝毫马虎，给石秋阳可乘之机。

田甜一言不发地跟在侯大利身后。

检查完房间，侯大利泡了一壶茶，与田甜在客厅慢条斯理地消磨时光。

侯大利道：“技侦抓不到石秋阳任何痕迹，我估计他采取最笨的一招，放弃银行卡、手机、网络等现代化产品。这将导致另一个问题，他如何定位？我们不要神化石秋阳，无论他如何凶悍，终究是一个凡人。”

聊天时，侯大利选择了正对窗户的位置，只要有人在窗边出现，他可以第一时间发现并拔枪。对付石秋阳这种悍人，他压根没有想到徒手搏击，警察就应该用最强大的手段制伏对方。

田甜道：“石秋阳生了女儿以后就放弃作案，女儿重病以后，他再次作案。女儿重病是第二次作案的爆发点。石秋阳在杀害王涛时，吴莉莉已经到了部队，这也就意味着他根本没有吴莉莉在师范大学时的资料。石秋阳不借助他人帮助，很难查到吴莉莉现在的情况，有可能，我们全部判断错误。”

田甜所有的衣服都是冷色调，吴莉莉大多数衣服都是暖色调，换了衣服的田甜比在刑警老楼要温柔许多，甚至连脸部线条都变得柔和起来。

侯大利摇头，道：“石秋阳的经历决定他会想尽办法找到吴莉莉的材料。他肯定要来，时间不会拖得太长。”

田甜道：“如果不来，怎么办？”

“警察不是万能的，总有破不了的案子，总会留下遗憾。石秋阳实在不来，至少我们安全了。”侯大利想起了师父李超，道，“一方面，我希望他来。李超是我师父，我是真心认他当师父，而不是那种单位安排的师父。师父是耙耳朵，之所以耳朵耙，是因为爱家人，总觉得当刑警没有照顾到家，赚钱也不多，心有愧疚。我原本想帮他一把，又怕伤他自尊心。现在很后悔，当时就应该帮一把。到现在，我只要想起他，怕老婆的样子还是在我脑海里面很鲜活。刑警是人，不是执法机器，我想为他复仇。所以见到石秋阳，不管是出于安全还是感情，我都会毫不留情，能当场击毙是最好的。”

以前两人在一起的时候，谈论话题集中在案件上。此刻凶手就如窗外的妖怪一样时刻威胁生命，侯大利和田甜就不再谈论案件，而是天南海北地聊天。吃过晚饭，按照现场指挥提出的要求，侯大利和田甜在大学后山散步。这是吴莉莉夫妻晚饭后经常行走的路线，稍偏僻，学生不多，利于保护组设伏。

冬季校园稍显萧瑟，散步的人大多是情侣。侯大利和田甜皆是年轻人，很快融入大学校园里。两人刚走上小道，耳机里传来了朱林声音，道：“你们要亲热一些，吴莉莉是新婚，两人走在一起要牵手，最起码肩膀碰肩膀。你们两人这种走法，就是同事在一起散步。”

侯大利答应了一句，转头问田甜，道：“你来挽我的胳膊，尽量松一些，随时能抽出来。”

田甜用右手轻轻挽住侯大利的胳膊，若是遇到紧急情况，能迅速从其胳膊里抽出来，在右腰处取下手枪。

石秋阳如妖怪一般，随时都可能从阴暗角落跳出来，因此，两人身体都稍有些僵硬。

朱林又提醒，道："你们脸上肌肉别绷着，笑一笑，哎，这样就对了。"

侯大利和田甜挽手上山，来到山顶小操场，站在操场边俯视校园。

朱林又道："到了山顶，别傻站着，自然点。我们的人控制了上山的两条道，石秋阳露面就跑不了了。"

侯大利和田甜是假扮夫妻，可是这样亲亲热热挽着手还真让两人都有些微妙的心理变化。听到朱林提醒，田甜才从侯大利胳膊里抽出手，不停地揉胳膊，道："唉，刚才几乎是悬在空中，胳膊太累了。"

侯大利道："谁叫你把手悬在半空中，轻轻搭住我的胳膊？"

两人在山顶弯腰伸腿，活动了一番。天色渐渐暗了下来，校园逐渐沉浸在越来越浓的夜色之中。两人沿小道下山，灯光渐次打开，青年男女比刚才更多，成双成对地享受校园夜色。他们完全没有想到还有两个年轻刑警携带着武器，正在经受生与死的考验。

田甜挽着侯大利胳膊，道："我想起了一句很矫情的话，正确的说法是以前觉得很矫情，现在倒觉得很贴切。"

侯大利道："我知道你想说哪一句话，我也想到了。"

"你想的是哪一句？"田甜没有刻意悬起手臂，很轻柔地挽住侯大利胳膊，果然不累了。

侯大利脱口而出："哪有什么岁月静好，不过是有人替你负重前行。"

田甜笑了笑道："另外还有一句，我真羡慕大学生无忧无虑的日子。"

侯大利道："你别老气横秋了，虽然你算是学姐，可是毕业也没几年。"

田甜道："有些事情发生后，人生就必然改变，再也回不去以前的日子了。"

田甜这句话指的是大学毕业，侯大利却想到了杨帆之死。他的人生就被杨帆之死彻底改变了。死亡这事形成了一道透明幕墙，明明看得到过去，却永远与过去阻隔，将人生硬生生切成两半。

“可以回家了。”在远处监控的朱林发出通知。

侯大利和田甜在学校面包店买了些牛奶和面包，慢慢走回小区，进入电梯。电梯门缓缓打开，里面空无一人，侯大利没有放松警惕，仍然把手放在枪边。

进屋，打开灯，侯大利和田甜在门口取出佩枪，上膛，双手紧握。两人依次搜索了所有房间，确认安全以后，这才收枪。

手枪如战马，必须亲密接触，建立感情，在关键时刻才能救命。刑警训练机会少，开枪更少，若没有提前训练，作为法医的田甜十有八九会忘记如何开枪。在这特殊时刻，两人都挺佩服朱林的先见之明。

入睡前，田甜在卫生间洗澡，侯大利守在客厅。吴莉莉的房间是婚房，新婚夫妻为了增加情趣，卫生间用了半透明玻璃门，坐在客厅能看到卫生间里面的朦胧身影。当水声响起时，侯大利飞快地朝着卫生间看了一眼，身体里的血脉开始加速流动。这是生物本性，非理智能够控制。

保护组在客厅装上了监视器，为了保护隐私，监视器回避了卫生间方向。正是由于监视器存在，侯大利只能偷偷看一两眼，便迅速抽回目光。

田甜洗浴出来以后，也守在客厅。当她看到玻璃门上的剪影时，顿时心跳加速，脸变得如天边夕阳那么红。

侯大利洗浴之时，想起半透明玻璃门后面的那道魔性身影，不由得剑拔弩张。他转过身体，免得“丑陋”之剑被田甜看见。

两人在客厅见面，穿戴整齐，却平添了一丝尴尬。

侯大利打破了沉默，道：“你的身材真不错。”

田甜没有料到侯大利居然会捅破这层窗户纸，顿觉尴尬。不过既然捅开了，反而就放得开了，道：“你的身材也不错。”

侯大利道：“吴莉莉是新婚，搞了这种小情趣装修，以后有了小孩，不管是父母还是保姆都得住进来，到时还得把这道门拆掉。”

在客厅看了一会儿电视，侯大利打起哈欠，道：“今天看电视时间是这一年看电视时间的总和，客观地说，节目真难看。”

进入寝室前，田甜有些磨蹭。进入寝室后，她坐在沙发上，假装喝水。侯大利收拾了两床被子，丢在床上，然后拍了拍床，道："上来吧，早点休息，保持精力，睡不好觉，人的反应会变慢。"

田甜道："感觉怪怪的。"

侯大利道："这是工作，你别想多了。"

"你才想多了。"田甜到卧室卫生间换上全套睡衣。她在家里挑选睡衣时选择了较为保守的款式，可是睡衣毕竟是睡衣，还是散发着私人空间才有的温暖暧昧。

侯大利看到田甜换上睡衣，拍了拍脑袋，道："我光记得收拾武器，想预案，没有带睡衣。"

田甜钻进薄被，将头露了出来，道："你没带睡衣？那睡觉穿什么？"

侯大利在箱子里翻了翻，找出一条宽大平角短裤，道："只能穿这条大短裤。明天我让人送睡衣过来，今天只能这样。"

侯大利到卫生间换上平角大短裤，提着手枪，检查卧室门后，将手枪放在枕边，这才上床。关了台灯，卧室陷入黑暗，伸手不见五指。几秒钟后，地面路灯从窗口钻了进来，伸手能隐约看见五指。侯大利和田甜是第一次同睡一张床，有些尴尬。两人呼吸声相互可闻，各自独特体味毫不客气侵扰对方。

"聊两句吧。"侯大利主动打破了沉默。

田甜道："窗子没有关，石秋阳会不会爬上来？我还是有点紧张。"

侯大利道："这幢楼唯一破绽就在厨房，厨房外面有条暴露在外的下水道，石秋阳可以顺着下水道往上爬。在下水道旁边的小道上有我们的人在车上守株等待兔，只要石秋阳露面，绝对逃不掉。"

"你心挺细，还用了香水。如果你浑身汗臭，那就完了。你用的什么牌子？"在工作时，田甜经常忘记了侯大利是省内最有名的富二代。此刻因为执行任务共睡一床，点滴生活细节暴露出富二代身份。

侯大利笑了起来，道："女人就是女人，在这个时候还想着什么牌子的香水。我还真没有注意，顾英会定期派人送生活品到我房间。我是懒虫，她安排什么，我用什么。拿刮胡刀时，顺便拿了香水。我要用男士香水，你不会觉得我娘娘腔吧？”

田甜道：“你不是娘，只是有些行为挺可笑，比如开车要带手套，睡觉要喷香水，出现场穿挺贵的衬衣。”

“搬到省城，当时我妈挺想由工厂女工变成贵族，请了礼仪老师。折磨了我好几年，才留下些让你觉得可笑的习惯。”

田甜又道：“你打呼噜吗？我爸要打呼，在客厅能听到。”

侯大利道：“喝酒后，偶尔会打呼，声音不算大。”

“那还算好。”田甜犹豫了一会儿，道，“有件事我得说一下，晚上有时要起夜，一般在凌晨二三点的时候。”

“你起夜的时候，把我叫醒。我提枪守在卫生间。”

侯大利提枪守在卫生间门口的面画既尴尬又很可笑。田甜随即想起自己在卫生间方便时必然无法避免的声音，羞红了脸，嗔道：“你别跟着我，跟着我，我和你急眼。”

聊了几句，两人适应了同睡一床的“亲密”接触，语音语调和用词也就恢复正常。田甜稍有犹豫，还是翻了身，面对侯大利，道：“有件事情挺好奇，平时不敢问，现在可以问吗？”

侯大利望着天花板，道：“你问吧？”

“你从高一到现在，没有再谈过恋爱吗？”

“没有抓到真凶，哪有心情谈恋爱。”

“社会上很多男人就盼着升官、发财、死老婆，从这点来看，你很痴情，是奇葩。”

“我和杨帆不一样，我们从小一起长大，我的第一张相片就是和杨帆的合影。”

月亮穿过了云层，月光代替地面路灯光，让卧室变得朦胧。聊了一阵，田甜又重新平躺，望着天花板，有些失神。

正如侯大利和田甜所料，石秋阳退回20世纪50年代，脱离与所有现代化设备的联系，这样做的好处显而易见，躲过了技侦手段，消失在人群之中。

与现代化生活脱离关系能够有助于隐身于现代社会，同样也带来很多副作用，石秋阳要查到吴莉莉现在的行踪相当困难。功夫不负有心人，他抱着不入虎穴焉得虎子的态度，通过民政局、街道、物业和大学等渠道，终于还是查出来吴莉莉的工作单位。比较遗憾的是只是查出吴莉莉所住教师楼编号，没有找到吴莉莉的具体楼层号。

石秋阳来到山南师范大学，迟迟没有进入校园。他知道警方肯定会在吴莉莉身边布控，自己进入校园非常危险。在校外停留这一段时间，石秋阳内心深受煎熬，干掉吴莉莉的想法如火焰一样在身体里燃烧，这股火十分猛烈，他感到内脏都被烧成了焦炭。

石秋阳在校园内外逡巡，一时之间没有想到长期潜入学校的办法。若不是妹妹石秋菊出现意外，他将是一个按部就班的普通工薪族，应该享受相对平静的生活，闲时骂骂社会不平事，喝点小酒骂骂单位领导，生活无比滋润。一场意外彻底破坏了他的生活，让他从此坠入幽深黑暗之中。他其实本可以选择不进入黑暗，但是黑暗如会唱歌的海妖，有一种魔力，让其欲罢不能、无所抗拒。黑暗统治了其内心，或者说是他将灵魂卖给了魔鬼，在杀人的刹那间，获得痛苦又畅快的极致享受。

走在校园外，石秋阳的目光被一则招聘广告吸引：山南师范大学美术系要招男模特，年龄不限，身高不限，待遇从优。

妹妹和女儿都喜欢画画，而且都具有天赋，石秋阳为了陪妹妹和女儿，两度摸起画笔，这算是他的一大爱好。看见招聘，他便知道如何进入学校了。

进入学校，石秋阳找到美术系唐老师。

唐老师看到一个相貌端正、身体保养得很不错的中年男子过来应聘，有些惊讶，因为眼前之人真不像为了钱脱衣服的模特。她客气地让石秋阳坐下，询问其应聘目的。

石秋阳谈起女儿的病情以及对美术的热爱，双眼噙满泪水。他从钱包里取出一张小小的水彩画。这是女儿所画。画中男子是一个夸张的肌肉男。

“这是我女儿画的，她走了，”石秋阳接过女老师递过来的纸巾，道，“我不缺钱，只是用这种方式实现她的梦想。”

石秋阳谈起妹妹和女儿是绝对真诚的，唐老师深为同情，对眼前气质颇佳的中年人充满好感。在这种感情状态下，她接受了石秋阳为保密不出示身份证的要求，还主动提供了美术系一间旧宿舍作为住宿。令石秋阳惊喜的是，旧宿舍与吴莉莉所住老楼房很近。

两人谈好，石秋阳当一学期模特，可以遮住面部。

石秋阳轻易进入山南师范大学，有了化装和遮住面部的正当理由。他戴上络腮胡子，配一副茶色眼镜，还戴了一顶长及肩部的假发。这种装扮与模特相当和谐，挺酷。

第一节课，石秋阳脱下衣服站在美术系学生面前，其匀称身材和发达肌肉顿时赢得所有人赞叹，唯一美中不足的是这个类似于古罗马大卫身材的男子不愿意露出面部。

上完课，石秋阳从容不迫地穿好衣服，还到学生画板前看画作，遇到画得好的学生，还攀谈几句。裸体模体往往不和学生接触，这个新来的男模特落落大方，很快赢得学生的好感。

美术系提供的宿舍与学生宿舍相隔很近，下课后，石秋阳与三个学生一起回宿舍。回美术系宿舍的时候要经过运动场，石秋阳目光向运动场扫视，寻找吴莉莉。他始终认为一个人的习惯往往会贯穿始终，这在朱建伟身上得到完美体现，吴莉莉读高中时是体育特长生，极有可能会出现在运动场。

来到美术系宿舍，一个女生略为害羞地对石秋阳道：“我叫刘菲。你在寒假期间，还留在学校吗？”

石秋阳道：“我一直留在学校，你如果有什么需要，可以跟学校申请，也可以直接找我，我很愿意为你们服务。”

得到承诺以后，刘菲露出微笑，抱着书本回到寝室，在进入小门前，回头对石秋阳招了招手。

石秋阳望着刘菲背影，神情很温柔，若是妹妹和女儿能顺利成长，也会经历她这样的花样年华。血淋淋的没有感情的冰冷匕首，掠夺了妹妹的人生。凶狠的病魔，又缠上了女儿。如果妹妹没有遇害，女儿肯定不会生病。所有人——杀人者和旁观者，都将为此付出代价。

保护组成员一直守在校园。两个队员坐在小车上，控制交通要道。坐在小车上的队员八小时换一次班，在车上吃饭和解决大小便，煞是苦闷。两个队员看到背画架的学生和一个面部不清的男子走进美术系宿舍。

面部不清便有重大嫌疑，等到那个中年男子走进宿舍以后，队员向保护组组长邵勇汇报情况。

邵勇还是挺重视这个情况的，拿到数码相片后，找到保卫处长。保卫处长立刻和美术系唐老师联系。唐老师对石秋阳充满好感，道："他是美术系模特。为什么当模特？那自然是热爱。他是裸模，出来肯定有所遮掩。"

保卫处长过惯了和平日子，主要工作是处理学生打架斗殴之类的烂事，敏感性远远不如一线刑警，将美术系老师的原话转告了邵勇。

得知面目不清的中年男子是美术系裸模，邵勇骂了一句"神经病"，便没有再追究此事。

在蹲守的日子里，守在汽车里的队员多次看到这个裸模和几个美术系学生一起出门，彼此间有说有笑，便不再理会此人。

侯大利和田甜在校园的活动必须受到保护组的保护，处处受到限制。为了不给保护组惹麻烦，他们总是将活动线路提前报告给保护组。中午时间，为了让保护组休息，两人原则上不出门，午休。

田甜换了睡衣，坐在床边，觉得后背瘙痒，不停用手挠痒。

侯大利进门之时，也在用手挠痒。他的瘙痒部位恰好在手指不方便到达的地方，挠起来挺费劲。

"你也痒？是床有问题，还是吃了什么东西过敏？"侯大利关紧卧室门，又在卧室的门把手上挂上警示铃铛。

田甜道："我有时会过敏，过敏源复杂，说不清楚。"

侯大利取下佩枪，放在床头柜，道："我的手臂没有你软，挠不到位。你帮我挠挠，太痒，难受得不行。"

对于侯大利的请求，田甜没有任何不自然，道："具体哪个位置？"

有人帮着挠痒，身体发痒就不成问题。当你独自困在屋里，无法触及发痒部位，那就相当悲惨，痛苦不堪。侯大利长期独居高森别墅，为了解决这个问题，特意配备了一个长长的痒痒挠。痒痒挠是硬的，没有灵气，手指是血肉，有灵气。当田甜轻轻抓了几个痒点之后，侯大利舒服得快要哼出来了。

帮助侯大利挠痒时，田甜神情特别温柔。小时候，她常为爸爸挠痒，而且帮爸爸挠痒成为她的特权，妈妈都不能剥夺。

“好舒服。你需要挠一下吗？”侯大利翻身起来时，身体里有一股热血涌动，脱口而出。

田甜内心也有隐隐渴望，或者说隐隐并不准确，渴望是全方位的，当然也是可控的。她脸又开始发烫，道：“我不太痒了，谢谢。”拒绝了侯大利，田甜后背痒得越发厉害，只能悄悄在被窝里自己挠痒。她后背痒点恰好也挺高，挠起来挺不方便，就在床上蹭了几下。

蹭了几下，始终不能解决问题，田甜道：“喂，你也帮帮忙。明天得彻底找一找过敏原。”

侯大利小心翼翼伸出五指，隔着衣服为田甜挠痒。挠了一会儿，两人都感觉对方呼吸急促，侯大利更是涌起将田甜抱在怀里的冲动。恰好这时，桌上手机响了起来。侯大利盯着响动的手机，等了好久，终于接了起来。田甜翻过身，重新盖上薄被。等侯大利接完电话，她问道：“谁的电话？”

“陈浩荡，我的大学同学，在支队办公室。”

“我有点印象，不太深。”

“陈浩荡调到政治处了。他说我的三等功批下来了。”

“调政治处，混得不错。”

“我更喜欢具体办案。”

侯大利放下手机时，又朝窗外看了一眼。

站在窗边，能看到停在路边的车。车里有两个保护组成员，一名是重案大队的严峰，另一名是樊勇。

樊勇在车内打了一连串哈欠，对严峰道：“听说美术系有不少裸模，那个大胡子是不是裸模？”严峰道：“他是裸模，经常在这边活动。”

石秋阳摆出舒服的姿势，坐在台阶上，为美术系相熟的女学生刘菲当模特。他不敢使用身份证，不能使用与“石秋阳”身份有任何联系的现代技术，所以，躲在这里当模特是最佳伪装。当前他最大的问题是认不准吴莉莉本人现在的模样，报纸上摄影相片有吴莉莉，可是当时吴莉莉读高三，而且位于相片边缘，脸部稍有些长，五官略为走形，应该与现在的模样略有差别。

他曾经悄悄来到吴莉莉所在的行政楼，想去看看在楼底有没有工作人员相片，不料在楼梯口看见两个上楼男子的神情极似警察，便赶紧退出行政楼。这一次尝试以后，他变得更加谨慎，不敢轻易打听吴莉莉的消息，免得打草惊蛇，引火上身。他在课余时间给学生当模特时就主动选择在吴莉莉所住教师楼附近，用守株待兔的土办法锁定吴莉莉。

樊勇一直守在车内，经常看到这个总是跟随美术系学生的男模特。保护组诸人陷入了思维误区，见到男模特和美术系学生有说有笑走在一起，总认为这个男模特一直在美术系，而非临时加入。

樊勇正在和严峰聊天，放在身旁的手机振动起来。他一把抓起手机，走到车外，站在一堆砖头前打电话。这堆砖头放在这里好些天，一直没有人处理。

“樊勇，我要和你分手。”

“唉，又是啥事？”

“好几天没有见到你的人影，我这是谈的什么恋爱？和鬼影子在谈。”

“亲爱的，你别急嘛，我在蹲守，执行任务。”樊勇一直没有解决婚姻问题，总是高不成低不就，好不容易遇到一个合适的，很是上心。

“晚上不现身，我跟你分手。你是什么鬼工作？李哥评了烈士有什么用？孤儿寡母，以后这一家人的生活怎么过？”

正在当模特的石秋阳听到“蹲守”两个字，身体未动，眉毛动了动。

石秋阳前两天已经注意到这辆停在吴莉莉所在教师楼路边的汽车，

猜到应该是警方蹲守的车。当刘菲提出要户外写生时，他主动靠近这辆车。在这边画了两天，终于听到“实锤”，确实是公安派来蹲点的人。

当模特是辛苦活，往往用相近姿势坐两三个小时。尽管石秋阳控制身体能力颇佳，采用了最舒服的姿势，到后来身体也有些僵硬。

从吴莉莉所住的教师宿舍走出一男一女，男的身高在一米八，女的身高有一米七以上。女的挽住男的胳膊，一路走来都在低声交谈，神情亲密。石秋阳目光一直跟随这个女子，在脑中将她与吴莉莉在报纸上的相片进行对比，身高应该是对的，相貌也有几分接近，以前没有眼镜，如今多了一副眼镜，发型也有变化，以前是学生式自然发型，如今是烫了一个小波浪。

车上蹲点的另一个男子从卫生间出来，正好与这一对男女错身。错身而过之时，蹲点的一名男子与女子身边的男子点了点头。

石秋阳判断蹲点的男子是警察，与这一对男女认识，那么这一对男女极有可能就是警察的保护对象，也就意味着女子就是吴莉莉。

当然还有另一种可能，就是眼前这个高个子女人也是警察。

扮演了三小时模特，石秋阳身体稍稍有些僵硬。汽车里始终坐着两个男子，两个男子轮流上厕所，始终保持有一人在车上。其中一个男人应该正在和女友闹矛盾，已经在车下打过两次电话，每次都低声下气，就差跪在搓衣板上求饶。

“身体发酸吗？”刘菲递给了石秋阳一支烟，自己也抽了一支。

石秋阳道：“还好吧。”

刘菲道：“你是临时客串模特，准备客串到什么时候？你这种身材和年龄的男模特不好找。”

石秋阳道：“不会太长吧，应该就是这个寒假。”

刘菲吐了一个烟圈，道：“那我得好好利用这个寒假。”

石秋阳道：“寒假，你不回家？”

刘菲故作潇洒地道：“家里乱成一团糟，老爸找小三，老妈打麻将，我不想回家。”

学校已经正式放寒假，往日热闹的校园变得冷清，美术系学生陆续离开，只留下刘菲和石秋阳。刘菲邀请石秋阳晚些时候去校外喝杯小酒，石秋阳也没有推辞。

与刘菲分别以后，石秋阳就在校园内转悠。石秋阳已经完全获得了美术系管理老师的信任，办理了山南师范大学的进出证、校园一卡通等证件，在校园内行走没有任何问题。特别是当着两个蹲守警察的面做模特，也安全无恙。

来到校园内张贴栏，石秋阳驻足观看。上一次在校园外的张贴栏里发现了当模特的机会，让他发现张贴栏里可以寻找到很多有用的信息。扫了一遍，石秋阳果然有重大发现，张贴栏有一张校运动队寒假集训的通知，里面有吴莉莉的名字，这也就意味着吴莉莉在寒假期间会留在校园。

回到宿舍，石秋阳锁上门，将仿五四式手枪放在枕边。在床上躺到了五点半，他应约去和刘菲吃饭。刘菲叛逆得很，正是那种即将走进成人社会的少女，心比天高，命如无根草，极好利用。

校外小餐馆，刘菲点了一瓶白酒。石秋阳拿过白酒瓶，道："你能喝吗？"刘菲吐了一个烟圈，道："至少半斤。"两人喝了不到半瓶酒，刘菲脸满通红，眼睛也蒙眬了，开始讲起父母之事。"他们早就该离婚了，没有感情，见面就吵架，大家都难受。现在是新生活，都是各顾各的，我是成年人，早就不需要他们来照顾了。"

石秋阳抢过酒瓶，不准刘菲再喝。带着一个醉酒女生回校，说不定会惹来麻烦。刘菲平时装作潇洒，实则还是依靠家庭的女子。她莫名其妙地对石秋阳产生了某种微妙的情感，或许是石秋阳的年龄，或许是石秋阳略带忧郁的眼睛。

喝了大半瓶酒，石秋阳抽空将剩下的酒全部倒掉，带刘菲回到校园内。

刘菲在校园内迟迟不肯回宿舍。夜晚寒冷，她挽紧石秋阳，在运动场转圈。

石秋阳看见校园内有人巡逻，道："我要回去了。"刘菲道："我到你那里去。"石秋阳道："去我那里做什么？"刘菲道："傻瓜，当然是做爱。”石秋阳搂了刘菲的小蛮腰，道：“酒醒以后别后悔。”刘菲道：“做爱不过是另一种形式的握手，你们这些中年人太保守。你到底行不行？如果不行，那就浪费了美好夜晚。”

石秋阳心里很清楚，他只有两种结局，第一种结局是被抓或被击毙，这是大概率事情；第二种可能性就是隐姓埋名，石秋阳永远消失。不管哪一种结局，前景皆暗淡，及时行乐便成为正确选择。

回到小寝室，满脸绯红的刘菲用手指在石秋阳腰腹间的好几个圆形伤口上来回画圈，道：“这是什么伤？我早就想问你了。”

石秋阳道：“你猜。”

刘菲歪着脑袋，道：“我没有见过这种伤口，莫非是被人用刀捅的吗？”

石秋阳将其抱了起来，放在床上，道：“这是一个秘密。”

刘菲道：“你这人有不可告人的大秘密？”

石秋阳身形一滞，道：“什么大秘密？”

刘菲道：“我是学美术的，最会观察人，你的眼中有痛苦，肯定经历丰富，你到底是什么人？其实不用你回答，我刚才摸到了你身上带的枪，你是卧底警察，还是黑社会？”

石秋阳将中指竖在唇间，嘘了一声，用实际行动回答了这个问题。在进出刘菲身体时，时而轻柔，时而强硬，将小女生很快送到欲望高峰。他在这方面是高手，体力也强，而刘菲虽有过性经验，但是经验不足，在石秋阳耐心推送下，三次到达高潮。

性爱结束，刘菲软成一团泥，还用双腿缠住石秋阳。经过激烈的性爱之后，石秋阳发泄了欲望，情绪却更加低落。

有了第一次，以后的事情就顺理成章，有了第二次、第三次、第四次。这种事情突然而至，石秋阳没有规划，只是采取放纵态度。对他来说，随时可能落入法网，甚至命丧街头，能够放纵那便放纵吧。

有刘菲掩护，石秋阳终于能够接近学校的行政区，终于在一处工作人员栏中找到了“吴莉莉”的相片，其实此时的相片早已换成了田甜，石秋阳就越发肯定那天遇到的高挑女子就是自己一直在找的吴莉莉。他曾经两次遇到吴莉莉夫妻，都没有合适的下手机会。南方原始森林里的血与火让他变得格外冷静，耐心等待致命一击的时机。

时间一天天过去，眼见着到了春节。石秋阳如泥牛入海，完全寻不到踪迹，这段时间对江州市公安局领导们来说格外难熬。若是石秋阳在春节期间再作大案，那必将震动全省，市公安局将无法交代。所以，进入山南师大的刑警小组还在坚守。

2009年春节前夕，一起突发事件震惊全市。一个持枪犯罪团伙从岭东省逃窜到江州市，抢劫金店，打死了两名店员，恰逢有民警巡逻至此，与三个持枪犯罪团伙交火，两名民警英勇牺牲。

持枪犯罪团伙有三人，夺路而逃后，被包围在江州城外巴岳山中。为了抓捕三个持枪犯罪分子，市公安局将能抽调的全部警力都投入搜捕之中，另外还调集了武警和基干民兵，发动周边乡镇的干部群众，总计投入近万人。

在山南师范大学执行任务的民警全部参加搜山工作，钓鱼行动暂时终结。

整个春节，一万多名干部群众都在山上吃住。

大年初四，市公安局发现了持枪犯罪分子的踪迹，经过激烈交火，两名持枪犯罪分子被当场击毙，另一名持枪犯罪分子被抓获。

从巴岳山撤回以后，朱林召集专案组成员开会，宣布钓鱼行动暂停。

侯大利中枪

春节已经过完，但是在没有过完大年前，市民们仍然认为春节没有过完，城区不时有鞭炮响起。

吴莉莉打来电话，约侯大利和田甜到家里吃晚餐。

侯大利和田甜在吴家暂住的那段时间，田甜按照吴莉莉相貌打扮自己，侯大利穿上与吴莉莉丈夫基本接近的衣服，四人之间发生了某种关联。受到邀请之后，侯大利和田甜欣然接受。为了制造喜剧效果，侯大利和田甜又换上了吴莉莉夫妻的装扮。

到了约定时间，侯大利和田甜来到山南师范大学，开车进停车场，出来之时，特意买了师大特色盐水鸭。

石秋阳不敢使用身份证、银行卡、手机，在这种情况下，最安全的地方自然就是校园。而且，校园有刘菲作为掩护，不管做什么事情都方便。他杀掉吴莉莉的心思如沸腾的岩浆，一直没有停歇。当守候在此的警车终于离开后，他觉得下手的时机终于到了。

至于下手以后如何生存，他没有去细想，也不愿意细想。他对于陪伴自己的刘菲没有太多感情，在他眼里刘菲不过是一个不懂事的年轻学生，自以为看透了社会和人生，受到过现代社会的熏陶，实则还是一个未经世事的青涩少女。

摸清了吴莉莉往返线路，石秋阳随时准备下手。遗憾的是这几天没有见到吴莉莉，让其多活了几天。他估摸着吴莉莉和其丈夫应该趁假期出去走亲戚，这两天应该返校。

今天，石秋阳拿望远镜站在窗台上，再次看见提卤菜的吴莉莉夫妻。

敲开房门，吴莉莉和丈夫在屋内热情迎接。四人都是高挑个子，田甜又按照吴莉莉的模样打扮，还真如一对姐妹带着各自丈夫聚会。

闲聊一会儿，吴莉莉问道："我们现在还有没有危险？"

"石秋阳一天没有抓到，你就存在危险。这人内心扭曲，不能用常人思维来理解，你一定不能单独在校园内出现。"侯大利始终认为石秋阳来到山南师范大学的可能性极大，在这一点上挺固执，与石秋阳有几分相似。

"好麻烦。"

"这是没有办法的事。"

吴莉莉丈夫插话道："石秋阳本质上不坏，是妹妹遇害受到刺激，才产生反社会人格。"

侯大利立刻打断道："我们绝不为坏人行凶找任何理由，不管发生什么事都不是行凶的理由。他犯法，我们执法。对违法者的同情就是对受害者的不公。"

吴莉莉丈夫长期在大学工作，与侯大利思路明显不同，道：“对石秋阳来说，他是凶手，也是受害者，只有关注石秋阳的生存环境，才能更好预防犯罪。”

侯大利道：“其实我们更应该关注受害者的生存环境，现在大家过度关注凶手，忽略了受害者。”

吴莉莉见丈夫还要辩论，道：“换个话题，今天是家宴，不要谈这种永远没有结论的话题。来，我们举杯。”

结束沉重话题，谈点风花雪月，皆大欢喜。

离开吴莉莉家，冬夜寒冷，田甜将手搭在了侯大利胳膊上，将衣服后背的帽子拉上。

侯大利取下手套，握住田甜的手，一起放进羽绒服口袋里。

寒假，大学生们几乎如逃难一般离开校园，遗弃所养的狗和猫。这些狗和猫为了生存就变成了流浪猫和流浪狗，特别是流浪狗，数量多了以后，占据角落，称王称霸。除了猫和狗外，还有不少自行车和摩托车。

石秋阳早就撬了一辆摩托车，在校园内骑了多次，熟悉所有大道小路。

吴莉莉总是和其丈夫同时出现，石秋阳便下定决心连吴莉莉丈夫一起干掉。为了在一次袭击中消灭两人，他准备骑摩托车进行突击，进行突击的最佳路线就是自己当模特的林荫大道上。那条道四通八达，得手后方便离开。

与刘菲做爱以后，石秋阳站在窗边抽烟，正在这时，他看见吴莉莉和丈夫出现在小道上。突如其来的机遇让石秋阳兴奋起来，回头对躺在床上的小女人道：“我出去买包烟，你先睡会儿。”刘菲被折腾得身体发软，不想起床，在被窝里抛了一个媚眼，道：“给我带一包，小支的。”

石秋阳带着圆头铁锤和手枪来到楼下，发动摩托车，向“吴莉莉夫妻”追去。

侯大利和田甜即将走到越野车前。

进入越野车，意味着又将进入原来的生活，彻底与假扮夫妻脱离。

田甜舍不得短暂的甜蜜时光，走得很慢。侯大利也放慢了脚步，与田甜并肩而行，肩膀偶尔与田甜肩膀相碰。

远远射来摩托灯光，很亮。侯大利略为转身，下意识用身体遮挡住射向田甜的灯光。

摩托车与“吴莉莉”还有十来米的时候，石秋阳举起了圆头铁锤，神情狰狞。

田甜沉浸在甜蜜之中，没有注意到摩托车的异常情况。侯大利作为保护者始终没有忘记职责，敏锐地发现冲过来的摩托车有问题。摩托车车灯太亮，造成车后黑暗，侯大利并没有发现摩托手举起了象征死亡的铁锤，只是本能地觉得摩托车的速度和角度极不对劲，是冲着自己而来。

侯大利来不及用语言提醒，抱着田甜就朝地上扑倒。圆头铁锤带着风声从侯大利脑后画出一条弧线。

原本志在必得的猛击居然落空，摩托车向前冲了一小段。石秋阳掉转车头，举起圆头铁锤，再次向“吴莉莉夫妻”冲了过来。侯大利从地上爬了起来，顺手还摸到一块砖头。

圆头铁锤敲下来之时，砖头也迎面而来。

半截断砖重重地砸在摩托车手头盔上。

铁锤贴着脸颊落下，砸中侯大利肩膀。

侯大利左脸火辣辣的疼，左肩更是剧痛，无法抬起来。摩托车失控，撞在树上，石秋阳跳下车，举起铁锤，朝侯大利冲过去。侯大利此时与李超当时的情况极为相似，只有一只手能用，极大限制了反击之力。他没有退缩，脑中出现铁锤敲击的路线，迎着铁锤方向上前一步，身体朝左闪了闪。

侯大利不退反进，突然上前，石秋阳抡圆的手臂砸在对方肩膀之上，铁锤没有击中目标，脱手而出。侯大利右手搭在石秋阳胳膊关节上，猛地用力，试图用肩和肘扭断石秋阳关节。

石秋阳反应敏捷，弯曲手臂，让对手无法用力。

田甜从地上捡起砖头，趁着石秋阳和侯大利互相较劲之时，对准摩托车手后背猛砸。砸到第三下时，石秋阳腾出一只手，挥拳打在田甜脸上。

田甜被重拳击倒。

侯大利趁田甜创造的战机，右手捏成拳头，用尽全身力量猛击石秋阳裆部。

这一拳既准又狠，石秋阳痛得弯下腰。他用左手捂住裆部，右手用力卡住对手脖子。

侯大利左手无法用力，极大限制了其攻击力。他知道若不继续进攻，等到石秋阳缓过劲来，那就极度危险。他抓住石秋阳右手食指，反向扭动，只听得“咔”的一声响，对手虽然戴着手套，食指还是被扭断了。

田甜从地上爬起来，举着砖块又扑上来，砸在对方头盔之上。石秋阳转身，再将“吴莉莉”踢翻。

侯大利对准摩托车手裆部踢去。

石秋阳每次出手前都有周密计划，出手向来一击得手，对方基本上没有反抗能力。袭击“吴莉莉夫妻”却遇到顽强抵抗，特别是“吴莉莉丈夫”用招阴狠，扭关节，踢裆部，完全如流氓一样。他闪过撩阴腿，挥拳打在“吴莉莉丈夫”鼻子上。

侯大利身体一直向前倾，鼻子被打中后也不退却，又踢出一记撩阴腿。他使用两败俱伤的打法，准备将石秋阳打倒。

田甜从地上爬起来，拿起砖块，又朝对方砸过去。

石秋阳裆部和手指断裂处都发出剧痛，特别是裆部疼痛更是钻心。他强忍剧痛，退后两步，左手取出手枪，抬手，朝“吴莉莉”射击。

侯大利反应非常快，猛地扑过去，扑倒田甜。

石秋阳是左撇子，左手射击精度比右手更高，打了第一枪后，很冷静地将枪口对准“吴莉莉”。以他的射击水平，如此近距离，她已经在劫难逃。他所持的是仿制五四式手枪，性能与制式手枪不能相提并论。打第二枪时，手枪卡壳。

这时，林荫大道上出现学校保卫处干部，大声喊叫着冲过来。

战机已失，石秋阳趔趄着走到摩托车处，骑上摩托车，消失在黑暗之中。

枪击案发生后，省公安厅连夜召开紧急会，调集精兵强将，组成十个抓捕组，全省范围内追捕石秋阳。

侯大利在推倒田甜时，被子弹击中。

田甜触手处全是血，出血处接近心脏，作为法医知道其凶险性，带着哭声道："侯大利，你不能死啊！"

侯大利模糊地听到田甜哭声，用尽力气自嘲道："我是富二代，还没有享受人生，不会挂的。"

泪水顺着田甜脸颊滑落，一滴滴落下，溅到侯大利脸上。侯大利平躺在地上，仰望黑沉沉的天空，远处的路灯如太阳一般耀眼，其意识渐渐模糊，身体发凉，这时他已经没有体力自嘲了，喃喃道："杨帆案没破，我死也不心甘。"

山南师范大学处于闹市区，救护车和警车迅速赶到。

在江州，宫建民接到朱林电话，愣了几秒，又给刘战刚打电话汇报了发生在山南师范大学的事。

宫建民正在前往市公安局的路上，在湖东追查银行卡的陈阳打来电话。

陈阳道："我们找到取钱人，不是石秋阳，是一个返乡大学生。返乡大学生在阳州长途车站捡到了一个信封，信封内有一张银行卡，还有一张纸条，字条上写有密码。石秋阳非常狡猾，利用人性中的贪婪，很巧妙地把我们的目光引开。但是，他也漏出一点信息，至少表明他曾经在阳州出现过。"

他正在讲述取钱人为什么隔了这么多天才敢取钱时，被宫建民打断，道："石秋阳肯定在阳州，而且是在师范大学。侯大利在师范大学中了枪，生死未知，现场捡到了一柄圆头铁锤。你带人直接到阳州，那边需要人手。"

省厅高度重视此案，组织精兵强将抓捕石秋阳。江州市公安局刘战刚、宫建民、陈阳以及熟悉石秋阳情况的保护组成员和105专案组成员都来到省城，与阳州市公安局一起抓捕石秋阳。

来自江州的刑警兵分数路，一路调取当时的监控视频，通过视频来确定石秋阳骑摩托车逃跑的方向；一路分散到阳州公安局各个小组，前往各大医院查找有可能就医的石秋阳；宫建民等人则留在阳州市公安局的指挥中心，协调阳州市公安局指挥追捕。

阳州医科大学附属第一医院，手术室外，侯国龙暴躁得如一头狮子，脸色铁青，在屋外走来走去。李永梅和半边脸红肿的田甜坐在手术室外长凳上。若是寻常时间，李永梅肯定对田甜有极大兴趣，儿子在生死关头，实在没有心情与儿子的女性朋友谈天论地。

时间走得极慢，慢得让心脏都要跳出来，这是极为矛盾的两种心理现象，只有在手术室外等待过死神的人才能体会。

朱林从指挥中心离开，径直来到医院。侯国龙强压怒火，道：“朱支，侯大利是刑警，执行任务没有问题。为什么执行这么危险的任务没有防弹衣，为什么没有配发武器？”

朱林道：“任务实际已经结束，这是突发事件。”

侯国龙这些年见过太多风雨，已经不是刚从世安厂出来的普通年轻工人，说话间控制住情绪，道：“抓到凶手没有？”

朱林道：“石秋阳露了头，肯定能被抓住。省厅督战，江州和阳州两地公安都派出最强的力量。”

侯国龙强硬地道：“等到大利伤好以后，就得离开公安队伍。”

朱林沉默不语。

一位医生走出手术室，摘下口罩，轻声道：“病人已脱离生命危险。”这一句话仿佛带着万丈金光，驱散所有阴霾。侯国龙长长地吁了一口气，双腿无力，坐在椅子上。他望了一眼李永梅，做出一个重大决定——再生个儿子。

作为山南顶级富翁，他的操守很不错，迄今为止没有闹出什么绯闻。儿子在生死线上走了一遭，他感觉也在生死线上穿梭一次，经历生死以后瞬间顿悟，必须再生一个。

侯国龙打开脑中无形闸门以后，一个一个漂亮女人的形象飞蛾扑火一般飞进了脑海中。

李永梅此刻对眼前女子产生了兴趣，道："田甜，你和大利在一起执行任务，任务很危险，你难道不怕吗？"

田甜也是长舒了一口气，道："怕归怕，这些事情总得有人做。"

李永梅道："你是法医，这种事应该刑警队其他女民警去做，这样更合适。"

田甜道："法医也是刑警。"

"你的身材真好。"李永梅注意到田甜有一双大长腿，暗道："田甜和大利挺般配，就是那个职业，天天和尸体打交道，让人瘆得慌。"

侯大利在重症监护室住了五天才转到普通病房，这期间，田甜大部分时间都守在病房外。等到侯大利转到普通病房时，她脸上的红肿基本消除。

在受袭击前，两人之间便产生了超出同事的情感，只是窗户纸没有捅破，仍然以同事相待。

侯大利转到普通病房。病房是条件最好的单间，有卫生间和厨房。李永梅在屋里念念叨叨，苦劝儿子离开刑警支队。田甜则坐在一边，为侯大利削苹果。其实侯大利不想吃苹果，只不过坐在房间不找些事情来找，会显得尴尬。之所以会觉得尴尬，原因是田甜已经下定决心主动捅开那层窗户纸。

李永梅无法说服儿子，窝了满肚子火气离开房间。

房间只剩下两个人。田甜"喂"了一声后，拧开矿泉水瓶盖，小口小口喝水。侯大利见田甜欲言又止的神情，道："有什么事？"田甜猛喝了一口水，用力拧紧瓶盖，道："我爱你。"侯大利惊了一跳，道："你说什么？"田甜目不转睛地直视侯大利，大声道："我爱上你了，你是否接受，请直接回答。"侯大利摸着胸口伤疤，道："你别搞突然袭击，伤口差点破了。"田甜态度坚决地道："别扯其他，回答我。"

侯大利脸上的笑容慢慢消失，与田甜对视。田甜没有回避，勇敢面对侯大利探寻的目光。两人眼光在空中相遇，相互纠缠，互相抚慰。过了半晌，侯大利伸手握住田甜的手，道："那我们谈恋爱吧。"

田甜紧紧握住侯大利宽厚的手掌，眼角慢慢渗出泪珠，道："我在手术室外时一直在想，我真傻，天天和你在一起，居然没有和你牵过手、接过吻。如果子弹偏一点，我会终生遗憾的。"

侯大利安慰道："大难不死，必有后福，你以后就是我的女朋友。"

眼珠掉落，田甜笑容如雨中绽开的花朵，道："你说得好勉强。"

侯大利用手指轻轻擦去田甜脸颊上泪珠，道："我们要好好过日子。"

田甜泪中带笑，道："你还是富二代，真是土得掉渣，一点都不浪漫。"

侯国龙走进房门时，正好透过病房门的玻璃看到儿子伸手为田甜擦眼泪。他稍有犹豫，还是推开门，走了进去。

"田甜，你能暂时回避一下吗？我和大利谈事。"侯国龙客客气气地提出要求。

侯大利早就料到父亲要和自己谈事，对着田甜自嘲地笑了笑。

侯国龙神情严肃，道："作为刑警，你已经尽到了职责。作为儿子，你没有尽到职责。"

侯大利从手术中醒来以后，便料到肯定要面对父亲的怒火，沉默不语。

侯国龙怒道："你还认为我是你爸爸的话，立刻辞职，到国龙集团工作。我这把年龄，迟早要退休，你若不回来，老子辛苦打下来的江山，交给谁？若是子弹再偏一厘米，你就报销了，老子辛苦打下江山，有什么用？"

侯大利继续沉默。

侯国龙苦口婆心地道："我知道你的心结在哪里，杨帆是好姑娘，我们全家都喜欢。可是，人走了这么久，你已经尽心尽力了，没有人能说什么。"

"我不在意别人说什么，"侯大利摸着心口道，"我过不了心头这道坎。"

侯国龙见儿子仍然执迷不悟，气得差点一口气喘不过来，道："你想过没有，如果你真没有抢救过来，我和你妈怎么办？你为了一个死去多年的女子，不顾父母，这是不孝。"

侯大利见父亲眼里有泪花闪动，道："爸，给我一点时间。"

侯国龙道："我给了你太多时间。你完全可以用丁晨光的办法，让江州市局专门侦办杨帆案。国龙集团如今已经是全国性大企业，你要接班得从基层做起，不了解基层情况，掌控不了大集团。与其把时间白白浪费在刑警岗位，不如提前到企业工作，到时你接班也就顺理成章。"

侯大利道："抓到石秋阳，五个受害者家庭重见天日。我没有浪费时间，我的工作有意义。"

儿子如此执迷不悟，侯国龙痛苦不堪。他原本想发火，可是想着儿子才从死亡线上挣扎回来，终于强忍火气，提前结束谈话。他走到门口，走到田甜身边，道："你是老田的女儿？你爸爸和我挺熟悉。等到大利出院，请你到家里做客。"

田甜做事素来冷静，在侯国龙面前却有些心慌，道："谢谢侯叔叔。"

侯国龙单刀直入，道："你觉得大利继续做刑警有没有价值？我想让他到国龙集团工作，想听听你的意见。你别管大利，我就想听听你的意见。"

田甜心情平复下来，道："我尊重大利的选择。"

侯国龙道："大利的价值在国龙集团，他可以成为最优秀的企业家，其他人没有这个机会。他作为一个刑警，其实就是巨型机器的一颗螺丝钉。你如果真的为他好，帮我劝劝他。"

侯国龙将问题摆在面前时，田甜也觉得不好选择。

侯国龙来到楼下，对李永梅道："儿子变成傻瓜了，我没有办法说服他，你上去吧。"

李永梅道："儿子就和你一个德行，都是犟拐拐，硬来是不行的。我们要从田甜方面入手，田甜的话，比我们管用。"

"儿大不中留，生儿育女没意思，"侯国龙又道，"我感觉一点都不了解儿子，从他初中开始，就不知道他在想什么。最初我们认为他挺乖的时候，他实际上混在一群小流氓堆里，混得还有声有色。到了应该谈恋爱的时候，他变得像个苦行僧，连女人都不碰。他还是我儿子吗？”

李永梅对儿子也感到陌生，不过母亲和父亲毕竟不一样，道：“你还真是不了解儿子，初中当纨绔子弟那是不懂事，也是进入新环境的生存之道。真正的变化就是杨帆死了，儿子说到底是一个痴情种子。”

侯国龙心情复杂地走到医院大门，一辆越野车开了过来。这辆车看起来普通，却是特别定制，具有防弹功能，是整个山南省最贵的几辆车之一。他坐在车后座，望着街道上的人群，突然觉得人生好累。

“喂，你在吗？”

电话里传来一个雀跃女声：“我在，你要来吗？当然欢迎。”

打完电话，侯国龙下意识地朝医院方向看了一眼，心情依然灰暗，莫名烦躁起来。

在医院，李永梅一直在和田甜说话。杨帆出意外以后，儿子变得不近女色，这样下去如何得了，当妈的心急如焚。苦等多年，儿子终于显示出性取向仍然正常，这让李永梅很是开心。

田甜平时话不多，只是与侯大利在一起才会不停说话。李永梅虽然是侯大利的妈妈，可是毕竟不是侯大利，等到李永梅离开医院时，这才松了口气。

“我妈平时没有这么多话，今天我重新活过来，同时还发现我们关系特殊，所以话才这么多。”

两人聊天之时，田甜手机响起来。

接完电话，田甜道：“朱支通知我到山南师范大学，袭击我们的人是谁，最终还得确认。”

侯大利道：“圆头锤上没有指纹？也没有血迹？”

“石秋阳戴了手套，没有留指纹，圆头锤清理得很干净，没有血迹。专案组的领导认为石秋阳肯定藏在学校，让105专案组民警到山南师大，配合搜查石秋阳在师大的藏身之所。”

田甜收拾了小包，准备离开，却被侯大利伸手拉住，道："亲一下再去吧。"

田甜迅速回头，见房间无人，这才俯身亲了亲。李永梅正好在门口，透过门上玻璃看见这一幕，心花怒放。

田甜要离开时，侯大利道："我们从吴莉莉房间走出来，不一会儿就受到袭击，说明石秋阳有可能躲在附近，你要注意观察能够看到那条路的房间。保护组在山南师大这么长时间，一直没有发现他们的踪迹，说明他有可能化装。还有，他没有身份证，怎么混在山南师大这么长时间，这也是重点。"

侯大利分析的问题也正是参加追捕的刑警面对的问题，解决了这些问题，石秋阳在山南师大的行踪自然就解决了。在保卫处带领下，刑警们首先清理山南师大的出租房。另外一路刑警带着石秋阳相片到学校，交由留校老师和管理人员辨认。

石秋阳胆大又谨慎，在校期间一直化装，从来没有露出真面目，包括面对刘菲时都使用了伪装。美术系老师看到石秋阳正面相片时，否认见过此人。

田甜、葛向东和樊勇相对熟悉石秋阳，参加搜查山南师大临时出租房以及宿管处管理的各类公房的行动。清理过程中，意外抓到一个部督案件逃犯，很遗憾的是没有发现石秋阳踪影。早上，众人在小餐馆凑合吃了一顿饭，都困得不行。稍事休息，众人又清理公房。十点左右，诸人来到美术系公房，敲开石秋阳租住的房子，里面有一个留校女生。

房间里摆满了许多画，全是以石秋阳为主角。主角面部经过伪装，不再是石秋阳的模样。

唐老师见到刘菲，道："鲁刚在哪里？"

刘菲道："鲁刚出去办事。"

美术室老师道："你怎么在这儿？"

刘菲道："我在画鲁刚，他是我的朋友，不可以吗？"

田甜站在窗边，视线所及，恰好可以看到林荫大道。她将葛向东叫了过来，道："我和侯大利被袭击恰好就在那棵树下。凶手极有可能就在类似地方观察到我和侯大利，然后行凶。”

刘菲如骄傲的斗鸡一样，和怒气冲冲的唐老师对峙。在刘菲心目中，她和鲁刚在一起是私事，与学校无关。

田甜向带队领导讲了自己的疑点，要求取鲁刚指纹，寻找毛发。

葛向东打着哈欠，在画架前转来转去。这一段时间，他一直泡在案子里，顾不上家族生意，这让他极度痛恨石秋阳，恨不得立刻就将其抓住，好过上往日的轻闲日子。他在画架转了转，突然在一幅背影图前站住，拿出手机，调出自己所画的凶手背影，道：“他妈的，鲁刚就是石秋阳。”

田甜等人来到画架前，画架上的背影图与葛向东的背影图高度接近。

当刑警们传唤刘菲时，刘菲完全没有意识到事态的严重性，与警察们对峙，坚决不肯跟警察走。当警察采取强制措施时，她开始耍赖，躺在地上，大叫警察打人。宿舍周围有几个美术系寒假未离开的高年级学生，听到刘菲叫喊便围了过来，一起声援刘菲。

警察给刘菲戴上手铐，将其从地上拖起来。

刘菲大叫：“我怀孕了。”

这句话如定身术，让所有刑警都停顿下来。田甜望了一眼刘菲的肚子，道：“怀孕了？”

刘菲道：“真的怀孕了。”

田甜道：“鲁刚是化名，本人叫石秋阳，有杀人嫌疑，希望你能够配合。如果你真的怀孕，可以不给你上手铐，前提是你要配合。”

田甜声音不大，却有毋庸置疑的严肃性。刘菲略有迟疑，答应配合。

通过指纹比对，证明鲁刚正是石秋阳。

刘菲在受传唤时灵机一动，到了公安局以后，接过田甜交来的验孕棒，半推半就地验孕。在宿舍的灵机一动实际上有身体基础，因为她在这几天身体还真有不舒服的时候，隐约感觉是怀孕，只是没有深想。

石秋阳穷凶极恶，走上刑场吃子弹是其唯一的出路。田甜为这个自以为成熟实则天真的女孩子捏了一把汗。

找到石秋阳落脚点，已经过了下午两点，田甜准备休息一会儿再到医院。她刚回到刑警支队设在阳州公安宾馆的办公场所，接到李永梅电话："小田，这一段时间都没有睡好吧？公安宾馆条件太差，我派车过来接你，在医院附近有一个宾馆，是国龙集团下属的，比公安宾馆要方便。"

田甜没有矫情，收拾换洗衣服，按照约定时间下楼。公安宾馆大门前停了一辆硕大的越野车，一个漂亮女子站在车前，见到田甜下楼，赶紧上前接过行李，自我介绍是国龙宾馆小李。田甜接过名片看了一眼，名片上写的是国龙宾馆总经理李丹。

李丹坐在副驾驶位置上，借用后视镜偷偷打量国龙集团太子的女朋友。从李永梅打电话的口气来说，这是可以登堂入室的女人，虽然现在只是一个警察，以后肯定会在集团里有一席之地，在这个时候结交算是炒冷灶，一本万利。

田甜最初听到国龙宾馆，还以为就是一个普通宾馆，等到进入酒店广场以后，才发现这是一家豪华五星级酒店。三个酒店高管早就等在酒店大堂，一一与田甜见面，然后从一部隐秘电梯直接到酒店顶楼。顶楼是总统套房，一共只有三间，最豪华的那一间就留给了田甜。

田甜泡在临窗浴缸里，可以俯视阳州城区，还可以仰望蓝天。她泡在热水中，思念起侯大利。

侯大利已经完全将石秋阳之事放在脑后，伤势稳定以后，来到医院附近国龙宾馆，住进次高层套间。最高层是总统套房，对外，还有价格。次高层则更为隐秘，实则属于侯家自用。

每天有医生和护士到酒店，专门为侯大利服务。

侯国龙、李永梅、侯大利和田甜终于坐在一起吃了第一顿晚餐。李永梅原本想亲自动手给大家做一顿家常菜，但当酒店将原材料送到厨房时，李永梅叉腰看了半天，最终放弃自己做菜的想法。自从来到阳州，她和老公一起在商场拼杀，几乎脱离了回家做饭的家庭生活。站在厨房边，她惊讶地想起自己至少十年没有为丈夫和儿子做过饭了。

酒店派特级厨师为董事长一家做了一顿特别的晚餐。

李永梅拿出一本老相册，摆在桌上和田甜一起翻看。老相册平时并没有放在国龙宾馆，李永梅相当重视田甜第一次到家里聚餐，特意取来老相册。最初她只取了一本，想了想，又取出另一本小相册。

世安厂时代，侯家是普通工人家庭，所有家庭相片都出自江州市照相馆。那时的家庭相片多是黑白相片，小尺寸，相片底部印有“江州照相馆”的字样。田甜家里也有不少类似的相片，算是一代人的共同记忆。

侯大利小的时候是个头发稀少的虎头虎脑的小孩，头大，体瘦，头发少。看到这个模样，田甜笑得不行。

进入小学以后，侯大利仍然是瘦小样子，在集体照里，比班上大部分女生都要矮小。

进入初中以后，侯家的相片发生了明显变化，第一是三人合影相片突然减少，以前每年都有好几张，而且还是特意到照相馆拍摄。进入初中以后，侯家应该有了相机，所以每个人都有自己的相片，比如侯国龙在酒店的会议相片、李永梅出国旅行相片，以及侯大利很酷的相片。但是三人合影很少，只是在春节时才有。合影之时，侯国龙总是绷着脸，李永梅越来越时尚，侯大利总是一脸不耐烦，父子几乎不靠肩而站，中间永远是李永梅。

田甜注意到，侯大利眼皮上的眉毛开始变粗，神情桀骜不驯。

初中以后，侯家相片突然间变得稀少，几乎没有合影，只是三人各自单人相片放在一起。李永梅搜集了儿子好些政法大学时期的相片，包括登记照、班级合影、训练照等。侯大利读大学时的模样与现在的模样很接近了，眉眼中带着忧郁，忧郁直透相片。而在如今，侯大利将感情深深地藏在心底，表情严肃，却没有政法学院时代的忧郁感。

翻完相册，田甜稍有犹豫，问道：“阿姨，有没有杨帆相片？”

李永梅拿起小相册，道：“杨勇喜欢搞摄影，很早以前就有照相机。当年不是数码机，只能用胶卷，很贵的。所以杨勇主要给小孩子拍，过年过节我们两家才来合影。”

这个小影集里全是侯家和杨家的相片，最前面一张是合影，两家，六口人。侯国龙还很瘦，穿工厂制服，一头短发，挺精神。杨勇身穿白大褂，彰显了医生身份，头发梳得整齐。李永梅和另一个年轻女子各自抱着一个刚出生不久的婴儿。

随后相片就是以两个婴儿为主角，一页页相册翻开，两个小孩子的人生轨迹迅速展开，侯大利由小婴儿变成流鼻涕的精瘦小男孩。杨帆成为一个胖胖小姑娘，珠圆玉润，五官精巧。

杨帆出落得越来越漂亮。最后一张相片就是一张剧照，是杨帆表演后送给李永梅的。田甜作为女人，也觉得杨帆美得无可挑剔，不由得发出天妒红颜的感慨。

在临窗茶间，父子俩难得地坐在一起。

父子俩从相貌来说并不是太像。

侯大利继承了母亲的脸型，稍长，窄一些，眉毛浓密。若是没有过于浓密的眉毛，他会很阳光很英俊，有了这一道眉毛，凭空增添了沧桑感。

侯国龙是国字脸，浓眉大眼，久居上位后形成了极强的自信心，总喜欢咄咄逼人地盯着人看。当然，在儿子面前，他没有刻意扮演集团掌门人角色，相对平和。

“105专案算是破了，你有什么想法？”

“还有两个案子。”

“如果破不了怎么办？如果破了又如何？”

“到时再说吧。”

“你一定要破杨帆案？我觉得当年警察是对的，这就不是案子，是意外事故。”

“杨帆不会平白无故落水。”

对话到这里，又陷入前几次对话的僵局中。父子大眼瞪小眼，一时都没有话说。

侯国龙深深吸了一口气，道：“你是成年人，我就用成年人的方式来和你交流，换个通俗说法，我们爷儿俩打开天窗说亮话，你应该继承国龙集团，这是一笔巨大财富，等你掌握财富以后，可以做很多自己想做的事情，包括造福一方百姓。这种能力对社会的贡献远远要超过当一个小警察。你不要反对，小警察也是事实。有无数人可以做警察，并不比你逊色，这一点你要承认。你一定要认识到，侯大利只有一个，小警察有无数个，我希望你能来继承国龙集团，子承父业，这是山南传统。”

侯大利想了一会儿，道：“至少到目前来说，我还是喜欢做刑警，破掉陈年积案，很有成就感。”

侯国龙尖刻地道：“你喜欢做警察的前提是做一个有钱的警察，真要让你过清贫生活，那就不好玩了。”

侯大利道：“这是事实。有国龙集团的财力，我可以不考虑升官发财等外界因素，专心破案。”

侯国龙被儿子不温不火的态度激怒，道：“这句话只能放在这里说，仅限于我们两人。作为国龙集团创始人，被称为国龙之父，我当得起这个称呼。国龙集团不会上市，最高领导人肯定得是侯家人，这是我的局限性。但是，你若是坚持做警察，对集团来说风险太高。你在医院床上躺着的时候，我心想，若是救不了你，企业做这么大有什么用处？你别打断我说话，如果你坚持做警察，我就要考虑是否将国龙集团交到你的手里。”

侯大利很惊讶地看着父亲，道：“爸，你是什么意思？我没有听明白。”

侯国龙道：“我刚才说过，这是两个成年人之间的谈话。若是你不愿意到国龙集团工作，那我必须考虑新的继承人。你就安心当一个吃喝不愁、专心破案的好警察。”

侯大利道：“你是说从堂兄和堂弟中找继承人，我家那些堂兄弟担不起这个责任吧？”

“狡兔三窟，我得从长考虑。”侯国龙压根没有想着培养侄儿，而是想给侯大利生一个或是几个弟弟妹妹。这不仅有想法，而且已经行动起来。

侯大利望着父亲，缓缓地道：“爸，你根本不是想要堂兄弟接班。

你别忘了，我是刑侦系毕业的刑警。你说起堂兄和堂弟之时下意识地用手揉了鼻子，眼神向右，声音上扬，这些特征说明爸刚才在说谎。既然说谎，那么接班人是谁？除了我之外，那只能是再生一个。”

侯国龙最初与儿子聊天时很放松，身体全部靠在椅子上，听到儿子所言，瞬间恢复到董事长状态，挺直腰，目光炯炯，整个身体如会发射的弯弓。

侯大利看到爸爸的神态，知道自己猜对了。他知道母亲年龄大了，很难生育，道：“这很残酷，对我妈来说。她应该不知道，还在傻乐。”

侯国龙望着侯大利毫不退缩，道：“慈不掌兵，国龙集团走到今天成为庞然大物，决策者必须高度理智，这是理智，不是残酷。这是我们两个男人的事，不出这间屋。走出这间屋，我绝不会承认。”

各自谈话结束，李永梅心情愉快，侯国龙心情异常复杂。

“与儿子谈得怎么样？”

“不怎么样，杨帆早逝，儿子变成傻瓜，如今更是变成花岗岩脑袋。看他那副样子，我恨不得用老虎凳和辣椒水让他清醒。”

“儿子不是花岗岩脑袋，是痴情种子，”李永梅喜滋滋地道，“我让田甜留在家里照顾大利，这能增进他们的感情。儿子性取向没有问题，侯家有后，我总算松了一口气。”

第十章
杨帆溺亡的真相

石秋阳的软肋

国龙宾馆里，侯大利得知父亲的决定心情复杂起来。这些年来，父子俩渐渐陌生，如两条轨道上的列车，越走越远。

田甜拿着药走过来，道：“在想什么？”

侯大利接过药，丢进嘴里，摇了摇头。

田甜坐在侯大利身边，陪着他看窗外，窗外是阳州城区，有许多高楼，高楼之下是繁华街道，世人如蚂蚁一般在街道上匆忙行走。

侯大利提振情绪，道：“我们从高处往下望，看到的都是美景，其实美景下面就有黑暗。人类社会诞生以来，光明和黑暗就并存，我们要让光明多一点、黑暗少一些。”

田甜意外地望了侯大利一眼，道：“你平常不会说这些话。”

侯大利握住田甜的手，道：“平常不说的话也有可能是真话。每个人都有很多真话，得分不同场合说出来。刚才那番话，如果换到其他场合就往往会被认为是大话、空话。人们往往会用比较现实甚至庸俗的说法掩盖心中的光明。每个人心里都有崇高和低俗的一面，这两端的真话，都不能在公共场合说起，队里也算是公共场合，所以只能说些不那么崇高又不那么低俗的话。”

田甜挪了挪椅子，头靠在侯大利肩膀上，道：“我用手术刀了解人体构造，这方面我比你强。思考人生，你比我强。”

侯大利沉默了一会儿，道：“人类一思考，上帝就发笑。”

田甜道：“你和侯叔谈了什么？他的脸色不对劲，你的情绪也不好。”

“还是老问题，想让我回去接班。”今天父亲谈到这个问题时提出了很尖锐的会伤害到三口之家的观点，侯大利情绪低落来源于此。他没有在田甜面前谈及这个敏感话题，只做简化处理。

这是无解之题，田甜没有多问，道：“我和李阿姨看了相册，里面有杨帆相片，她真漂亮。”

“我和她从小就在一起，漂亮当然重要，这是男女吸引的重要基础。但是，我和她的感情不仅是恋人关系，属于超越恋人的亲人关系。我得承认，仅仅有亲人关系，若是没有恋人关系，我也不会念念不忘，一直想着复仇。”在很久以来，杨帆都是侯大利身上的一道不能触碰的伤口，除了案子以外，他将对杨帆的情感紧紧封住。田甜是走进这块封锁地的唯一一位局外人。

侯大利有伤，不能久坐，在田甜搀扶下进入卧室。

侯大利睡下，田甜正要出卧室，侯大利道：“我是伤员，需要你就近照顾。”

以前假扮夫妻时，为了安全起见，侯大利和田甜曾经同床异被睡了一段时间，如今钓鱼任务结束，近距离在一起就有另外的含义。

田甜的脸顿时红了，道：“我就在隔壁，有事叫我就行了。”

侯大利道：“我想你睡在身边。”

这是一句毫无技术含量的话，目的非常直接，却一下打动了田甜。田甜到柜子里拿了另一床铺盖，放在床上。

正在此时，电话突然响起。

侯大利俯身接过电话，脸色越来越严肃。

“什么事？”

"抓捕组在秦阳找到了石秋阳。石秋阳反侦查能力挺强，发现了准备收网的抓捕组。他劫持了一个人质逃跑，现在被围在铁江厂一个家属院六楼。人质除了挟持的一个女人以外，还有一家三口，爷爷、婆婆和小孙女。指挥部问你的身体情况，如果身体能撑得住，希望我们尽快到秦阳，提供咨询，协助谈判。"

听到石秋阳逃跑，侯大利腾地站了起来。

"抓捕组发现这么凶悍的连环杀人凶手，就应该马上击毙，居然还让他跑了。"侯大利套上安全带，忍不住抱怨。

"具体情况不清楚，只知道石秋阳如今被堵在铁江厂家属院。石秋阳携枪闯进一个老工人家里，老工人夫妻俩都退了休，有一个五岁孙女在家。他为了阻止警方进攻，从窗口扔出两颗燃烧弹，开了一枪。燃烧弹估计是就地取材制作的。"

"石秋阳不想活了，要鱼死网破。"侯大利听得直磨牙，没有询问狙击手的情况。既然指挥部要调105专案组，那么肯定没有狙击条件，或者是狙击条件很差。

朱林电话打了过来，道："我正朝秦阳赶，你研究石秋阳最深，对他最了解，他有什么心理软肋？"

侯大利道："让我想一想。"

过了几分钟，朱林又打电话过来，问："想好没有？"

侯大利道："正在想。"

隔了几分钟，朱林再打电话，道："时间就是生命，必须马上提出准确有用的观点。若是谈判不成，为了防备石秋阳狗急跳墙，特警只能强攻，屋内几人的生命安全难以得到保障。"他缓了缓口气，"你仔细想一想，我暂时不打电话了。"

侯大利将头靠在车椅上，闭上眼睛，有关石秋阳的画面一页一页在脑中闪现。第一个画面就是多年前在城市运动会上投弹的画面，当时的石秋阳如此年轻，充满自信和活力。

第二个画面则直接跳到了女孩被杀的场景。出现这个画面时，侯大利脑中出现了杨帆的画面，他为了不干扰对石秋阳的思考，强行将杨帆画面关闭。

这是石秋阳命运的转折点，第三个画面就不再是侯大利脑中的形象，而是通过刑警卷宗复原的画面，石秋阳在世安桥附近袭击了蒋昌盛……

第七个画面是从资料中得来，石秋阳女儿最后病逝的场景。石秋阳女儿与病魔进行了搏斗，感动了很多人，也鼓励了许多同样生病的孩子。后来就是石秋阳在女儿病床前痛哭流涕……

最后一个画面就是田甜递了一支验孕棒给刘菲，验孕棒显示出两条线。

尽管越野车价值百万，行驶起来如行云流水，非常平稳，可是侯大利重伤未痊愈，一个多小时的行程仍然牵动伤口，即将到达秦阳时，他呼吸变得困难。田甜是法医，对途中的问题早有防备，提出药箱，紧急处理以后，再继续前往指挥中心。

105专案组全体成员分乘三辆车，紧急前往秦阳公安局。朱林最先到，其次是葛向东和樊勇，侯大利和田甜从省城阳州出发，最后到达。

省厅老朴早就等在门口，抓着侯大利胳膊，走进指挥中心。

指挥中心小会议室有省厅主管刑侦杨副厅长，刑侦总队、江州公安局和秦阳公安局的领导。侯大利走进小会议室，立刻成为全场焦点。

局长关鹏问道："案情清楚了吗？"

侯大利点头。

局长关鹏紧接着道："窗帘紧闭，狙击手无法瞄准。屋里是老弱妇孺，石秋阳丧心病狂，谈判人员正在和石秋阳通话，无法有效说服。105专案组最熟悉石秋阳的情况，他的弱点在哪里？"

谈判组号码是警方公布给石秋阳的，只要能对话，就有希望解决问题。石秋阳使用的手机是被劫持女子所有，目前为石秋阳掌握。

侯大利在车里已经理清了思路，道："石秋阳总体内向，一般不惹是生非。从神经类型分类是集中慢，分散也慢，对过去的不快铭刻在心，久久不忘。外来侵害危及生活、家庭、婚姻、财产时，容易滋生仇恨心理，严重的就是极端仇恨心理……"

关鹏打断道："弱点在哪里？"

侯大利道："纵观石秋阳一生，其人生转折点两次，一次是妹妹遇害，另一次是女儿病亡。这是他的核心软肋。"

老朴道："谈判组掌握了石秋阳女儿留给石秋阳的音频。原本准备播放，攻心为上。反复商议后，觉得这又可能刺激到石秋阳，暂时没有播放。"

侯大利吃了一惊，道："千万别播。石秋阳最忌讳此事，若是提起女儿，有可能刺激到他，火上浇油。"

老朴道："你有什么主意？"

侯大利正要谈自己的想法，石秋阳的电话打了过来。

"给我准备一辆车，加满油，车上装五十万现金，不能连号。我开车离开后，你们不能跟随，到时我会陆续放人。如果不答应，那就同归于尽。让杜丽赶紧离开，若是她继续留在现场，我数一二三开始杀人。"石秋阳语速很快，不等谈判组对话，猛地挂断电话。

侯大利前往秦阳之时，谈判组已经将石秋阳妻子杜丽接到铁江厂。当杜丽的声音通过扩音器响起来之时，石秋阳反应非常激烈，将小孩推到窗边。他为了躲避狙击手，藏在小孩身后，威胁说再听到妻子说话，就将小孩推出窗外。

经过数次较量，谈判组对油盐不进的石秋阳没有太好办法。正在一筹莫展之际，坐在一旁的省厅技侦工程师道："厅长，我们监听到一段对话，很急。"

小会议很安静，技侦工程师将监听的对话实时播放出来。

老年女人的声音："求求你了，小孩发高烧，已经抽搐了，要送医院才行。我给你跪下了。"

石秋阳的声音："不行。你们拿点水，给这娃儿物理降温。"

这时又传来拨号声。

石秋阳又用手机与妻子通话，开头就道："我知道警方在监听，监听就监听，他们不满足我的条件，那就拼了。丽丽，妹妹死的时候，我心就碎了。妹妹是我从小带大的，说是妹妹，其实就是女儿。从那以后，我就是行尸走肉。”

“那么多人，真是你杀的？”杜丽声音颤抖，再次发问。她到了此刻仍然心存幻想，希望警方抓错了人，丈夫是清白的。

石秋阳愤怒地道：“他们该死，如果当初有人伸出援手，我妹妹就不会死。见死不救，就是人渣。你走吧，不要在现场。我不想让你看到我穷凶极恶开枪杀人的样子，也不想让你看到我被打成筛子的惨状。”

与妻子通话以后，石秋阳打量屋子里的情况。若是成年人突发疾病，他根本不会动心，现在是小孩发病，令他想起小女儿挣扎在病床上的情景。

老年男性和开车的年轻女子被绑得严实，绝对没有任何反抗之力，原本老年女人和小孩也被绑住，只是小孩发起高烧，为了方便老年女人照顾，便将小孩和老年女人放开。老年女人抱着孩子跪在石秋阳身边，哀求将小孩送到外面医治。

发烧抽搐的小孩突然口吐白沫，老年女人大声哭喊起来。

警方监听到屋内对话。

若是小孩高烧得不到控制，有可能危及生命，或者留下不可挽回的后遗症，指挥中心经过紧急商量，准备同意石秋阳要求，条件是将小孩放出来。

石秋阳道：“一辆车，五十万现金，我还要加一个条件。那天在师大，假扮吴莉莉的那个女警察，由她来换小孩。不答应，大家一起死。”

离开山师大后，石秋阳不停回想与“吴莉莉夫妻”搏斗时的情景，回过味来，“吴莉莉夫妻”之所以这么能打，肯定是警察假扮的。

所有人的目光集中到田甜身上。田甜内心略有挣扎，眼神慢慢坚毅，道：“我愿意换小孩。”

侯大利和田甜来到指挥中心，再到石秋阳点名田甜，只是短短几分钟时间，一直有各种状况发生，他没有来得及说出自己拟订的方案。

此刻石秋阳提出由田甜换小女孩，侯大利大声道：“我有说服石秋阳的把握。”

侯大利三言两语谈了想法以后，谈判人员再次拨通石秋阳掌握的电话。

参战指战员都将注意力集中在电话上。电话拨通一会儿，终于接通，谈判人员道："田甜在江州，没有在现场，从江州过来还有一个多小时。小孩病情严重，拖不得。"

石秋阳态度强硬，道："我不管，一人换一人。"

这几句给了警方机会，谈判人员敏锐地抓住机会，给侯大利做了手势。

侯大利拿起另外一部电话，道："我是师大的那个男警察，我过来换人。"

石秋阳道："一人换一人，姓田的不在，你戴上手铐进屋，换小孩出去。一分钟之内，出现在我的视线。如果敢玩花样，我就开枪杀人质。"

尽管侯大利重伤未痊愈，不是换人质的好人选，可是形势紧急，如箭在弦上不得不发。杨副厅长与侯大利用力握手，道："沉着冷静，攻心为上。"

田甜抹掉泪水，脸色苍白地走到侯大利身边，道："活着回来。"

她原本想跟着侯大利走出小会议室，被宫建民拦住，道："别打扰他，让他冷静。"

关鹏来到杨副厅长面前，低声道："他是侯国龙的独子。"

侯国龙是省内鼎鼎大名的人物，杨副厅长与侯国龙也有接触，闻言吓了一跳，道："原来是他呀，难怪看着眼熟。老子不错，儿是好汉。"

侯大利铐上双手，走到楼下，再上六楼。

石秋阳做好充分防备，子弹上膛，以男性老人和年轻女子为人盾。他要赌一把，若是警察趁此突击，那只有杀掉人质。女儿没有能够抵抗病魔，他已经存了死意。死亡对他来说不是痛苦，而是解脱。

侯大利上楼时，在头脑中将石秋阳人生经历回放了一遍。他觉得自己的方案至少有五成把握。若是自己不能说服石秋阳，指挥中心就得答应石秋阳提出的要求，提供车和钱，将石秋阳调出家属院。

防盗门打开，老年女人抱着孩子，回头看着老伴，将小孩放在防盗门口，然后关掉防盗门，反锁。

跟随在身后的特警接过小孩，飞跑下楼，交给医务人员。

成功解救了小孩，指挥中心松了一口气。

在屋内，侯大利举起双手，让石秋阳能清楚地看到手铐。

石秋阳从两个人质背后站起来，下身依然疼痛，一瘸一拐地走到侯大利身边。他用枪指着侯大利，然后检查了手铐，又让侯大利用戴着手铐的双手撑在墙上。他从侯大利身上搜出手机、钱包、手表等物品，放在桌上，道："你是警察，来抓我是公仇不是私仇。你只要不乱动，我不会为难你。"

指挥中心能监听手机，即使在关机情况下，侯大利和石秋阳的对话也能清晰地传到指挥中心。此刻，指挥员们不能把全部希望寄托于侯大利说服石秋阳放下武器，如果侯大利无法说服石秋阳，那么就有两套预案。一套预案是提供车和钱，将石秋阳调出家属院，在这个过程中寻机击毙石秋阳；另一套预案是调不出石秋阳的情况下，由特警支队进行强攻。

特警支队为了确保万无一失，派出三组狙击手。三组狙击手已经到位，枪口对准窗口和大门。强攻小队亦是三组，两组到楼顶，准备从天而降，破窗而入；一组在楼梯口，准备了破门器械。

石秋阳极为强悍，两套预案都很难保证人质安全。省公安厅领导、省刑侦总队领导、秦阳市公安局和江州市公安局领导神情异常严肃，紧盯监控器。

室内，石秋阳检查了侯大利随身物品以后，道："你和他们坐在一起，我再次警告你，若敢乱来，你们全都得死。"

指挥中心听到这句话时都松了一口气，只要肯对话，就还有机会。虽然侯大利的方案未经评估就上阵，但是情况紧急，容不得犹豫，只能使用此方案。侯大利见石秋阳随手将手机和其他物品放在桌上，也是长舒一口气，额头滚下了几粒汗水，落到眼睛里，火辣辣的。进屋前，他最担心石秋阳会毁掉手机，如果真是毁掉手机，那自己就相当被动。他依言与另外三个人质坐在一起，等石秋阳警惕性减弱后，道："石兄，你年龄比我长，我可以称呼一声石兄吧？"

石秋阳没有搭理他，坐在四人对面，眼神有些呆滞。

"我想单独和你聊几句。你放心，以你的身手，就算我不戴手铐也不是对手，何况如今我戴了手铐，又没有武器。"侯大利一直在观察石秋阳的神态，心里也是七上八下。石秋阳是连环杀手，心胸狭隘，其行为还真不能以常理度之。

石秋阳沉默了一会儿，道："别玩诡计。"

侯大利后背全部被汗水打湿，脸上有大颗汗珠。三个人质尽量挪动身体，不愿意和年轻警察靠得太近。

"为什么流汗？"石秋阳说话时，手枪枪口提着侯大利。

黑洞洞枪口给了侯大利极大压力，一颗心似乎要从胸腔里迸出来，他强自镇定，实话实说道："害怕。"

石秋阳眼神飘忽，道："你也害怕。"

"当然会害怕。"侯大利咬了咬牙，借此克服恐惧，道，"我和你其实颇有渊源。很早以前，你参加城市运动会，投弹冠军，打破城运会纪录，当时我就是你的观众。你当时代表银行系统。"

在投弹场上所向披靡，这是石秋阳人生的巅峰时刻之一。石秋阳没料到眼前警察还记得当年事，道："那时我还年轻，你几岁？"

"读小学。"说了几句话，侯大利渐渐平静下来。他下定了决心，决定抛出第一个秘密武器，用此获取石秋阳好感："我们还有另一次交集，请打开手机。这是你妹妹被害现场，我也在场。"

石秋阳眼睛一下就变得通红，挥拳连续猛击侯大利脸部。鲜血飞溅，侯大利倒在地上，金星在脑中乱转。侯大利中枪的伤口复发，身体蜷曲，呼吸艰难，眼见石秋阳举着枪口顶在自己额头上。"砰砰"的拳击声在指挥中心响起，重重地敲到指挥员心脏上。省刑侦总队副总队长刘真请示道："很难说服，动手吧。"杨副厅长面沉如水，道："再等等。"

石秋阳瞬间翻脸，双眼血红，如恶魔一般。手枪已经顶在头上，事已至此，侯大利反而平静下来，道：“当年，我是第一个冲上去的人，是我抓住杀人凶手。我的手机里有警方保存的当时录像视频，截取的是后面部分。”他抬起头，寻找石秋阳的目光，与之对视，道：“请看一看视频。”

枪声没有响起，继续传来对话声，指挥中心几乎凝结的空气似乎又开始流动。

手机里的视频如魔盒，让石秋阳无法拒绝，最终还是打开视频。视频对石秋阳来说如噩梦一般，当看到妹妹躺在地上之时，他浑身发抖，如筛糠一般，自语道：“旁观者罪有余辜，如果有人站出来，我妹妹不至于死得这么惨。”

侯大利弯着腰，如虾米一样躺在地上，大声强调道：“我当时从那里路过，看见有人行凶，就冲了过去，第一个冲上去的就是我！你看看，我是第一个冲上去的。”

视频里出现了一个奋勇冲上前的年轻人。定格画面后，石秋阳将手机拿到侯大利脸前进行比较，虽然时隔数年，侯大利相貌有变化，但是还是能够看出是一个人。他收起手枪，默默观看视频，看了三遍以后，又沉默地望着天花板。

另外三个人质惊恐地聚在一起，努力远离年轻警察。他们担心这个警察会激怒眼前这个凶手，造成无法挽回的后果。

侯大利试着坐起来，石秋阳没有干涉。侯大利坐在地上，喘了几口粗气，道：“当时你没有看到这个视频吗？”

石秋阳握紧手机，冷冷地道：“看到这个视频又如何？这个视频只能证明你的事，没有办法抹平前面那些人坐视我妹妹被杀的事实。”

侯大利试探道：“给我一张纸，擦擦鼻血。”

石秋阳没有回应这个要求。

“我其实和你有相似经历，挺能够理解你。我的女朋友，就是在视频里跟着跑的那个漂亮女孩，莫名落入世安河。若是真能抓到那个凶手，我也会违犯法律，对那个人施以私刑。”

这句话真不是假话，侯大利找到石秋阳杀人原因之后，经常在夜间揣摩石秋阳的心态。从个人角度来说，他也想违犯法律，大开杀戒，为杨帆报仇。当然，这只是一种想法而已。在现实生活中，他选择当警察来追查真凶，而不是滥杀无辜。

石秋阳重放了一遍视频，突然间有些发愣，再放了一遍视频。他转身走到桌前，抽出几张纸，递到侯大利手边。

侯大利和石秋阳的交锋只是短短几分钟。对指挥中心来说，这几分钟无比漫长，特别是从监控手机听到击打声音时，所有人的心脏都收紧了，神经绷紧到极点，几乎不能呼吸。负责现场指挥的副总队长刘真已经作好了下令强攻的准备。

侯大利擦掉鲜血，汗珠却再次狂涌而出。他一字一句地道：“我还要告诉你一个消息，刘菲怀孕了。”

石秋阳身体顿时僵住，猛地转身，道：“你再说一遍！”

侯大利道：“刘菲怀孕了！”

石秋阳将手枪上膛，顶在侯大利太阳穴，双眼似乎在喷血，大吼道：“我要和刘菲通话，若你说谎，我打死你。我杀了这么多人，再杀一个就像踩死一只蚂蚁。”

侯大利大声道：“手机视频的第二个文件，你看吧。”

第二个文件正是当初田甜给刘菲验孕的视频。视频没有经过加工，刘菲所有表情都是真实的。石秋阳看过视频以后，知道此事不假。他提着手枪，如热锅上的蚂蚁，不停地转来转去。

侯大利劝道：“你是杀人重犯，不可能跑掉，最大的可能性是被击毙。现在科技如此发达，锁住你后，你真跑不掉。”

“住嘴！”石秋阳青筋暴露，双眼闪出凶光。他慢慢举起手枪，对准年轻警察的脑袋。

成败在此一举，侯大利闭着眼，等待最后结局。在脑中，他回放起与杨帆在一起的画面，所有画面如此清晰，如刚刚发生一样。这在很长一段时间让他生不如死，可是在最后关头，这些清晰画面却让他心情平静下来。他在心中道：“别了，田甜。杨帆，我来陪你。”

“我要和刘菲通话。”石秋阳突然将手枪收了起来。

指挥中心所有人听到这句话，如释重负。

很快，刘菲电话打了进来。

“你知道真相了，小菲？”打电话时，石秋阳态度很是温和。

刘菲身边皆是警察，还有专门从省厅过来的心理辅助人员。经过耐心的思想工作，刘菲心情平静下来，道：“我知道真相了。不管你是什么样的人，我都爱你。”

石秋阳道：“怀孕了吗？”

刘菲道：“怀上了。这是我们的孩子，我要生下他。”

石秋阳道：“你身边有警察？”

刘菲道：“有警察。不管有没有警察，我说的都是真心话。我会生下这个孩子，让他姓石。”

石秋阳泪水如注，无法停住，最初是哽咽，随后是狼嚎一样大哭。哭声通过无线电传到刘菲耳里，她的泪水如倾盆大雨。石秋阳停止哭泣之后，拿起手机再次观看了视频，终于，他清楚地说道：“我投降。”

指挥中心所有人都站了起来，紧紧盯住监控器。屋内静悄悄，只能听到无数心脏怦怦跳动。过了一会儿，电话响起，侯大利道：“石秋阳投降了。手枪在我手里，他被反铐。人质已经出来。”

副总队长刘真下达命令，参加强攻的特警小组立刻出现在屋门口。当人质和石秋阳先后出现在家属院楼门洞时，在场所有参战人员无论老少都跳了起来，也不管职务高低，互相拥抱。

田甜从救护车里拿过医药箱，朝侯大利奔去。

侯大利脸颊被石秋阳重拳打出一个大口子，鲜血顺脸颊不停往下流。田甜拿起手术刀解剖尸体从来不手软，今天给爱人处理伤口，却觉得手在抖、心在疼。

省厅领导、江州公安局领导、秦阳公安局领导一起走过来，轮流过来与侯大利握手。关鹏用力握着侯大利的手，道：“你是好样的，是真正的刑警！”

侯大利是全省顶级富二代，虽然在警队表现一直还不错，但是关鹏一直心存疑虑，并没有真正将侯大利当成骨干刑警。经此一役，他视侯大利为值得信任的江州刑警。

石秋阳走上警车，朝正在处理伤口的侯大利看了一眼，然后闭目养神。

侯大利和石秋阳对视一眼，问田甜道："刘菲是真心要给石秋阳生孩子，还是应付这件事情？"

田甜道："应该是真心的吧，哭得稀里哗啦。人是会变的，石秋阳必死无疑，到时孩子能否生下来还是一个未知数。你被打得这么惨，差点丢了命，我怎么感觉你居然还有些同情石秋阳？"

侯大利道："我一点都不同情石秋阳。他的性格有重大缺陷，不是真男人，就是一个丧心病狂的歹徒。"

田甜道："那你为什么关心刘菲是不是给他生孩子？"

侯大利道："我能活下来，就是因为刘菲答应生这个小孩子。石秋阳这人虽然凶残，对家人特别是小孩子还是挺好的。任何人都有优点，但是这个优点不能掩盖其凶残本质，更不能把责任推给社会。这就是人格缺陷导致的悲剧。"

侯大利脸上鲜血直流，惨不忍睹。田甜着实心疼，道："李阿姨让我们回家吃饭。你这个样子，怎么回去？"

"前一次中枪，我妈就吓得够呛，这一次不能再吓她了。我们直接回江州过二人世界。人生有太多意外。我现在最想做的事就是完成被打断之事。"这一次做人质，危险性很高，生死全部掌握在石秋阳一念之间，侯大利此刻有强烈的劫后余生之感。

田甜脸微红，充满甜蜜，道："你枪伤没有好，又被打得满脸花，还想着那事。我看着你的丑样子，恐怕都会失去兴趣。"

侯大利凑到她耳边轻声说了几个字，若不是现场还有其他人，田甜肯定会扬起拳头打两下。

两人正在说话，杨副厅长走了过来，与侯大利握手，仔细询问伤情，给予侯大利高度评价。

侯大利知道省厅杨副厅长认识父亲，道："杨厅长，这事能不能不要宣传？我父亲若是知道我去交换人质，恐怕会气得和我断绝关系。"

杨副厅长道："我们有宣传纪律，会掌握分寸，你不用担心。"

凡是效益不好的厂矿，闲人都多。铁江厂不景气，家属院就聚焦了大量围观群众。抓住石秋阳以后，公安人员迅速撤离。

"杨帆落水案"的真相

侯大利不愿意回到阳州听父母啰唆，直接回江州，先到江州第一人民医院换药，然后去了高森别墅。

车到半途，侯大利道："我想到蒋昌盛、王涛和赵冰如家里走一趟，告诉他们案件侦破的消息。"田甜劝道："你脸上全是伤，等伤好了再去。反正发案这么久了，晚两天告诉他们也没有关系。况且没有正式结案，最好不要由个人通知事主。"

侯大利道："他们等这个消息很久了。说句官样的话，迟到的正义是打折的正义。我等不及了。"

汽车掉头，过了世安桥，沿村级小公路直到蒋家。蒋昌盛老婆在院子里切菜，见到来人只是抬了抬眼皮，继续忙自己的事。

侯大利走到蒋昌盛老婆身边，调匀呼吸，道："抓到杀人凶手了。"

蒋昌盛老婆对侯大利的话左耳朵进，右耳朵出，没有反应。

侯大利加重语气，道："抓到杀害蒋昌盛的凶手了。"

蒋昌盛老婆这才明白是什么意思，放下手中的菜刀，不停喃喃自语，又抹眼泪，转身进屋。不一会儿，蒋昌盛老婆带着一个脸色发白的年轻男子走到院子。

侯大利看到萎靡不振的男子，皱眉道："你回来了？"

蒋昌盛儿子如斗鸡一样，道："戒毒所不可能关我一辈子。抓到杀人犯了，能赔我们多少钱？这个钱是警察出，还是那个杀人犯出？你们不要以为我不懂法，就把我们的钱贪污了。"

侯大利火气一点一点上来，道："你们不想知道蒋昌盛为什么遇害？"

“知道了有屁用。”蒋昌盛儿子见到来者脸色不对，态度稍软，又问了一句，“是啥事嘛？”

侯大利再也不想理会这母子俩，转身就走。蒋昌盛儿子跟在身后，追问道：“警官，到底赔不赔钱？”侯大利断喝道：“滚！”蒋昌盛儿子从戒毒所出来不久，对警察还有几分畏惧，不敢去拉车门，在车下大喊：“警察骂人了，警察骂人了，当警察是了不起！”

上车以后，田甜对胸口不断起伏的侯大利道：“到不到王家和赵家？”侯大利气鼓鼓地道：“去，为什么不去？”田甜安慰道：“他是吸毒人员，脑袋不清醒，别跟他一般见识。我们先到王涛老婆家，还是王涛妈妈家？我看真正记住王涛的就是王涛妈妈和女儿。”

侯大利是年轻刑警，破案以后，心中还有受害者对侦办刑警感激的画面。走了第一家，现实与理想还真不一样，他有些气闷，道：“王涛老婆家顺路。”

敲开王涛家门，王涛老婆见到两个年轻警察，站在门口，堵住门，道：“该说的已经说了，真的没有隐瞒。实话跟你们说吧，我老公不喜欢你们来找我。”

侯大利不想说话，闭嘴不言，神情不快。

田甜道：“我们抓到杀害王涛的凶手了。”王涛老婆愣了愣，道：“什么？”田甜道：“抓到凶手了。”王涛老婆道：“抓到凶手了，凶手是谁？”

田甜用最简洁的语言叙述了整个过程。

王涛老婆脸上似乎有了笑意，笑意很快变成哭脸。她猛地转身进屋，用力关了房门。房门发出巨大声响，差点撞到田甜鼻子。侯大利站在门口，自嘲地道：“我们成了不受欢迎的人。”田甜把食指放在嘴唇，指了指屋内。屋内响起奇怪的声音，如大风吹进山洞，声音尖厉，不断拔高，然后突然中断，再重新响起。“妈妈，你别哭，我扶你到沙发去。”屋内传来王涛女儿的声音。

过了一会儿，门打开，王涛女儿出现在门口。她泪流满面，情绪控制得挺好，道：“叔叔、阿姨，请进。”

王涛老婆屈腿躺在沙发上，双手捂着脸，一直在号啕大哭。在女儿的劝解下，十来分钟后，她才慢慢停止大哭，坐直了身体，对两位警官道："我的命太苦了，王涛死得太冤。"

她平静下来后，问了一些细节。等到第二任丈夫回家后，王涛老婆擦干眼泪，情绪才彻底稳定下来。

离开王涛家，侯大利和田甜心情变得复杂起来。来到车边，田甜用手轻抚侯大利的伤口，幽幽地道："为了抓石秋阳，牺牲了李超，你距离牺牲只有半步。可是，他们都没有问你脸上的伤口从哪里来的。"侯大利道："我们破案，不是为了获得他们感谢。"田甜道："我内心深处还是希望能得到感谢。"

王涛女儿急匆匆跑了过来，怯生生地道："叔叔、阿姨，我想陪你们到奶奶家里去。我希望你们能到奶奶家，她听到这个消息一定会很高兴。在这个世界上，最爱爸爸的就是奶奶，还有我。"

王涛女儿带着两个警察进了屋。王涛母亲看见孙女红肿的眼睛，似乎有了预感，抓住椅背，支撑住身体，道："警察同志，是不是有消息？"

侯大利道："抓住了凶手。"

王涛女儿搀扶住奶奶，未语泪先流，道："我爸死得好冤。"

"天哪，天哪！"王涛母亲得知事情因果，双腿发软，身体往下坠。

王涛女儿扶住奶奶，让其坐在椅子上。

王涛母亲用手扶住额头，道："夏儿，给叔叔阿姨煮糖水蛋。"王夏很乖巧地到厨房煮糖水蛋。王涛母亲身体突然下滑，跪在地上，就要给侯大利和田甜磕头。

侯大利和田甜同时上前一步，挽住王涛母亲的手。田甜劝道："阿姨，使不得，破案本来就是我们的职责。"王涛母亲道："抓到凶手，我死了可以闭眼了。"

王涛母亲被扶起来以后，左手抓住侯大利，右手抓住田甜，对孙女道："夏儿，快给叔叔、阿姨盛糖水蛋。"

王家客厅茶几下摆放着王涛用过的物品，墙上挂着王涛各个年龄段的相片。王涛母亲望着儿子小时候的相片，大颗浊泪滚动而出，解释道：“今年春天太潮了，我把儿子的东西拿出来晒太阳。”

王涛女儿动作利索，不一会儿就端出两碗糖水蛋。糖水蛋是已经过时的待客礼仪，甜得腻人，侯大利和田甜接受了善意，吃掉了糖水蛋。王涛女儿坐在侯大利和田甜对面，道：“叔叔、阿姨，我叫王夏，我能不能要你们的电话号码？”

王涛母亲陷入深深的沉默，双手紧握儿子小时候的相片。侯大利和田甜与王夏说话之时，她的神情有些恍惚。

离开王涛母亲家，侯大利和田甜心情沉重得如绑有铅块，一路上没有说话。

赵冰如家庭是三个受害者家庭中最为理智的家庭，其父母和丈夫彬彬有礼地接待了两个年轻警察。得知赵冰如遇害的原因，赵冰如丈夫拿着玻璃杯砸在桌上。

赵冰如爸爸额头上全是皱纹，皱纹紧紧锁在一起。他站在侯大利面前，紧握拳头，咬牙切齿地道：“什么时候枪毙凶手？我们要求旁观。”侯大利客观地道：“现在只是抓获了石秋阳，还有起诉阶段和审判阶段。”

赵冰如丈夫手掌被玻璃划伤，鲜血淋漓。他挥动血手，道：“我希望把凶手五马分尸，否则难解心头之恨。枪毙凶手的时候，一定要记得通知我们。你们别忘了，一定要通知我们。”

赵冰如爸爸道：“庭审是公开的吧，我们要求参加庭审。”

与三家人见面后，侯大利内心五味杂陈，情绪低落。

“你别沮丧了，终究是破了一个大案，应该高兴起来。”田甜安慰道。

侯大利深深吸了一口气，道：“我不矫情了，你说得对，我们是破了一个大案，应该高兴。”

越野车来到高森别墅。

侯大利与田甜牵着手，走遍所有房间。田甜父亲曾是名律师，律所合伙人，经济条件很不错。今天走进侯大利独居的家，田甜真心感慨侯家才是真有钱，自家不过刚到小康而已。

经过了铁江厂之役，两人回到家里皆身心俱疲，若是进屋就直接上床，对侯大利来说身体有问题，对田甜来说心理有问题。侯大利在书房播放了一部黑白片子，陪同田甜观看。

“黑白的，片子有些老。”

“我看过几遍，名字叫《鸳梦重温》，情节从现在来看很老套。用一句话概括，一个富有的军人在战场上失忆后与一个平民女子的恋爱故事，大体上与《魂断蓝桥》是一个时代。”

故事是在一片迷雾中展开，散发淡淡忧伤。田甜得知片子是20世纪40年代的，最初有几分抗拒，随着情节展开，很快就陷入离别愁绪之中，用掉了不少纸巾。

田甜钻进被子，侯大利坐在床边细细打量田甜明亮的眼睛和长长的睫毛，道：“我们完成那天未完成的事，希望电话不来打扰。”

一夜温柔。

早上是难得的太阳天。阳光从窗户射进，照亮了屋内细微浮尘。侯大利和田甜仍然在酣睡。

侯大利轻轻地抚摸田甜后背，这个女人在初见时冷眉冷眼，拒人于千里之外。冰雪融化之后，这个女人变得温润如玉，皮肤如缎子一般光滑。

他在多年以前曾经是混在省城纨绔圈子里的新锐，身边并不缺女人，不仅与同龄女人有交往，甚至还有大他不少的大年龄女子投怀送抱。杨帆之死是转折点，从此以后，他几乎过上了苦行僧生活，只到田甜将沉积的寒霜悄然融化。

“你一直都没有女友？”

“是的，一直没有。”

“那用什么解决生理问题？”

“用手哇，还能用什么？”

“你这个富二代如此悲摧。从这一点来说，你是痴情种子，如果我发生什么事情，你会不会一直记住我？”

侯大利用力拍打田甜屁股。这一下非常用力，痛得田甜叫了起来。她站起来，扭身看了屁股上的红掌印，嗔怒道：“你一点不怜香惜玉，都留下掌印了。”

侯大利道：“有些话不能乱说，给你严重警告。”

虽然被打得很疼，田甜心里还是暖乎乎的。父亲进监狱留给她阴影，这个阴影在侯大利巴掌的袭击下，慢慢消散了。

两人正在缠绵之际，手机在床头柜上跳动起来。侯大利搂着田甜，接通朱林来电。田甜侧身依偎在男友怀里，伸手轻轻抚摸有些怪异的浓厚眉毛。她突然停下抚摸，道：“出什么事情了？”

侯大利接过电话以后，其表情如逐渐干掉的水泥，硬邦邦的，没有一丝情感。

田甜惊了一跳，坐起身，道：“出了什么事？”

侯大利没有回答，径直取了一支烟，光着身体坐在椅子上，慢慢抽烟。他平时抽烟不多，特别是在田甜面前几乎不抽烟。此时他如失去魂魄一般，一口接一口吸烟。

田甜道：“是不是和她有关？有消息总比没有消息好。”

侯大利抱着头，将头弯在腿边。

田甜意识到自己的判断是正确的，只有出现了杨帆的新消息，侯大利才会如此失魂落魄。她没有再说话，俯身将男友抱在怀里。

过了很久，侯大利抬起头，已经泪流满面，道：“石秋阳主动交代，看见有人将杨帆推下水。杨帆是被谋杀的。”

杨帆落水后，公安机关经过初查，没有找到支撑立案的条件，最终未能立案。侯大利一直认为杨帆不是意外落水而是遇害。为了能够破案，替青梅竹马的恋人讨回公道，他发奋学习，考入山南政法刑侦系。这么多年，众人都渐渐将曾经的校花遗忘，他还在坚持寻找蛛丝马迹，如悲壮的小螳螂，举起纤细的小胳膊，想挡住一辆滚滚向前的时间大货车。

侯大利和田甜默默地在沙发上寻找各自的衣服，一件件穿上。

越野车发出轰鸣，直奔江州看守所。走到半路，田甜接到电话，得知父亲在监狱摔断了手。她和父亲算得上相依为命，将侯大利送到刑警支队后，又开车前往监狱。

看守所内，石秋阳心情平静，不悲伤，也不欢喜，主动要求治疗下身的伤。刑警审讯时，他也非常配合，一五一十地将自己所作的案子全部交代。

指认完现场以后，石秋阳主动向警方提供了一条其他案件的重要线索。

这些年，石秋阳一直坚持学法律，对刑法和刑事诉讼法最为熟悉。他得知刘菲怀孕之后，便彻底放弃了抵抗。放弃抵抗的原因很简单，他曾经亲眼看见过一起谋杀案，向警方提供谋杀案的线索，最起码可以让他活到刘菲生孩子。只要看一眼这个孩子，他就算被枪毙也无憾。而当时若是继续抵抗，正如侯大利所言，最终结果就是被击毙。

立功制度是我国刑法所特有的一项重要的刑罚制度，是指刑法第六十八条规定的与自首、累犯、数罪并罚及缓刑相并列的一种独立的刑罚裁量制度。

《中华人民共和国刑法》第六十八条第一款规定：犯罪分子有揭发他人犯罪行为，查证属实的，或者提供重要线索，从而得以侦破其他案件等立功表现的，可以从轻或者减轻处罚；有重大立功表现的，可以减轻或者免除处罚。

《最高人民法院关于处理自首和立功具体应用法律若干问题的解释》第五条规定：根据刑法第六十八条第一款的规定，犯罪分子到案后有检举、揭发他人犯罪行为，包括共同犯罪案件中的犯罪分子揭发同案犯共同犯罪以外的其他犯罪，经查证属实；提供侦破其他案件的重要线索，经查证属实；应当认定为立功表现。

石秋阳在查看侯大利提供的视频时，意外地看到侯大利身后的女孩子正是当年被谋杀的女孩子。谋杀案发生时，他藏身处距离世安桥有几百米，当天并没有看清楚被遇害女孩子的容貌，《江州晚报》刊登出了女孩子的相片后，他才知道女孩子的姓名。

女孩子十分漂亮，公安机关又认定为意外落水，这给石秋阳留下深刻印象。

从视频中看到那个漂亮女孩子以后，石秋阳立刻想到保命之道。或者说，他知道如何让自己的生命延长到看到刘菲生下新生命。正因为此，他才果断放弃抵抗，向警方投降。

两个警察押着石秋阳，前往看守所提审室。他戴着手铐和脚铐，走在两个警察中间，望着墙上“严格执法，文明管理”的红色标语，心情甚至有点愉悦。

提审室，石秋阳的手和脚被铐在椅子上。他坐在椅子上等了不到一分钟，铁栅栏后面就出现了两个警察。

侯大利原本想参加审讯，但是他与被害人有特殊关系，没有直接参加审讯，只是在监控室观看审讯。

石秋阳自称看见了一场谋杀案，这是足以影响其判决结果的事件，核实其所讲是否真实便格外重要。如果石秋阳所说确实存在，那么他就是“提供了重要线索”，而江州将增加一起谋杀案。

站在屏幕前，侯大利百感交集。几年的坚持在这一刻就要见分晓。能否立案是能否侦破杨帆案的关键点，现代侦破是系统工程，以前福尔摩斯式侦破方式更依靠天才式的侦探，而天才式的侦探很难敌得过系统工程。

石秋阳在镜头里很平静，回答问题也准确清楚。

侯大利拿了笔记本，记录下核心要点。

石秋阳看到凶杀案的时间是下午五点五十分左右，这与杨帆放学后骑车到达世安桥时间基本一致。警察询问石秋阳为什么要躲到世安桥附近的草丛中，石秋阳明确回答这是事先踩点，要查看蒋昌盛行踪，在踩点时，无意中见到这起谋杀案。

警察询问为什么记得如此清楚，石秋阳回答是曾经做过踩点记录。

石秋阳看到的凶杀案发生地点就在世安桥上，这一点确定无疑。

警察询问为什么石秋阳叫得出那个年轻女子的姓名。石秋阳答得很明确，他曾在调查朱建伟的时候见过他刊登在《江洲日报》的杨帆相片，还有关于杨帆落水的报道。

石秋阳的回答在外人耳里很平常，却将侯大利完全带入那一段岁月里。当时报纸上登出了杨帆的相片，一向温文尔雅的杨勇十分生气，到报社吵闹过一番。侯大利本人还提刀闯入报社，阴错阳差之下，这才没有惹下大祸。

“我刚才说过，隔得有些远，没有看清楚凶手的面貌。从体形看凶手应该是学生，特别瘦，个子不高，和女生差不多。接近灰色的短袖，裤子就是土蓝色那种，家庭条件应该不好，除了这个没有明显特征。”

朱林道：“石秋阳没有说谎，所有细节都对得上。”

“你怎么能够肯定是故意推下去？”审讯的警察提出一个问题。

石秋阳道：“肯定是故意推下去的，当时那个女孩子身体翻到桥外，还抱着栏杆不松手，最后被男子把手掰开，推下去的。”

侯大利能够想象杨帆当时的绝望和恐惧，泪水一滴滴落下来，打湿了记录本。他越想越觉得悲伤，小声抽泣起来。抽泣仍然无法抑制深入骨髓的悲痛，人死无法复生，就算复仇又能如何，他终于号啕大哭起来，哭得毫无遮拦、撕心裂肺。

朱林当时正是刑警支队支队长，了解当时发生的一切。他拍了拍侯大利肩膀，没有过多安慰，走出房间，轻轻掩上房门。

隔着房间，屋外民警仍然能够听到里面传来的哭声。

重案大队皆是粗爷们儿，崇尚的是打落牙齿和血吞，极少在办公场所公开大哭。朱林站在门外抽烟，每当有警察驻足时，挥手让他们离开。

田甜在医院见过父亲，又与管教进行沟通，忙完以后，急急忙忙回到看守所。她看到朱林站在门口，正想开口询问，听到屋内传来的哭声。她惊了一跳，道：“证实了？”

朱林道：“石秋阳看见了整个案发过程，杨帆是被谋杀。你进去看看吧。”

田甜推门而入，整个人都呆住了。侯大利如小孩子一样靠墙边蹲着，将头埋在膝盖间，仍然在呜呜痛哭。她的心犹如被针刺一般，对眼前哭泣男子无比怜惜，上前轻轻拍背，低声安慰。

朱林仍然守在门口。

走出门时，侯大利眼睛充了血。他的眉毛原本就浓密，这时眉毛上出现的白点更多，看起来很怪。

杨勇接到刑警支队电话以后，与妻子秦玉抱头痛哭。女儿杨帆逝去后，有意外落水和谋杀两种说法，警方选择相信意外落水，侯大利坚持杨帆是被谋杀。夫妻俩从内心深处更愿意相信女儿是意外落水，至少这种说法相对不那么残酷。真相出来以后，夫妻俩除了痛苦之外，还有刻骨仇恨，这种仇恨并没有因为女儿逝去多年而减弱。

杨勇、秦玉与刑警支队长宫建民见面后，驾车前往女儿墓地。墓地所在的小山原本寻常，修了墓地之后，往日青山变得凝重起来，树叶摇曳间充满了生离死别的情绪。停车场内能闻到墓地烧纸钱和香烛的味道，间或有鞭炮声音响起。

祭奠老人，一般情绪比较平和，杨勇和秦玉这种白发人送黑发人，进入墓地则陷入深不可测的悲伤。这种悲伤永远无法排遣，直至死亡降临。

下车时，杨勇用尽全力控制情绪，道："我想给侯大利打电话，他是小帆的男朋友，我们应该把他视作一家人。"

秦玉道："在刑警队没有看见他。这么大的事情，他怎么不打个电话？"

长期以来，杨勇和秦玉有一个隐秘的心思：认为女儿若是一心学习，不跟侯大利谈恋爱，那就能降低风险。而且他们认为学生时期的恋爱只不过是放大的过家家，算不得正式确定关系，更何况侯大利还变成了一个纨绔子弟。

正是有这个想法，他们小心地与侯大利保持距离。

经过了这么些年，侯大利这个富二代不去国龙集团工作，坚持做刑警，目的就是查清女儿落水真相。时间证明，侯大利确实真心对待杨帆。

停车场内，田甜在越野车内听音乐。

侯大利情绪激动，朱林不准其驾车。田甜将其送到墓地，在停车场等待可怜的大男孩。她看到了这一对神情凄楚的夫妻，猜到是杨帆父母，暗自叹息。正在这时，她接到了王涛女儿的电话，王夏带着哭腔，道：“田阿姨，我奶奶昏了，睡在床上，叫不醒，没有呼吸。”田甜一颗心揪了起来，道：“你奶奶生病了吗？”王夏道：“我发现安眠药的空盒子。”田甜道：“别慌，赶紧打120。”王夏道：“我已经打了。”这时，电话里传来救护车的声音，王夏开始大声叫：“奶奶，奶奶，别吓我！”

杨勇和秦玉走上墓地，远远地看见一个瘦高年轻人站在女儿墓前。

杨帆墓前摆满鲜花，香烛散发的烟气袅袅上升。侯大利隔着烟气默默凝视墓碑上的瓷质相片，用手指轻轻抚去相片上浅浅灰尘。

时间飞逝如水，侯大利比起八年前颇显沧桑，鬓间夹杂些许白发。杨帆的时间永远停止在八年前，相片上的她依然和八年前一个模样，年轻得让人心痛，漂亮得让人心酸。

听到脚步声，侯大利回头，看到手捧鲜花的杨帆父母。

三人并排站在杨帆墓前。杨勇将鲜花放在女儿墓前，低声道：“小帆，我们来看你了。妹妹还小，过几年再来。有人看到发生在世安桥上的事情，公安立了案。只要立了案，一定能破案。天网恢恢，疏而不漏，肯定能抓到凶手。”

秦玉哽咽道：“我现在相信老天有眼。”

侯大利脑海中响起了杨帆的声音，她似乎从远处走来，轻声诉说着少女的情愫：“大利哥，我一直想写这封信，每次提笔，满肚子话却又不知从何写起，真是‘剪不断，理还乱’，但斟酌良久，还是觉得应该给你写这封信……”

他暗自发誓：“杨帆，不管上天还是入地，我一定要抓住凶手，为你报仇。”

此时已近傍晚，整座江州市都渐渐沉入暮色之中。腰带一般的江州河缓缓流淌，新区拔地而起的高楼静静伫立，而在远处江州师范校后围墙处，两个工人正在检查年久失修的排污管道。当他们打开一处污水井盖，一阵古怪的恶臭猛地涌了出来。工人捂着鼻子跑了十几米，站在上风处，大口喘气，几分钟后才缓过劲来。年轻工人胆大，用毛巾捂着嘴和鼻子，再次来到井边。

“妈啊。”年轻工人伸头看了眼污水井，吓得屁滚尿流。

污水井里仰面躺着一具尸体。尸体身上衣服还在，脸部皮肤和肌肉组织已经全部腐败，露出牙齿和颅骨。尸体两眼变成黑洞，通过井口仰望着被夕阳染得一片猩红的天空。

（第一部 完）

《侯大利刑侦笔记2：辨骨寻凶》即将出版，精彩预告：

到底是谁杀了杨帆？时隔八年，又该如何揪出凶手？侯大利还来不及思考，就投入了刚发生的“污水井女尸案”。第一次勘查命案现场的他，面对高度腐败的尸体、混乱不堪的足迹，一举锁定关键信息，拉开了江州系列奸杀案的帷幕。调查步步深入，受害女子相继浮出水面，种种迹象都与当年的杨帆高度相似……

就在这时，曾经侦办杨帆案的资深刑警忽然遇害，侯大利成了头号嫌疑人。腹背受敌的他，将如何拨开重重迷雾，揪出那个隐匿多年的宿命劲敌？

敬请期待《侯大利刑侦笔记2：辨骨寻凶》！

激发个人成长

多年以来，千千万万有经验的读者，都会定期查看熊猫君家的最新书目，挑选满足自己成长需求的新书。

读客图书以“激发个人成长”为使命，在以下三个方面为您精选优质图书：

1. 精神成长

熊猫君家精彩绝伦的小说文库和人文类图书，帮助你成为永远充满梦想、勇气和爱的人！

2. 知识结构成长

熊猫君家的历史类、社科类图书，帮助你了解从宇宙诞生、文明演变直至今口世界之形成的方方面面。

3. 工作技能成长

熊猫君家的经管类、家教类图书，指引你更好地工作、更有效率地生活，减少人生中的烦恼。

每一本读客图书都轻松好读，精彩绝伦，充满无穷阅读乐趣！